À toi ma sœur

Rosamund Lupton

À toi ma sœur

Traduit de l'anglais
par Valérie Bourgeois

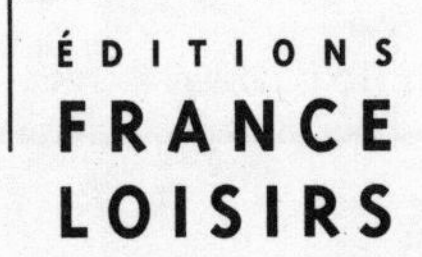

Titre original : *Sister*
publié par Piatkus

Une édition du Club France Loisirs,
avec l'autorisation des Éditions Payot & Rivages

Éditions France Loisirs,
123 boulevard de Grenelle, Paris
www.franceloisirs.com

ISBN : 978-2-298-03404-2

À mes parents, Kit et Jane Orde-Powlett,
pour les encouragements et la générosité
qu'ils me témoignent depuis toujours.

Et à Martin, mon mari, avec tout mon amour.

« Connaissez-vous une fille plus attentionnée,
une sœur plus aimable, une amie plus sincère[1] ? »

Jane AUSTEN, *Emma*.

Mais la fleur distillée, en la froide saison
Survit, perdant sa forme, en son exhalaison[2].

William SHAKESPEARE, Sonnet 5.

1. Trad. de Josette Salesse-Lavergne. 10/18, 1982.
2. Trad. de Jean Malaplate. L'Âge d'Homme, 1992.

1

Dimanche soir

Ma très chère Tess,

Je ferais n'importe quoi pour être avec toi, là, maintenant, pour te tenir la main, contempler ton visage, écouter ta voix. Comment le toucher, et la vue, et l'ouïe – tous ces récepteurs sensoriels, ces nerfs optiques, ces tympans vibrants – peuvent-ils être remplacés par une lettre? Mais nous avons déjà réussi à utiliser les mots comme intermédiaires avant, n'est-ce pas? Quand je suis partie en pension et que nous avons dû échanger nos jeux, nos rires et nos confidences à voix basse par des lettres. Je ne me rappelle pas ce que je te disais dans la première, juste que je l'avais rédigée sur les pièces éparpillées d'un puzzle pour éviter le regard indiscret de la responsable de l'internat. (J'avais supposé à raison que l'enfant joueuse en elle avait disparu des années plus tôt.) Mais je me souviens très bien de la réponse que, âgée de sept ans, tu avais faite à ma nostalgie fragmentée, et aussi de ton écriture invisible, et de la page restée blanche jusqu'à ce que je braque une lampe torche dessus. Depuis, la gentillesse a toujours eu pour moi l'odeur du citron.

Les journalistes aimeraient cette petite histoire, qui fait de moi dès l'enfance une sorte de détective en herbe et qui montre que nous avons toujours été deux sœurs très proches l'une de l'autre. Ils sont devant ton appartement en ce moment, avec leurs équipes de cameramen et leurs ingénieurs du son (visages en sueur, vestes sales, câbles descendant les marches et s'emmêlant dans la rampe). Oui, je te l'annonce de manière un peu désinvolte, mais comment le formuler autrement ? Je ne sais pas trop ce que t'inspirera cette « célébrité », pourtant quelque chose me dit que tu la trouveras assez drôle. Drôle dans le genre hilarant, et aussi bizarre. Moi, je ne peux que la trouver bizarre, mais il est vrai que je n'ai jamais partagé ton sens de l'humour, n'est-ce pas ?

—Tess, tu as été collée ! C'est sérieux. La prochaine fois, tu seras renvoyée pour de bon et maman a déjà assez de soucis comme ça.

Tu avais été surprise en train d'introduire ton lapin dans l'école. Je prenais mon rôle de sœur aînée tellement au sérieux.

—Mais Bea, c'est drôle aussi, non ? m'as-tu demandé, les lèvres pincées pour ne pas rire.

Tu me faisais penser à une bouteille de boisson énergétique dont les bulles, joyeuses, montent et montent jusqu'à ce qu'elles s'échappent en pétillant à la surface.

Le seul souvenir de ton rire me donne du courage et je m'approche de la fenêtre.

Dehors, je reconnais un reporter qui travaille pour une chaîne de télévision du câble. J'ai l'habitude de voir son visage en deux dimensions sur un écran plasma, dans l'intimité de mon appartement new-yorkais, mais il m'apparaît ici grandeur nature, en chair et en os dans Chepstow Road, et il a les yeux rivés sur moi à travers la fenêtre de ton salon en sous-sol. Mes doigts aimeraient appuyer sur le bouton Stop de la télécommande. À la place, je tire les rideaux.

Mais c'est pire ainsi. Les lumières percent le tissu, les bruits martèlent les vitres et les murs. La présence des journalistes me fait l'effet d'une masse pesante qui pourrait tout démolir pour se frayer un chemin jusque chez toi. La presse porte bien son nom. Si cela continue, je risque de suffoquer. Bon, d'accord, je verse dans le mélodrame. Toi, tu leur offrirais probablement du café. Mais tu sais que je suis très jalouse de mon espace privé. Je vais aller dans la cuisine et essayer de contrôler la situation.

La pièce, plus paisible, m'offre le silence dont j'ai besoin pour réfléchir. C'est drôle de voir ce qui me surprend à présent. Souvent, il suffit de trois fois rien. Par exemple, un journal a raconté hier que nous avons toujours été très proches, toi et moi, sans même mentionner notre différence d'âge. Peut-être que cela n'a plus d'importance maintenant que nous sommes adultes, mais, enfants, ça sautait aux yeux.

— Cinq ans, c'est un gros écart..., s'étonnaient les gens qui ne savaient pas – avec une intonation légèrement montante à la fin de la phrase, comme pour poser une question.

Nous pensions toutes les deux à Leo et au vide qu'il avait laissé, encore que «gouffre béant» serait peut-être plus exact. Mais nous ne disions jamais rien, hein?

Derrière la porte ouvrant sur le jardin, j'entends une journaliste parler au téléphone. Elle doit dicter quelque chose à quelqu'un, et les mots «Arabella Beatrice Hemming» me parviennent brusquement. Maman m'a dit que personne ne m'a jamais appelée Arabella. Même lorsque j'étais petite, les gens devaient bien voir que ce n'était pas moi, ce nom tout en boucles et en ornements que j'imagine calligraphiés à l'encre noire, et destiné à des filles surnommées Bella ou Belle – tant de jolies possibilités. Non, dès le début, j'étais clairement Beatrice, un nom sensé en Times New Roman dépourvu de fioritures, derrière lequel ne se cachait personne. Papa a choisi le nom Arabella avant ma naissance. Il a dû être déçu par la réalité.

La journaliste s'est sans doute rapprochée parce que je l'entends de nouveau. Elle passe un nouveau coup de fil, je pense, et s'excuse de travailler tard. Il me faut un moment pour comprendre que c'est à cause de moi, Arabella Beatrice Hemming, qu'elle est encore là. D'instinct, j'ai envie de sortir pour m'excuser. Tu me connais, j'ai toujours été la première à accourir dans la cuisine dès que maman entamait un tam-tam furieux en entrechoquant ses casseroles. La journaliste s'éloigne. Je ne distingue plus ses paroles, mais j'écoute sa voix apaisante, un peu sur la défensive, comme si elle marchait sur des œufs. Puis son intonation change. Elle doit parler à son enfant. Sa voix s'infiltre à travers la porte et les fenêtres, réchauffant ton appartement.

Peut-être devrais-je aller gentiment lui dire de rentrer chez elle. Ton affaire est en cours de jugement, de sorte que je ne suis pas autorisée à m'exprimer sur ce sujet jusqu'à la fin du procès. Elle le sait, du reste, et les autres aussi. Ce qu'ils veulent, ce ne sont pas des informations, mais des émotions. Ils aimeraient que je me torde les mains pour faire un gros plan sur mes jointures blanchies. Ils aimeraient voir quelques larmes serpenter sur ma joue et la barbouiller de mascara. Je demeure donc à l'intérieur.

Les reporters et leurs équipes de techniciens sont enfin partis, laissant derrière eux des mégots écrasés dans tes pots de jonquilles et des cendres de cigarette qui forment comme une marque de marée haute sur les marches descendant à ton appartement. Demain, je sortirai des cendriers. Je me suis trompée sur le compte de certains de ces gens, en fait. Trois se sont excusés de m'envahir ainsi et un cameraman m'a même offert des chrysanthèmes achetés chez le fleuriste du coin. Je sais que tu n'as jamais aimé ces fleurs.

—Leur marron fait penser à un uniforme d'écolière ou à l'automne, même en plein printemps, m'as-tu dit en souriant de me voir apprécier une fleur pour son côté net et pour sa longévité.

—Elles ont souvent des couleurs éclatantes, ai-je objecté avec sérieux.

—Criardes, oui! Pour être bien visibles sur le béton des stations-service.

Mais ces exemples fanés ne sont que les brins d'une gentillesse inattendue, un bouquet de compassion aussi surprenant que des primevères sur le bord d'une autoroute.

Le cameraman aux chrysanthèmes m'a dit que, ce soir, aux infos de 22 heures, un reportage spécial te serait consacré. Je viens d'appeler maman pour la prévenir. Je crois qu'elle éprouve une étrange fierté maternelle devant toute l'attention que tu reçois – et ce n'est qu'un début. D'après l'un des ingénieurs du son, les médias étrangers seront là demain. C'est drôle – drôle dans le sens de bizarre –, mais quand j'ai essayé de parler aux gens il y a quelques mois, personne n'a voulu m'écouter.

Lundi après-midi

Tout le monde boit mes paroles maintenant. La presse, la police, les avocats. Les stylos griffonnent, les têtes se penchent en avant, les magnétophones ronronnent. Cet après-midi, je fais ma déposition en tant que témoin auprès d'un avocat du CPS, le service des poursuites pénales, afin de préparer le procès. Celui-ci est prévu dans quatre mois et on m'a expliqué que mon témoignage était vital pour le ministère public dans la mesure où je suis la seule personne à connaître toute l'histoire.

M. Wright, l'avocat chargé de prendre ma déposition, est assis en face de moi. Je ne lui donne pas tout à fait quarante ans, mais peut-être qu'il est plus jeune et qu'il a juste été soumis à trop de récits semblables au mien. Le regard vif, il se penche un bref instant vers moi, m'invitant à la confidence. Il sait écouter, me dis-je, mais quel genre d'homme est-il ?

— Si cela ne vous ennuie pas, déclare-t-il, j'aimerais que vous me racontiez tout depuis le début et que vous me laissiez trier plus tard ce qui est pertinent et ce qui ne l'est pas.

J'acquiesce d'un hochement de tête.

— Je ne suis pas vraiment sûre de pouvoir situer le début.

— Peut-être quand vous avez senti pour la première fois que quelque chose n'allait pas ?

Je remarque qu'il porte une jolie chemise en lin et une horrible cravate en polyester à motifs. L'une d'elles a dû lui être offerte – une même personne n'aurait jamais pu choisir les deux. Si c'est la cravate, je trouve très délicat de sa part de la mettre. Je ne suis pas sûre de te l'avoir dit, mais mon esprit a pris l'habitude de se laisser distraire chaque fois qu'il ne veut pas s'attarder sur le sujet qui réclame son attention.

Je lève les yeux et croise le regard de M. Wright.

— C'est quand j'ai reçu un coup de fil de ma mère disant que Tess avait disparu.

Quand maman m'a appelée, c'était un dimanche à l'heure du déjeuner. Nous avions des invités et la nourriture, fournie par notre traiteur local, était typiquement new-yorkaise : raffinée et impersonnelle. On aurait pu en dire autant de notre appartement, de nos meubles et de notre relation. Rien de fait maison dans tout ça. La Grosse Pomme sans trognon. Enfin bon, les pirouettes te désarçonnent, je sais, mais ma vie à New York peut attendre une prochaine conversation.

Nous étions rentrés ce matin-là d'une « escapade romantique enneigée » dans un chalet du Maine où nous avions fêté ma promotion au rang de chef de groupe dans mon agence de design. Todd s'amusait à raconter à nos amis quelle énorme erreur nous avions faite :

— On n'attendait pas forcément un Jacuzzi, mais une douche chaude n'aurait pas fait de mal, et un téléphone fixe non plus. On ne pouvait même pas se servir de nos portables, notre opérateur n'a pas d'antenne-relais dans le coin.

— Et vous aviez décidé de partir là-bas sur un coup de tête ? a demandé Sarah d'un ton incrédule.

Je ne t'apprends rien en te disant que Todd et moi n'avons jamais été du genre à agir « sur un coup de tête ».

— Chérie..., a dit Mark, le mari de Sarah, en la toisant froidement.

— Je déteste quand tu dis « chérie », a-t-elle répliqué. C'est ton code pour « ferme-la », n'est-ce pas ?

Sarah te plairait beaucoup. C'est peut-être pour ça que nous sommes amies : dès le début, elle m'a fait penser à toi.

— À quand remonte votre dernière dispute ? a-t-elle ajouté.

— Beatrice et moi n'aimons pas faire des tas d'histoires pour rien, a répondu Todd en essayant avec suffisance de clore le sujet.

Mais Sarah ne se laisse pas décourager si facilement.

— Vous avez trop la flemme, en somme.

Un silence gêné a suivi, que j'ai fini par rompre :
— Quelqu'un veut un café ou une infusion ?

Dans la cuisine, j'ai mis des grains dans le moulin à café – mon seul effort culinaire pour ce repas. Sarah m'a rejointe, la mine contrite.

— Désolée, Beatrice.

— Ne t'inquiète pas.

Je jouais les parfaites maîtresses de maison, souriante, apaisante et affairée.

— Mark boit son café noir ou avec du lait ?

— Avec du lait.

Elle s'est hissée sur le comptoir.

— Mark et moi, c'est pareil, on ne rit plus, a-t-elle ajouté en balançant les jambes. Quant au sexe…

J'ai mis le moulin en route dans l'espoir que le bruit la fasse taire.

— Todd et toi, ça donne quoi sur ce plan-là ? a-t-elle crié.

— Ça va bien, merci, ai-je dit en transférant les grains moulus dans notre machine à expresso à sept cents dollars.

— Vous riez et vous baisez encore ?

J'ai ouvert une boîte de petites cuillères en émail datant des années 1930, toutes de couleurs différentes, comme des bonbons fondus.

— On les a achetées dimanche dernier. Le matin, dans une foire à la brocante.

— Tu changes de sujet, Beatrice.

Mais toi, tu as compris que non. Un dimanche matin, quand d'autres couples restent au lit et font l'amour, Todd et moi étions dehors, à chiner dans une brocante. Nous avons toujours été meilleurs compagnons de shopping qu'amants. Je croyais que remplir notre appartement d'objets que nous aurions choisis ensemble revenait à se construire un avenir à deux. Je t'entends déjà te moquer et me dire que même une théière Clarice Cliff ne remplace pas le sexe, mais, pour moi, c'était quelque chose de bien plus rassurant.

Le téléphone a sonné. Sarah l'a ignoré.

— Le sexe et les éclats de rire. Le cœur et les poumons d'une relation de couple.

— Je vais répondre.

— À ton avis, quand est-il temps de débrancher l'assistance respiratoire ?

— Je ferais vraiment mieux d'aller voir qui appelle.

— Quand faut-il mettre un terme au crédit souscrit à deux pour payer la maison, au compte joint et aux amis communs ?

J'ai décroché le téléphone, soulagée d'avoir un prétexte pour couper court à cette conversation.

— Allô ?

— Beatrice, c'est maman.

Tu avais disparu depuis quatre jours.

Je ne me revois pas faire ma valise, mais je me souviens que Todd est entré au moment où je la fermais. Je me suis tournée vers lui.

— Je suis sur quel vol ?

— Il n'y a aucune place de libre avant demain.

— Mais je dois partir tout de suite !

Tu n'étais pas allée à ton travail depuis le dimanche précédent. La gérante avait essayé de te joindre par téléphone, mais tombait chaque fois sur ton répondeur. Elle s'était rendue à ton appartement et ne t'y avait pas trouvée. Personne ne savait où tu étais. La police te cherchait à présent.

— Tu peux me conduire à l'aéroport ? Je prendrai le premier avion possible.

— Je vais appeler un taxi, a répondu Todd.

Il avait bu deux verres de vin. J'appréciais sa prudence, avant.

Je ne raconte rien de tout ça à M. Wright, bien sûr. Je lui dis juste que maman m'a téléphoné le 26 janvier à 15 h 30, heure de New York, pour m'apprendre que tu avais disparu. Comme toi, il s'intéresse au tableau dans son ensemble, pas aux menus détails. Déjà quand tu étais enfant, tes peintures débordaient de la page, alors que je dessinais avec soin en utilisant un crayon, une règle et une gomme. Plus tard, tu as réalisé des toiles abstraites, en exprimant de grandes vérités au moyen de taches hardies aux couleurs vives, alors que j'étais parfaitement à ma place dans une agence de design, à associer toutes les teintes du monde à un code Pantone. N'ayant pas ta capacité à peindre à grands traits, je vais te raconter cette histoire dans ses moindres détails. J'espère que, comme un tableau pointilliste, toutes ces petites touches de couleur formeront une image qui, une fois terminée, nous permettra de comprendre ce qui s'est passé et pourquoi.

— Donc, jusqu'à ce que votre mère vous appelle, vous ne soupçonniez rien du tout ? demande M. Wright.

La culpabilité monte en moi, telle une vague familière et nauséeuse.

— Non. Je n'avais rien remarqué d'anormal.

Je suis partie en première classe, c'était la seule place qui restait. Pendant que nous traversions des limbes nuageux, j'ai imaginé le sermon dont tu allais écoper pour m'avoir infligé ça. Je t'ai fait promettre de ne plus jamais me jouer un tour pareil. Je t'ai rappelé que tu allais bientôt être mère et qu'il était temps que tu te comportes comme une adulte.

« Sœur aînée », ce n'est pas un grade professionnel, Bea.

À quel sujet m'en étais-je prise à toi, cette fois-là ? Je n'avais que l'embarras du choix. Le fait est que, à mes yeux, être une sœur aînée a toujours été un travail pour lequel j'étais parfaitement taillée. Et tandis que je volais te retrouver – parce que j'allais te retrouver, bien sûr ; te chercher représente une partie essentielle de mon boulot –, je me suis sentie réconfortée par ce scénario maintes fois répété de la grande sœur mature et supérieure passant un savon à sa cadette inconstante, irresponsable, qui aurait dû avoir un peu plus de jugeote à son âge.

L'avion a entamé sa descente vers l'aéroport de Heathrow. L'ouest de Londres s'étendait sous nos pieds, recouvert d'une fine couche de neige. Le pictogramme demandant aux passagers d'attacher leur ceinture s'est allumé, et j'ai conclu un pacte avec Dieu : je ferais tout ce qu'il voudrait si tu étais retrouvée saine et sauve. J'aurais fait de même avec le diable s'il me l'avait proposé.

Lorsque l'avion a atterri en cahotant maladroitement sur le tarmac, ma contrariété imaginaire s'est effritée et a cédé la place à une anxiété douloureuse. Dieu est devenu le héros d'un conte de fées pour enfant. Mes pouvoirs de sœur aînée ont faibli jusqu'à ce que je sois réduite à l'impuissance et à l'inertie. Je me suis souvenue d'instinct de la mort de Leo et la douleur, comme une charogne que j'aurais avalée, m'a donné envie de vomir. Je ne pouvais pas te perdre toi aussi.

La fenêtre est étonnamment grande pour un bureau, et le soleil printanier entre à flots dans la pièce.

— Vous avez donc fait un lien entre la disparition de Tess et la mort de Leo ? demande M. Wright.

— Non.

— Vous avez pourtant dit que vous aviez pensé à lui.

— Je pense tout le temps à Leo. C'était mon frère, dis-je, lassée de devoir encore m'expliquer à ce sujet. Il est mort de la mucoviscidose à huit ans. Tess et moi n'avons pas la maladie, nous sommes nées en parfaite santé.

M. Wright essaie d'éteindre le plafonnier qui nous éblouit, mais, pour je ne sais quelle raison, l'interrupteur ne marche pas. Il hausse les épaules d'un air désolé et se rassoit.

— Et ensuite, que s'est-il passé ?

— J'ai rejoint ma mère et nous sommes allées au commissariat.

— Vous pouvez me raconter cet épisode ?

Maman m'attendait à la porte de débarquement, vêtue de son manteau couleur fauve. En m'approchant, j'ai constaté qu'elle n'avait pas brossé ses cheveux et qu'elle s'était bizarrement maquillée. Je sais ; je ne l'avais pas vue ainsi depuis l'enterrement de Leo.

— J'ai pris un taxi depuis Little Hadston. Ton avion avait du retard.

— Dix minutes seulement, maman.

Autour de nous, des amants, des parents et des amis réunis s'étreignaient. Nous, nous étions gauches, l'une envers l'autre. Je ne crois pas que nous nous soyons embrassées.

— Elle a peut-être essayé d'appeler pendant que j'étais partie, a dit ma mère.

— Dans ce cas, elle ressaiera.

Mais j'avais consulté ma messagerie je ne sais combien de fois depuis que l'avion avait atterri.

— Je suis ridicule, a-t-elle repris. Je ne devrais plus espérer un coup de fil de sa part maintenant. Elle a quasiment arrêté de me téléphoner. Ça l'ennuie trop, j'imagine.

Son agacement était visible.

— Et depuis quand n'a-t-elle pas fait l'effort de venir me voir ? a-t-elle continué.

Là, je me suis demandé à quel moment elle en arriverait à passer des pactes avec Dieu.

J'ai loué une voiture. Il n'était que 6 heures du matin, mais le trafic était déjà dense sur la M4 en direction de Londres et la neige freinait encore plus le flot lent, impatient et énervé des véhicules. Nous avions décidé d'aller tout de suite au commissariat. Je n'arrivais pas à faire marcher le chauffage et nos mots formaient de petits nuages de vapeur qui restaient brièvement suspendus dans l'air froid entre nous.

— Tu as parlé à la police ? ai-je dit.

— Oui. Mais à quoi bon, de toute façon ? Qu'est-ce que je sais de sa vie, moi ?

— Qui leur a dit qu'elle avait disparu ?

— Son propriétaire. Amias quelque chose.

Aucune de nous ne se souvenait de son nom de famille. Cela m'a paru bizarre que ce soit ton vieux propriétaire qui ait signalé ta disparition.

— Il leur a expliqué qu'elle recevait des appels malveillants, a ajouté maman.

Malgré le froid glacial, je me suis sentie moite de sueur.

— Quel genre d'appels malveillants ?

— Ils n'ont pas précisé.

Je l'ai regardée. Sa pâleur et son angoisse transparaissaient près des contours de son fond de teint. Elle m'évoquait une geisha d'âge mûr au visage recouvert de beige rosé.

Quand nous sommes arrivées au poste de police de Notting Hill, à 7 h 30, il faisait encore nuit noire, et s'il y avait des embouteillages dans les rues, les trottoirs nouvellement gravillonnés étaient presque déserts. Je ne m'étais rendue qu'une seule fois dans un tel endroit auparavant – pour signaler la perte de mon téléphone portable. Il n'avait même pas été volé et je n'avais pas dépassé l'accueil du commissariat. Cette fois, j'ai été escortée derrière la réception jusqu'à un monde inconnu fait de salles d'interrogatoire, de cellules et de policiers portant des ceintures avec des matraques et des menottes. Tout cela n'avait aucun lien avec toi.

— Et vous avez rencontré le lieutenant de police Finborough ? demande M. Wright.

— Oui.

— Qu'avez-vous pensé de lui ?

— Je l'ai trouvé attentionné, dis-je en pesant mes mots. Méticuleux. Très correct.

M. Wright semble surpris, mais il masque très vite ce que lui inspire ma remarque.

— Vous vous rappelez ce premier entretien ?

— Oui.

À mon arrivée, j'étais assommée par ta disparition, mais j'ai ensuite eu une conscience aiguë de tout ce qui m'entourait. J'ai vu trop de détails, trop de couleurs, comme si le monde avait soudain été animé par les studios Pixar. Mes autres sens étaient aussi en alerte. J'ai entendu le cliquètement sec de l'aiguille d'une horloge et le raclement d'une chaise sur le linoléum. J'ai senti l'odeur de cigarette d'une veste pendue derrière la porte. Il me semblait qu'un bruit blanc était diffusé à plein volume et que mon cerveau n'arrivait plus à ignorer ce qui n'avait pas d'importance. Tout avait de l'importance.

Une fonctionnaire de police avait emmené maman prendre une tasse de thé et j'étais seule avec le lieutenant Finborough. Il avait des manières courtoises – désuètes, même. On aurait davantage dit un honorable professeur d'université qu'un policier. Par la fenêtre, j'ai vu qu'il tombait de la neige fondue.

— Voyez-vous une raison pour laquelle votre sœur aurait pu partir ?

— Non.

— Dans le cas contraire, vous aurait-elle prévenue ?

— Oui.

— Vous vivez aux États-Unis ?

— Oui, mais nous nous appelons et nous nous envoyons des mails en permanence.

— Vous êtes donc proches l'une de l'autre.

— Très.

Bien sûr que nous sommes proches. Différentes, oui, mais proches. Nos cinq ans d'écart n'ont jamais instauré de distance entre nous.

— Quand lui avez-vous parlé pour la dernière fois ?

— Lundi dernier, je crois. Mercredi, mon ami et moi sommes allés passer quelques jours dans les montagnes. J'ai appelé Tess à plusieurs reprises depuis un restaurant, mais son téléphone fixe sonnait toujours occupé. Elle est capable de bavarder des heures avec ses amis.

J'ai essayé d'éprouver de l'agacement en disant cela – après tout, c'est moi qui paie tes factures de téléphone. Je voulais retrouver une émotion familière.

— Et son portable ?

— Elle l'a perdu il y a deux mois. À moins qu'il ne lui ait été volé. Elle est très étourdie.

Une fois encore, je tentais de m'énerver contre toi.

Le lieutenant a marqué une pause en réfléchissant à la façon de poser sa question suivante. Il se montrait vraiment très délicat.

— Vous pensez donc que sa disparition n'est pas volontaire ?

— Non.

« Pas volontaire », ou comment formuler doucement quelque chose de violent. Durant ce premier entretien, personne n'a employé les mots « enlèvement » et « meurtre ». Finborough et moi étions parvenus à une compréhension mutuelle tacite. J'appréciais son tact – il était encore trop tôt pour formuler de telles hypothèses à voix haute.

— Ma mère m'a parlé d'appels malveillants...

— D'après son propriétaire, votre sœur en recevait, oui. Malheureusement, elle ne lui a donné aucun détail. Elle les avait évoqués avec vous ?

— Non.

— Et elle ne vous a pas dit qu'elle avait peur ou qu'elle se sentait menacée ?

— Non. Pas du tout. Elle était normale, heureuse.

Moi aussi, j'avais mes propres questions.

— Vous avez interrogé les hôpitaux ? ai-je demandé tout en mesurant mon impolitesse et la critique implicite que je lui adressais. Elle a peut-être accouché avant terme.

Finborough a reposé son café et le bruit m'a fait sursauter.

— Nous ignorions qu'elle était enceinte.

Une bouée de sauvetage surgissait soudain. J'ai tout de suite nagé vers elle.

— Si jamais le bébé est né plus tôt que prévu, Tess pourrait être à l'hôpital en ce moment. Vous n'avez pas appelé les maternités, j'imagine ?

— Nous faisons vérifier la liste de tous les patients hospitalisés, ce qui inclut aussi les maternités.

La bouée s'est éloignée de moi.

— Quand la naissance devait-elle avoir lieu ?
— Dans un peu moins de trois semaines.
— Savez-vous qui est le père ?
— Oui. Emilio Codi. Il est professeur dans son école des beaux-arts.

Je n'ai pas hésité un seul instant avant de répondre. La réserve n'était plus de mise. Finborough n'a pas paru surpris, mais peut-être que cela fait partie de la formation des officiers de police.

— Je suis allé là-bas…

Je l'ai tout de suite interrompu. L'odeur de café dégagée par son gobelet en plastique était devenue si forte qu'elle me donnait la nausée.

— Vous vous inquiétez pour elle, alors.
— Je ne fais pas les choses à moitié, c'est tout.
— Oui, bien sûr.

Je ne voulais pas qu'il me juge hystérique, mais au contraire raisonnable et intelligente. Je me souviens d'avoir pensé que son opinion à mon sujet n'aurait pas dû entrer en ligne de compte. Plus tard, je découvrirais combien je faisais erreur.

— J'ai rencontré M. Codi, a-t-il déclaré. Il n'a pas mentionné sa relation avec Tess. Pour lui, elle n'était qu'une ancienne étudiante.

Emilio te reniait encore, alors même que tu étais portée disparue. Je suis désolée, mais sa « discrétion » n'a jamais été que cela : un reniement caché derrière un terme plus acceptable.

— Savez-vous pourquoi M. Codi ne voulait pas que nous soyons informés de leur relation ?

Je ne le savais que trop bien, oui.

— L'école n'accepte pas que les professeurs couchent avec leurs élèves. De plus, il est marié. Il a obligé Tess à prendre une « année sabbatique » quand sa grossesse a commencé à se voir.

Finborough s'est levé. Ses manières étaient plus brusques à présent, plus proches de celles d'un policier que d'un professeur d'université.

— Il y a une émission d'infos locales que nous utilisons parfois pour retrouver des personnes disparues. Je veux filmer une reconstitution des derniers déplacements connus de votre sœur.

Dehors, derrière la fenêtre au cadre métallique, un oiseau chantait. Je me suis rappelé ta voix. Elle était si vivace en moi que tu aurais tout aussi bien pu être présente dans la pièce :

— Il y a des villes où les oiseaux ne peuvent plus s'entendre à cause du bruit. Au bout d'un moment, ils oublient la complexité et la beauté du chant de leurs congénères.

— Quel rapport avec Todd et moi ?

— Certains ont carrément renoncé à chanter. À la place, ils imitent à la perfection les alarmes antivol des voitures.

— Tess…, ai-je dit avec agacement et impatience.

— Est-ce que Todd entend ton chant ?

À l'époque, j'avais balayé ta ferveur et ton émotion d'étudiante comme autant de sentiments que j'avais cessé d'éprouver des années plus tôt. Mais dans cette pièce, je me suis de nouveau souvenue de notre conversation parce que penser au chant des oiseaux, à Todd, à n'importe quoi, me permettait d'échapper aux implications de ta disparition. Finborough a senti mon désarroi.

—Je pense qu'il vaut mieux prendre trop de précautions que pas assez. Surtout maintenant que je la sais enceinte.

Il a donné des instructions à ses subalternes. Une discussion s'est ensuivie sur l'équipe qui filmerait et sur la personne qui jouerait ton rôle. Je ne voulais pas qu'une inconnue s'en charge, alors je me suis proposée.

—M. Codi est bien plus âgé que votre sœur, non ? a observé Finborough lorsque nous sommes sortis de la salle.

Il avait presque vingt ans de plus que toi et était ton professeur. Il aurait dû incarner une figure paternelle, pas un amant. Oui, d'accord, je te l'ai déjà fait remarquer, si souvent même que, devant cette critique de plus en plus insistante, tu as fini par me dire de m'occuper de mes oignons. Finborough attendait toujours ma réponse.

—Vous m'avez demandé si j'étais proche d'elle, pas si je la comprenais.

Aujourd'hui, je pense te comprendre, mais ce n'était pas le cas à ce moment-là.

Finborough a continué à me parler de la reconstitution.

—Une employée du bureau de poste d'Exhibition Road se souvient que Tess a acheté une carte et des timbres pour un envoi à l'étranger jeudi dernier peu avant 14 heures. Elle n'a pas dit que votre sœur était enceinte, mais je suppose qu'il y avait un comptoir entre elles et qu'elle ne s'en est pas aperçue.

Maman s'est avancée vers nous dans le couloir au moment où le lieutenant ajoutait :

— Tess a posté la carte dans le même bureau de poste peu de temps avant 14 h 15.

— C'était une carte pour mon anniversaire, a déclaré maman avec impatience. Ma fille ne m'a pas rendu visite depuis des mois et me passe rarement un coup de fil, mais elle m'a écrit un petit mot comme si cela devait faire oublier le reste.

Quelques semaines plus tôt, je t'avais rappelé que son anniversaire approchait.

Parce que je tiens à être honnête dans mon récit, je dois reconnaître avant de poursuivre que tu avais raison au sujet de Todd. Il n'entendait pas mon chant. Et cela parce que je ne l'ai jamais chanté devant lui. Ni devant qui que ce soit, d'ailleurs. Peut-être suis-je comme ces oiseaux qui n'arrivent plus qu'à imiter les alarmes antivol des voitures.

M. Wright se lève pour baisser un store vénitien et occulter le grand soleil printanier.

— Vous avez procédé à la reconstitution plus tard ce jour-là ?

— Oui.

Il détient la bande-vidéo et n'a pas besoin de détails supplémentaires sur mon incroyable déguisement, mais toi, si. Tu adorerais savoir de quelle Tess j'avais l'air. Eh bien je ne m'en suis pas trop mal tirée, figure-toi, et je vais te raconter ça sans la lucidité aveuglante qu'offre le recul.

Une femme, l'agent Vernon, m'a emmenée me changer dans une pièce. Elle avait les joues roses et la mine éclatante de santé, comme si elle revenait de traire les vaches et non de patrouiller dans les rues de Londres. Moi, j'avais conscience de ma pâleur et je commençais à accuser la fatigue de mon vol de nuit.

— Vous croyez que ça servira à quelque chose ? ai-je demandé.

Elle a souri et m'a serrée brièvement contre elle – un geste inattendu, mais que j'ai apprécié.

— Oui, a-t-elle répondu. C'est tout un bazar de faire une reconstitution, alors on ne s'en donne pas la peine si on estime qu'on n'a aucune chance de rafraîchir la mémoire à quelqu'un. Et maintenant qu'on sait votre sœur enceinte, il est encore plus probable que sa présence ait été remarquée quelque part. Bon, réglons d'abord la question des habits, d'accord ?

J'ai appris plus tard que, malgré ses quarante ans, l'agent Vernon n'était dans la police que depuis quelques mois. Son style trahissait la mère chaleureuse et efficace en elle.

— On est allé chercher quelques affaires chez votre sœur, a-t-elle continué. Vous avez une idée du genre de tenue qu'elle aurait pu porter ?

— Une robe. Elle en était au stade où rien d'autre ne lui allait à cause de son ventre, et elle ne pouvait pas se permettre d'acheter de vrais vêtements de grossesse. Par chance pour elle, presque tous ceux qu'elle possède sont amples et informes.

Confortables, Bea.

L'agent Vernon a ouvert une valise. Elle avait plié avec soin tes vieux habits et avait enveloppé chacun d'eux dans du papier de soie. J'ai été touchée par sa délicatesse – et je le suis encore.

J'ai choisi la robe la moins miteuse. Une robe violette, très large, avec des broderies au niveau de l'ourlet.

— Elle l'a achetée en solde il y a cinq ans, ai-je dit.

— La qualité, ça ne s'use pas.

On se serait cru dans les cabines d'essayage d'une boutique.

— En effet.

— Quand on peut se l'offrir, ça en vaut toujours la peine.

Je lui étais reconnaissante de sa capacité à échanger des banalités, ce pont entre deux personnes placées dans la plus improbable des situations.

— Allons-y avec celle-là, alors, a-t-elle décidé.

Puis elle s'est détournée pendant que j'ôtais mon tailleur sur mesure dans lequel je me sentais si mal à l'aise.

— Vous ressemblez à Tess ? a-t-elle demandé.

— Non, plus maintenant.

— Mais avant, si ?

J'ai de nouveau apprécié son bavardage, tout en devinant qu'il n'allait pas rester longtemps très superficiel.

— En surface, oui.

— Oh ?

— Ma mère s'efforçait toujours de nous habiller à l'identique.

Malgré nos cinq ans d'écart, nous portions des kilts et des pulls jacquard, ou des robes en coton à rayures selon la saison. Pas de froufrous, pas de trucs trop sophistiqués, tu te souviens? Et pas de nylon non plus.

— Nous étions coiffées de la même façon, aussi. « Un bon rafraîchissement », ordonnait maman à la coiffeuse – et nos cheveux tombaient par terre.

— Les gens disaient que Tess me ressemblerait quand elle serait plus grande. Mais ils faisaient juste preuve de gentillesse.

Je me suis surprise moi-même en prononçant ces mots. C'était un sujet que je n'avais abordé avec personne d'autre jusqu'alors, mais que j'avais bien ruminé dans mon coin. J'ai toujours su que tu deviendrais plus belle que moi en grandissant. Je ne te l'avais jamais avoué, n'est-ce pas?

— Ça devait être dur pour elle, a commenté l'agent Vernon.

J'ai hésité à la corriger, mais elle ne m'en a pas laissé le temps.

— Elle a les mêmes cheveux que vous?

— Non.

— Cette chance qu'ont certaines personnes de rester toujours blondes, ce n'est pas juste.

— En fait, ce n'est pas ma couleur naturelle.

— On ne le dirait pas.

Cette fois, une pointe perçait derrière l'échange de propos anodins.

— Il vaudrait mieux que vous mettiez une perruque, dans ce cas.

J'ai cillé et tenté de le cacher.

— Vous avez raison.

Pendant qu'elle sortait une boîte de perruques, j'ai enfilé ta robe et senti le doux coton maintes fois lavé glisser sur mon corps. Soudain, tu m'as serrée dans tes bras. J'ai saisi une fraction de seconde plus tard que ce n'était en réalité que ton odeur, une odeur que je n'avais jamais remarquée auparavant. Un mélange de ton shampooing, de ton savon et de quelque chose d'indéfinissable. Je n'avais dû te respirer ainsi que lorsque nous nous embrassions. Cette impression que tu étais si proche malgré ton absence m'a désarçonnée. En proie au vertige, j'ai pris une inspiration.

— Ça va ?

— Cette robe porte son odeur.

Le visage maternel de l'agent Vernon a exprimé sa compassion.

— L'odorat est vraiment un sens très puissant. Les médecins essaient de l'utiliser pour réveiller les gens plongés dans le coma. Il semblerait que, parmi les parfums les plus évocateurs, celui de l'herbe fraîchement coupée soit plébiscité.

Elle voulait me dire que ma réaction n'était pas exagérée. À la voir se montrer si pleine de compassion et d'intuition, j'ai été heureuse qu'elle soit là avec moi.

Tous les types de cheveux étaient représentés dans la boîte et j'ai supposé que, lors des reconstitutions, ces perruques servaient à figurer aussi bien les personnes disparues que les victimes de crimes violents. On aurait cru une collection de scalps et la nausée m'a envahie lorsque j'ai fourragé dans le tas. L'agent Vernon s'en est aperçue.

— Laissez-moi vous aider. Comment sont les cheveux de Tess ?

— Longs. Elle les fait rarement couper, si bien qu'ils ont un côté négligé. Et ils sont très brillants aussi.

— La couleur ?

Pantone 167, ai-je tout de suite pensé. Mais les gens ne connaissent pas les couleurs par leur code Pantone.

— Caramel, ai-je répondu à la place.

Et il est vrai que tes cheveux m'ont toujours évoqué le caramel. L'intérieur fondant d'un bonbon, pour être plus précise. L'agent Vernon a trouvé une perruque raisonnablement similaire, en nylon brillant. Mes doigts répugnaient à la toucher et j'ai dû me forcer à la poser par-dessus mes cheveux à la coupe impeccable. Je croyais en avoir fini, mais la policière était une perfectionniste.

— Elle se maquille ?

— Non.

— Ça vous ennuierait d'enlever votre maquillage ?

Ai-je hésité ?

— Pas du tout.

Mais en fait, si, cela m'ennuyait. Même au réveil, j'avais toujours mon rouge à lèvres et mon fard à joues de la veille. Je me suis lavé la figure devant un petit lavabo au bord duquel étaient posées des tasses de café sales. En me retournant, je t'ai aperçue et une violente bouffée d'amour est montée en moi. Puis j'ai saisi que ce n'était que mon reflet dans un miroir en pied. Je me suis approchée et me suis vue, dépenaillée et épuisée. Il aurait fallu que je me maquille, que j'enfile des habits bien coupés et que je me coiffe correctement. Toi, tu n'as besoin de rien de tout ça pour être belle.

— J'ai peur qu'on soit obligées d'improviser pour le ventre, a dit l'agent Vernon en me tendant un coussin.

J'ai alors posé une question qui me démangeait :

— Pourquoi le propriétaire de Tess ne vous a-t-il pas dit qu'elle était enceinte lorsqu'il a signalé sa disparition ?

— Je ne sais pas, malheureusement. Vous devriez demander au lieutenant Finborough.

J'ai fourré un deuxième coussin sous la robe et je l'ai tapoté pour tenter de lui donner une apparence convaincante de ventre de femme enceinte. Durant un instant, tout cela m'est apparu comme une farce absurde qui m'a fait éclater de rire. L'agent Vernon m'a imitée spontanément, et j'ai senti que c'était chez elle un état d'esprit naturel. Elle faisait sans doute un réel effort pour afficher presque en permanence une mine sérieuse et compatissante.

Maman est entrée.

— Je t'ai apporté de quoi manger, ma chérie, a-t-elle dit. Il faut que tu te nourrisses convenablement.

Je me suis tournée vers elle. Elle tenait un sac rempli de victuailles, et cette attention maternelle m'a touchée. Mais son visage s'est figé lorsqu'elle m'a vue. Pauvre maman. La farce que je trouvais si teintée d'humour noir était devenue cruelle.

— Tu dois lui dire. Plus tu attends, pire ce sera.

— J'ai vu un torchon à vaisselle l'autre jour avec « Ne remets jamais au lendemain ce que tu peux faire le jour même » écrit dessus.

— Tess... (Ou n'ai-je fait que pousser un soupir éloquent de grande sœur?)

Tu as éclaté de rire en te moquant gentiment de moi :

— Tu as toujours des culottes avec les jours de la semaine brodés dessus?

— Tu changes de sujet. Et on m'a donné ces culottes quand j'avais neuf ans.

— Tu respectais vraiment l'ordre des jours?

— Elle sera tellement blessée si tu ne la préviens pas.

J'ai fixé ma mère en répondant sans un mot à sa question. Oui, tu étais enceinte. Oui, tu ne lui avais rien dit. Et oui, le monde entier, ou du moins tous ceux qui regardent la télévision, allaient être au courant.

— Qui est le père?

Je n'ai pas répondu. Un choc à la fois.

— Voilà pourquoi elle ne m'a pas rendu visite depuis plusieurs mois, n'est-ce pas? Elle a trop honte.

C'était une affirmation plus qu'une question. J'ai essayé de l'apaiser, mais elle a agité les mains pour me faire taire – geste dont elle n'était pas du tout coutumière.

— Je vois qu'il compte l'épouser, au moins, a-t-elle déclaré en lorgnant ma bague de fiançailles, que je n'avais pas pensé à ôter.

— C'est la mienne, maman.

J'étais ridiculement vexée qu'elle ne l'ait pas remarquée plus tôt. J'ai enlevé le gros solitaire de mon doigt et le lui ai tendu, mais elle l'a mis dans son sac à main sans même l'examiner.

— A-t-il l'intention de l'épouser, Beatrice?

Peut-être aurais-je dû la ménager et lui dire qu'Emilio Codi était déjà marié. Cela aurait nourri la colère qu'elle éprouvait contre toi et aurait tenu la terreur encore un peu à l'écart.

— Retrouvons-la d'abord avant de nous inquiéter pour son avenir, maman.

2

L'unité de reconstitution de la police avait pris place près de la station de métro South Kensington. J'étais la vedette de ce petit film et un jeune policier coiffé d'une casquette m'a donné des instructions.

— OK, allez-y ! a dit le réalisateur, un officier du genre très branché.

J'ai commencé à marcher dans Exhibition Road en partant du bureau de poste.

Tu n'as jamais eu besoin de l'assurance que confèrent des talons hauts, aussi avais-je accepté à contrecœur d'échanger les miens contre tes ballerines. Et parce qu'elles étaient trop grandes pour moi, j'avais enfoncé des mouchoirs au niveau des orteils. Tu te souviens quand on faisait ça avec les chaussures de maman ? Le claquement de ses escarpins, ce bruit d'adulte, nous ravissait tant. À l'inverse, tes ballerines souples étaient silencieuses, discrètes, leur cuir doux s'enfonçant dans la glace fissurée des flaques et absorbant l'eau froide. Devant le muséum d'Histoire naturelle s'étirait une longue queue indisciplinée d'enfants turbulents et de parents épuisés. Les premiers ont observé la police et l'équipe de cameramen, les seconds m'ont dévisagée. Je représentais une distraction gratuite en attendant les tyrannosaures animatroniques et la grande baleine blanche. Tant pis, cela m'était égal. J'espérais juste que quelqu'un parmi eux avait été là le jeudi précédent et t'avait vue sortir du bureau de poste. Mais quand bien même cela aurait été le cas, qu'aurait remarqué ensuite cette personne ? Comment quelque chose de sinistre aurait-il pu se produire devant tant de témoins ?

Une pluie mêlée de neige fondue s'est remise à tomber. Un policier m'a dit de continuer à avancer. Il neigeait le jour de ta disparition, mais ce temps faisait presque l'affaire. J'ai jeté un coup d'œil à la file d'attente devant le musée. Des carapaces en plastique étaient apparues sur les poussettes et les landaus. Des capuches et des parapluies protégeaient les parents. Les gens devenaient comme myopes et plus aucun ne se souciait de moi. Comment croire alors que quelqu'un t'avait vue, ou avait noté quoi que ce soit ?

La pluie trempait les cheveux longs de ma perruque et dégoulinait dans mon dos. Sous ma veste ouverte, ta robe de coton, alourdie par l'eau froide, collait à mon corps et dévoilait toutes mes courbes. Tu aurais trouvé ça drôle, une reconstitution policière qui tournait au film érotique. Une voiture a ralenti en me doublant. Le conducteur, un homme d'une cinquantaine d'années, au chaud et au sec, m'a examinée à travers sa vitre. Je me suis demandé si quelqu'un s'était arrêté pour proposer de te déposer quelque part. Était-ce ce qui s'était passé ? Mais je ne pouvais pas m'autoriser de telles réflexions. M'interroger me conduirait dans un dédale de scénarios horribles dans lequel je perdrais la raison, et il fallait que je reste saine d'esprit sinon je ne te serais d'aucune aide.

De retour au poste de police, maman m'a rejointe dans le vestiaire. J'étais trempée, je tremblais de froid et de fatigue sans pouvoir m'arrêter. Je n'avais pas dormi depuis vingt-quatre heures.

— Tu savais que l'odeur était faite de minuscules fragments qui se détachent de nous ? ai-je dit en ôtant ta robe. On a appris ça à l'école, un jour.

Elle a secoué la tête. Cela ne l'intéressait pas. Moi, je m'en étais souvenue en marchant sous la pluie et j'avais compris que l'odeur de ta robe s'expliquait par les infimes particules de toi emprisonnées dans les fibres de coton. Il n'était pas irrationnel de te penser tout près de moi, finalement. Même si oui, d'accord, c'était un peu macabre.

J'ai tendu ta robe à maman et j'ai remis mon tailleur.

— Tu étais obligée de la faire paraître aussi dépenaillée ?

— Tess est ainsi. Il faut que les gens puissent la reconnaître.

Maman avait toujours veillé à ce qu'on soit impeccables chaque fois qu'on nous prenait en photo. Même durant les fêtes d'anniversaire des autres enfants, elle essuyait vivement nos bouches barbouillées de chocolat et nous recoiffait sans ménagement avec une brosse sortie de son sac dès qu'elle repérait un appareil photo. Elle te disait déjà à l'époque que tu serais bien plus jolie si « tu faisais un effort, comme Beatrice ». À ma grande honte, je m'en réjouissais. D'abord parce que si tu avais vraiment «fait un effort», la différence entre nous aurait sauté aux yeux de tous, et ensuite parce que, en te critiquant, maman m'adressait un compliment – ce qui ne lui arrivait pas souvent, même de façon détournée.

Elle m'a rendu ma bague de fiançailles. Le poids de celle-ci autour de mon doigt m'a réconfortée en me donnant presque l'impression que Todd me tenait la main.

Puis l'agent Vernon est entrée. Elle avait la peau humide et les joues encore plus roses qu'avant la reconstitution.

—Merci, Beatrice. Vous avez fait du super boulot, a-t-elle déclaré – ce qui m'a étrangement flattée. On va diffuser ça aux infos locales ce soir. Le lieutenant Finborough vous tiendra tout de suite au courant s'il y a du nouveau.

J'ai redouté qu'un ami de papa ne voie ces images à la télé et ne lui téléphone. L'agent Vernon, très fine, a suggéré que la police française l'informe de vive voix de ta disparition, comme si cela valait mieux qu'un appel de notre part. J'ai accepté sa proposition.

M. Wright desserre sa cravate en polyester. Le chauffage central fonctionne encore, les premiers rayons printaniers ayant pris tout le monde de court, mais je suis heureuse de la chaleur qui règne dans les bureaux.

—Vous avez reparlé à l'officier Finborough, ce jour-là ?

— Juste pour lui confirmer le numéro auquel il pouvait me joindre.

— À quelle heure avez-vous quitté le poste de police ?

— À 18 h 30. Ma mère était partie une heure plus tôt.

Personne au commissariat ne s'était rendu compte qu'elle ne possédait pas de permis de conduire et encore moins de voiture. L'agent Vernon s'est excusée auprès de moi en me disant qu'elle l'aurait raccompagnée chez elle si elle l'avait su. Quand j'y repense, je crois qu'elle avait assez de compassion en elle pour deviner la femme fragile qui se cachait derrière la jupe plissée bleu marine et l'indignation bourgeoise de ma mère.

Les portes du poste de police se sont refermées et l'air froid de la nuit m'a giflée. Je me suis sentie intimidée par les trottoirs bondés, désorientée face aux phares et à la lumière des réverbères. L'espace d'un instant, je t'ai aperçue au milieu de la foule. J'ai découvert depuis qu'il est fréquent que les gens séparés d'un être cher ne cessent de voir cette personne parmi des inconnus. Cela a un rapport avec les zones de notre cerveau affectées à la reconnaissance – elles s'échauffent trop et se laissent trop facilement abuser. Ce tour cruel de l'esprit n'a pas duré, mais il a tout de même été assez long pour que je ressente physiquement combien j'avais besoin de toi.

Je me suis garée près des marches menant à ton appartement. À côté de tes grands voisins flambant neufs, ton immeuble faisait l'effet d'un parent pauvre qui n'avait pas eu les moyens de se payer une nouvelle couche de peinture blanche depuis des années. J'ai descendu les marches verglacées jusqu'au sous-sol en portant la valise contenant tes habits. Un réverbère orange me permettait tout juste de distinguer où je mettais les pieds. Comment as-tu réussi à ne rien te casser ces trois dernières années ?

J'ai sonné, les doigts engourdis par le froid, et j'ai vraiment espéré pendant quelques secondes que tu allais répondre. Puis j'ai soulevé tes pots de fleurs. Je savais que tu cachais ta clé sous l'un d'entre eux. Tu m'avais même dit le nom de la plante en question, mais je ne me le rappelais plus. Maman et toi avez toujours été les seules à jardiner, et j'étais de toute façon trop occupée à te sermonner pour ton imprudence. Comment pouvait-on laisser sa clé sous un pot de fleurs, *juste à côté de la porte* ? Et à Londres, qui plus est. C'était *ridicule et irresponsable. Autant inviter les cambrioleurs à entrer.*

— Qu'est-ce que vous fabriquez ? a tonné une voix au-dessus de moi.

J'ai levé les yeux et découvert ton propriétaire. La dernière fois que je l'avais vu, on aurait dit un grand-père sorti tout droit d'un livre pour enfants – il aurait suffi de lui coller une barbe blanche pour qu'il fasse un parfait père Noël. À présent, sa bouche dessinait un pli sévère, il n'était pas rasé et ses yeux brillaient d'une lueur féroce propre à un homme plus jeune que lui.

— Je suis Beatrice Hemming, la sœur de Tess. On s'est déjà rencontrés.

Le pli de sa bouche s'est adouci, son regard est redevenu vieux.

— Amias Thornton. Je suis désolé, ma mémoire n'est plus ce qu'elle était.

Il a descendu les marches en faisant attention.

— Tess a arrêté de cacher le double de sa clé sous son cyclamen rose. Elle me l'a donné.

Il a ouvert un compartiment zippé de son portefeuille et en a sorti une clé. Tu avais complètement ignoré mes remontrances jusque-là, alors qu'est-ce qui t'avait soudain rendue si sensible aux questions de sécurité ?

— J'ai laissé entrer la police il y a deux jours, a continué Amias. Ils cherchaient des indices. Il y a du nouveau ? s'est-il enquis, les larmes aux yeux.

— J'ai bien peur que non.

Mon téléphone portable a sonné. Nous avons sursauté tous les deux, et je me suis dépêchée de répondre pendant qu'Amias me regardait, plein d'espoir.

— Allô ?

— Salut, chérie, a dit la voix de Todd.

Je me suis tournée vers Amias en secouant la tête.

— Personne ne l'a vue et elle a reçu des appels bizarres, ai-je expliqué à Todd, surprise par le tremblement de ma voix. La police a tourné une reconstitution qui sera diffusée ce soir à la télé. J'ai dû jouer le rôle de Tess.

— Mais tu ne lui ressembles pas du tout.

J'ai trouvé son pragmatisme réconfortant. Todd s'intéressait plus au casting qu'au film lui-même et jugeait visiblement cette reconstitution excessive et absurde.

— Je peux lui ressembler. Plus ou moins.

Amias a remonté prudemment les marches jusqu'à son propre appartement.

— Est-ce qu'il y avait une lettre d'elle au courrier ? La police a dit qu'elle avait acheté des timbres pour un envoi à l'étranger juste avant de disparaître.

— Non, il n'y avait rien.

Mais une lettre n'avait peut-être pas eu le temps d'arriver à New York.

— Je peux te rappeler ? J'aimerais que la ligne reste libre au cas où elle essaierait de me joindre.

— D'accord. Si c'est ce que tu préfères.

Il semblait mécontent et je me suis réjouie que tu sois encore capable de l'irriter. Il pensait sans aucun doute que tu allais bientôt resurgir, saine et sauve, et qu'il serait le premier à te passer un savon.

J'ai déverrouillé la porte de ton appartement et suis entrée. Je n'étais venue chez toi que, quoi ? deux ou trois fois avant, et sans jamais rester bien longtemps. Nous étions tous soulagés à mon avis qu'il n'y ait pas de place pour nous accueillir, Todd et moi, ce qui ne nous laissait pas d'autre choix que d'aller à l'hôtel. J'ai noté ce jour-là seulement combien tes fenêtres étaient mal isolées. Des bourrasques d'air froid s'infiltraient par les fentes, tes murs étaient froids et humides au toucher, et tes ampoules écologiques ont mis une éternité à jeter une lumière décente. J'ai mis le chauffage au maximum, mais seul le haut des radiateurs dégageait un peu de chaleur. Ne prêtais-tu aucune attention à de tels détails ou es-tu simplement plus stoïque que moi ?

J'ai constaté ensuite que ton téléphone était débranché. Était-ce pour cette raison qu'il avait sonné occupé chaque fois que j'avais essayé de t'appeler les jours précédents ? Mais tu ne l'aurais sûrement pas laissé ainsi tout ce temps, non ? J'ai tenté de réprimer l'anxiété qui me rongeait – tu coupes souvent le téléphone quand tu peins ou quand tu écoutes de la musique parce que tu détestes cette façon impérieuse qu'il a de réclamer ton attention. Tu as dû oublier de le rebrancher la dernière fois que tu étais là.

J'ai commencé à ranger tes affaires dans ton armoire, soulagée d'éprouver une bouffée habituelle de colère à ton égard.

—Mais pourquoi est-ce que tu ne la mets pas dans ta chambre, là où elle devrait être ? Elle fait grotesque ici.

C'était ma première visite et je me demandais pourquoi une grande armoire encombrait ton salon minuscule.

—J'ai transformé ma chambre en studio, as-tu répliqué en riant avant même de finir ta phrase.

« Studio » était un bien grand mot pour ta toute petite chambre en sous-sol.

L'une des choses que j'adore chez toi, c'est que tu es toujours la première à te juger ridicule et que tu ris de toi avant tout le monde. Tu es la seule personne que je connaisse à s'amuser vraiment de ses propres extravagances. Hélas, ce n'est pas un trait de famille.

Alors que je pendais tes habits, j'ai aperçu un tiroir au fond de l'armoire. À l'intérieur se trouvait le trousseau de ton bébé. Tout chez toi était si miteux – tes tenues provenaient de boutiques subventionnant des œuvres de charité, tes meubles de bennes à ordures. Mais ces affaires-là étaient toutes neuves et coûteuses. J'ai sorti une couverture en cachemire bleu pâle et un petit bonnet si doux que mes mains m'ont paru calleuses en le touchant. Ils étaient magnifiques. C'était comme de tomber sur un fauteuil Eames à un arrêt de bus. Tu ne pouvais pas te permettre de tels achats, alors qui t'avait donné l'argent ? Je croyais qu'Emilio Codi avait voulu t'obliger à avorter. Que se passait-il, Tess ?

Quelqu'un a sonné à la porte et j'ai couru répondre. J'avais ton prénom sur le bout de la langue quand j'ai ouvert, mais sur le seuil ne se tenait qu'une jeune femme que je n'avais jamais vue. J'ai ravalé ton prénom. Certains mots ont un goût, et je me suis rendu compte que je tremblais sous le coup de cette poussée d'adrénaline.

La fille était enceinte de plus de six mois mais, malgré le froid, son top en Lycra était coupé court, révélant son ventre distendu et son nombril percé. Cette façon d'afficher aussi ouvertement sa grossesse m'est apparue aussi vulgaire que ses cheveux jaunes.

— Tess est là ? a-t-elle demandé.

— Vous êtes une de ses amies ?

— Oui. Amie. Je suis Kasia.

Tu m'avais parlé d'elle, ton amie polonaise, mais ta description ne correspondait pas à la femme devant moi. Tu t'étais montrée flatteuse au point de déformer la réalité en lui prêtant une aura qu'elle ne possédait tout simplement pas. Plantée là dans sa minijupe ridicule, les jambes couvertes de chair de poule et les veines gonflées, elle était très éloignée d'un « dessin de Donatello ».

— Moi et Tess, on se connaît au dispensaire. Pas de petit ami, aussi.

Elle a levé les yeux vers une Ford Escort garée près des marches.

— Il a revenu, a-t-elle ajouté. Trois semaines.

J'ai prêté plus d'attention à son mauvais anglais qu'à ce qu'elle me disait, et j'ai espéré que mon visage exprimait un total désintérêt pour sa vie personnelle.

— Tess revient quand ?

— Je l'ignore. Personne ne sait où elle est.

Ma voix a commencé à chevroter, mais il était hors de question que j'affiche la moindre émotion devant cette fille. J'avais hérité pour une bonne part du côté snob de maman.

— Elle n'est pas rentrée chez elle depuis jeudi dernier, ai-je ajouté avec brusquerie. Vous avez une idée de l'endroit où elle pourrait être ?

— On est partis vacances, a dit Kasia en secouant la tête. Majorque. Pour se réconcilier.

L'homme au volant de la Ford Escort a écrasé le klaxon. Kasia lui a fait signe d'un air nerveux et, après m'avoir demandé dans son anglais hésitant de te dire qu'elle était passée, elle s'est hâtée de le rejoindre.

Oui, mademoiselle Freud, j'étais furieuse qu'elle ne soit pas toi. Ce n'était pas sa faute.

J'ai gravi les marches pour aller sonner à la porte d'Amias. Il a ouvert en se débattant avec la chaînette de sécurité.

— Savez-vous où Tess a trouvé des habits de bébé aussi coûteux ?

— Elle a fait des folies dans les magasins de Brompton Road, a-t-il répondu. Elle était toute contente…

Je l'ai interrompu avec impatience.

— Mais comment a-t-elle pu les payer ?

— Je ne lui ai pas posé de questions.

C'était un reproche, une manière de me faire comprendre qu'il avait de bonnes manières, lui. Il a défait la chaînette. Il n'avait pas le dos voûté malgré son âge et me dépassait de plusieurs bons centimètres.

— Vous devriez peut-être les donner, maintenant, a-t-il dit.

— C'est un peu tôt pour abandonner les recherches, ai-je riposté, furieuse et dégoûtée par le personnage.

J'ai fait demi-tour et j'ai redescendu vivement les marches. Il a ajouté quelque chose, mais je n'ai pas eu le courage d'essayer de distinguer ses paroles. Je suis rentrée chez toi.

— Encore dix minutes et on arrêtera là pour aujourd'hui, déclare M. Wright.

Je lui en suis reconnaissante. Je ne pensais pas que ce serait aussi épuisant physiquement.

— Vous êtes allée dans la salle de bains ?

— Oui.

— Et vous avez inspecté son armoire à pharmacie.

J'ai secoué la tête.

— Donc, vous n'avez rien remarqué d'inquiétant ?

— Si.

Je me sentais épuisée, sale et frigorifiée, et je mourais d'envie de prendre une douche bien chaude. Il restait encore deux heures avant que la reconstitution tournée par la police ne passe à la télé, j'avais donc du temps devant moi. J'ai d'abord craint de ne pas t'entendre si tu appelais pendant que je me lavais, et puis j'ai songé que, justement, ce serait une bonne idée – selon la logique qui veut que votre amoureux débarque forcément chez vous au moment où vous avez un masque de beauté sur la figure et où vous portez votre pyjama le plus miteux. Bon, je reconnais que le mot « logique » n'est pas celui qui convient, mais c'est ainsi : je me suis dit que prendre une douche ferait que tu me téléphonerais. De plus, tu pouvais laisser un message sur mon portable.

Je suis allée dans ta salle de bains. Bien sûr, il n'y avait pas de cabine de douche, juste une baignoire à l'émail écaillé et aux robinets entourés de moisissures. J'ai été frappée par le contraste avec ma salle de bains à New York – un hommage au chic moderne, tout en chrome et en pierre naturelle – et je me suis demandé comment tu pouvais avoir l'impression d'être propre en sortant de cette pièce. J'ai éprouvé un bref sentiment familier de supériorité, juste avant que je ne la voie : une tablette avec ta brosse à dents, ton dentifrice, la solution de rinçage de tes lentilles et une brosse avec de longs cheveux coincés dans les picots.

J'avais nourri l'espoir que tu avais fait quelque chose de stupide, digne d'une étudiante, comme aller à un festival ou participer à un mouvement de protestation quelconque. Que tu t'étais montrée irresponsable, à ton habitude, et que tu campais dans un champ enneigé en te moquant bien d'être enceinte de huit mois. Je m'étais imaginé te faire la morale et te reprocher ton insouciance impardonnable. Mais la vue de tes affaires de toilette a brisé mon scénario. Il n'y avait plus de place pour l'espoir. Quel que soit l'endroit où tu te trouvais, tu n'avais pas eu l'intention d'y aller.

M. Wright éteint son magnétophone.

— Arrêtons-nous là.

J'opine du chef en essayant de chasser de mon esprit l'image de tes longs cheveux coincés dans les picots de ta brosse.

Une secrétaire aux allures de matrone entre et nous informe que les journalistes sont maintenant si nombreux devant ton appartement que cela devient alarmant. Plein de sollicitude, M. Wright propose de me trouver un autre lieu où résider.

— Non, merci. Je veux rester chez moi.

J'appelle ton appartement mon chez-moi, dorénavant – si ça ne t'ennuie pas. J'y vis depuis deux mois et c'est en ces termes que je pense à lui.

— Voulez-vous que je vous dépose ? ajoute M. Wright.

Il doit voir mon étonnement parce qu'il sourit.

— Ça ne me dérangerait pas. Et je suis sûr que cette journée a été une épreuve pour vous.

Sa cravate imprimée en polyester était un cadeau. Cet homme est quelqu'un de bien.

Je refuse poliment son offre et il m'escorte jusqu'à l'ascenseur.

— Votre témoignage nous prendra plusieurs jours. J'espère que vous n'y voyez pas d'inconvénient ?

— Non, pas du tout.

— C'est parce que vous avez été à la fois la principale enquêtrice et le principal témoin.

Je songe que ce mot, « enquêtrice », a une consonance trop professionnelle pour ce que j'ai fait. Puis l'ascenseur arrive et M. Wright maintient la porte ouverte jusqu'à ce que je sois à l'intérieur.

Dehors, le soleil printanier a réchauffé l'air de ce début de soirée et des parasols blancs ont poussé comme des champignons sur le bitume gris des trottoirs, devant les cafés. Les bureaux du CPS ne sont qu'à quelques rues de St James's Park et je crois que je vais faire à pied une partie du trajet jusque chez moi.

J'essaie de prendre un raccourci en direction du parc, mais cela ne me mène qu'à une impasse qui m'oblige à rebrousser chemin. Un bruit s'élève alors derrière moi. Pas le claquement rassurant de talons aiguilles, mais les pas pesants d'un homme qui sonnent comme une menace silencieuse. Malgré mon inquiétude, j'ai conscience du cliché de la femme suivie par un être malfaisant et je tente de me ressaisir. Les pas continuent, plus près maintenant, plus lourds. Cet individu va forcément finir par me dépasser en s'écartant pour me montrer qu'il n'est pas animé de mauvaises intentions, non ? Mais à la place, il se rapproche. Je sens le froid de son souffle sur ma nuque et je me mets à courir avec des mouvements rendus saccadés par la peur. Parvenue à l'entrée du cul-de-sac, j'aperçois une foule de gens qui marche sur le trottoir. Je me mêle aussitôt à elle et me dirige vers le métro sans me retourner.

Je me dis que ce n'est pas possible. Il est en détention préventive, enfermé derrière des barreaux, et sa remise en liberté sous caution a été refusée. Après le procès, il ira finir sa vie en prison. J'ai dû rêver.

Je monte dans une rame de métro et me risque à balayer le wagon des yeux. Je repère tout de suite ta photo en une d'un exemplaire de l'*Evening Standard*. C'est celle que j'ai prise dans le Vermont quand tu nous as rendu visite il y a deux ans. Tes cheveux agités par le vent flottaient derrière toi comme une voile brillante. Tu étais rayonnante, d'une beauté à couper le souffle. Pas étonnant qu'ils aient choisi ce cliché. À l'intérieur du journal, il y en a un autre qui te montre à l'âge de six ans, serrant Leo dans tes bras. Je sais que tu venais de pleurer, mais cela ne se voit pas. Tu avais retrouvé une mine normale dès l'instant où tu m'avais souri. Une photo de moi réalisée hier a aussi été ajoutée – sauf que mon visage n'avait pas retrouvé sa mine normale, lui. Heureusement que je ne me soucie plus de la tête que j'ai quand je suis face à un objectif.

Je descends à la station Ladbroke Grove en notant l'agilité avec laquelle les Londoniens montent les escalators, franchissent les portillons et sortent du métro, sans se toucher. En haut de l'escalier roulant, j'ai de nouveau l'impression que quelqu'un se tient trop près derrière moi. Je sens un souffle sur mon cou, l'aiguillon d'une menace. Je presse le pas, heurtant des gens dans ma précipitation, et j'essaie de me persuader que ce n'était qu'un courant d'air créé par l'escalator.

La terreur et l'effroi, une fois qu'on les a connus, restent ancrés en vous même après que leur cause a disparu, laissant derrière eux une peur ensommeillée qui se réveille trop facilement.

Une fois dans Chepstow Road, je suis stupéfaite par la masse des gens et des véhicules présents. Il y a là de nouvelles équipes de reporters envoyées par toutes les chaînes du Royaume-Uni et, semble-t-il, par la plupart des médias étrangers aussi. Le petit rassemblement d'hier me fait désormais l'effet d'une fête de village qui se serait transformée en parc à thème plein de frénésie.

Je suis à une dizaine de portes de l'appartement quand le technicien qui m'a offert des chrysanthèmes m'aperçoit. Je m'arme de courage, mais il détourne le regard, me prenant au dépourvu par sa gentillesse. Deux portes plus loin, c'est au tour d'un autre journaliste de me repérer. Il s'avance vers moi, bientôt suivi par les autres, et j'ai tout juste le temps de m'engouffrer chez moi et de leur claquer la porte au nez.

Dehors, les perches des preneurs de son emplissent l'espace. Des objectifs d'une longueur indécente sont collés au carreau. Je tire les rideaux, mais les lumières restent aveuglantes à travers le fin tissu. Comme hier, je me réfugie ensuite dans la cuisine – en vain. Elle ne m'offre aucun havre de paix. Quelqu'un tambourine à la porte de derrière et la sonnette de l'entrée retentit en continu. Le téléphone se tait une seconde tout au plus avant de repartir de plus belle. Mon portable se joint à la cacophonie. Comment ont-ils eu mon numéro ? Tous ces bruits sont insistants et impérieux, ils exigent une réponse. Je repense au premier soir que j'ai passé dans ton appartement. Je croyais alors qu'on ne se sentait jamais plus seul que devant un téléphone qui ne sonne pas.

À 22h20, j'ai regardé la reconstitution à la télé, assise sur ton canapé, ta couverture indienne remontée sur moi dans un effort dérisoire pour me tenir chaud. De loin, j'étais très convaincante dans ton rôle. Le film s'est terminé par un appel à témoins accompagné d'un numéro à contacter.

À 23h30, j'ai décroché le téléphone pour vérifier qu'il fonctionnait bien. Puis j'ai paniqué : et si quelqu'un avait essayé d'appeler dans le même temps ? Toi, par exemple, ou la police pour m'annoncer que tu avais été retrouvée.

0h30. Rien.

1 heure du matin. Le silence autour de moi m'étouffait.

1h30. Je me suis entendue crier ton nom. Ou était-il enfoui dans le silence ?

2 heures. Il y a eu un bruit près de la porte. Je me suis dépêchée d'aller ouvrir, mais ce n'était qu'un chat de gouttière, celui que tu avais adopté des mois plus tôt. Le lait dans le frigo était entamé depuis plus d'une semaine et avait tourné. Je n'avais rien pour faire cesser les miaulements de l'animal.

À 4h30, je suis allée dans ta chambre en me faufilant entre ton chevalet et des tas de toiles. Je me suis coupé le pied au passage et, en me baissant, j'ai découvert des éclats de verre par terre. J'ai alors ouvert les rideaux : une feuille de polyéthylène avait été scotchée sur un carreau cassé. Pas étonnant qu'il fasse si froid dans ton appartement.

Je me suis couchée. La plaque isolante battait dans le vent glacial, et ce bruit irrégulier, inhumain, me dérangeait autant que la température dans la pièce. Le pyjama rangé sous ton oreiller avait la même odeur que ta robe. Je l'ai serré contre moi, trop frigorifiée et anxieuse pour dormir. D'une façon ou d'une autre, pourtant, le sommeil a fini par me gagner.

J'ai rêvé de la couleur rouge, Pantone 1788 à 1807. La couleur des cardinaux et des filles de joie. Celle de la passion et du faste. La teinture produite par les corps broyés des cochenilles. Le rouge cramoisi. L'écarlate. La couleur de la vie. La couleur du sang.

La sonnerie de la porte d'entrée m'a réveillée.

Mardi

J'arrive dans les bureaux du CPS, où le printemps est officiellement de retour. Le léger parfum de l'herbe fraîchement tondue dans le parc s'engouffre à chaque rotation des portes à tambour, et les réceptionnistes à l'accueil, en robes d'été, arborent un hâle qu'elles doivent certainement à un autobronzant appliqué la veille au soir. Malgré la douceur du temps, je suis chaudement vêtue, trop même, et toute pâle – un résidu de l'hiver.

Je me dirige vers le bureau de M. Wright en ayant envie de lui confier mon impression d'avoir été suivie hier. J'ai juste besoin d'entendre, une fois encore, que ce type est en prison et qu'il y restera toute sa vie après le procès. Mais à mon arrivée, le soleil inonde la pièce, le plafonnier jette sa lumière crue, et le fantôme de ma peur blêmit et disparaît dans cette clarté.

M. Wright met en marche son magnétophone.

— J'aimerais que nous abordions la grossesse de votre sœur, dit-il.

Je perçois une subtile réprimande dans cette remarque. Quand il m'a demandé hier de commencer par la première fois où j'ai senti que quelque chose n'allait pas, je lui ai parlé du coup de fil de maman, un dimanche à l'heure du déjeuner. Mais je sais maintenant que je me suis trompée. Et je sais aussi que, si j'avais pris la peine de passer plus de temps avec toi, si je m'étais moins souciée de ma petite personne et si je t'avais écoutée avec plus d'attention, je me serais peut-être rendu compte que quelque chose n'allait déjà pas du tout des mois plus tôt.

— Tess est tombée enceinte six semaines après le début de sa liaison avec Emilio Codi, dis-je en gommant de cette phrase toute l'émotion qu'elle soulève en moi.

— Comment l'a-t-elle pris ?

— Selon elle, elle avait découvert que son corps était un miracle.

Je repense à notre conversation téléphonique.

— *Il y a presque sept milliards de miracles qui se baladent sur cette terre, Bea, et on ne croit même pas en eux.*

— A-t-elle prévenu Emilio Codi ?

— Oui.

— Et ?

— Il voulait qu'elle interrompe la grossesse. Tess lui a répondu que le bébé n'était pas une partie de foot.

M. Wright sourit et essaie aussitôt de le cacher, mais j'apprécie sa réaction.

— Quand elle a refusé, il lui a dit qu'elle devrait quitter l'école avant que son état ne devienne trop visible.

— Elle l'a fait ?

— Oui. Emilio a raconté à la direction que Tess s'était vu offrir une année sabbatique quelque part. Je crois qu'il a même fourni le nom d'une école.

— Qui était au courant, alors ?

— Ses amis proches, y compris d'autres étudiants des beaux-arts. Mais Tess leur avait demandé de garder le secret.

Je ne comprenais pas pourquoi tu protégeais Emilio. Il ne le méritait pas. Il n'avait rien fait pour ça.

— Emilio Codi a-t-il proposé d'aider votre sœur ?

— Non. Il l'a accusée de lui avoir fait un enfant dans le dos et lui a dit qu'il ne céderait à aucune pression visant à lui soutirer une aide quelconque.

— Lui avait-elle vraiment fait un enfant dans le dos ?

Je suis surprise par les détails qu'il me réclame, puis je me rappelle qu'il tient à en savoir le plus possible pour décider ensuite de ce qui est pertinent.

— Non, sa grossesse n'était pas voulue.

Je me souviens de la fin de notre conversation. J'étais dans mon bureau, occupée à contrôler la nouvelle identité visuelle d'une chaîne de restaurants tout en faisant mon boulot de grande sœur.

— Comment peut-il s'agir d'un accident, Tess ?

L'équipe du design avait choisi la police de caractère Bernard MT, mais je leur avais demandé quelque chose de rétro, pas de démodé.

—«Accident» est un peu négatif, Bea. Je préfère le mot «surprise».

—D'accord. Alors comment une telle «surprise» est-elle possible alors qu'il y a des pharmacies vendant des préservatifs à tous les coins de rue?

Tu as eu un rire affectueux.

—Certaines personnes se laissent parfois emporter, as-tu répondu d'un ton aussi moqueur que le mien était moralisateur.

J'ai senti la critique implicite.

—Mais qu'est-ce que tu vas faire?

—Grossir, grossir encore, et ensuite avoir un bébé.

Tu paraissais si puérile. Ton comportement l'était en tout cas. Comment pouvais-tu devenir mère?

—C'est une bonne nouvelle, Bea. Ne sois pas fâchée.

—A-t-elle envisagé d'avorter?

—Non.

—Vous avez été élevées dans la religion catholique?

—Oui, mais cela n'a pas du tout influencé sa décision. Le seul sacrement catholique auquel Tess ait jamais cru est celui du moment présent.

—Je suis désolé, j'ai peur d'ignorer...

Je sais que cela n'apportera rien au procès, mais j'aimerais que M. Wright ait une meilleure connaissance de toi que celle donnée par des faits bruts consignés dans des classeurs.

—Cela veut dire vivre l'instant présent sans se soucier du futur ni s'encombrer du passé.

Je n'avais jamais adhéré à ce sacrement. Il est trop irresponsable, trop hédoniste. Sans doute avait-il été ajouté par les Grecs, comme si Dionysos avait débarqué sans être invité chez les catholiques pour veiller à ce qu'ils fassent au moins une fois la fête.

Il y a autre chose que M. Wright doit savoir.

—Même au début, dis-je, quand le bébé n'était guère plus qu'un amas de cellules, Tess l'a adoré. C'est pour ça qu'elle considérait que son corps était un miracle. C'est pour ça qu'elle n'aurait jamais avorté.

Il hoche la tête et observe un silence respectueux en mémoire de ton enfant.

—Quand a-t-elle appris que le bébé était atteint de la mucoviscidose ? demande-t-il ensuite.

Je suis contente qu'il emploie le mot bébé et non fœtus. Ton enfant et toi, vous commencez à lui apparaître plus humains maintenant.

—À trois mois. Parce que nous avions un cas de mucoviscidose dans la famille, Tess a passé un test génétique.

—C'est moi.

Je sentais que, à l'autre bout du fil, tu luttais pour ne pas pleurer.

—C'est un garçon, as-tu ajouté – et j'ai deviné la suite. Il a la mucoviscidose.

Tu semblais si jeune. Je ne voyais pas quoi te dire. Toi et moi, nous connaissions trop bien cette maladie pour que je prononce des platitudes.

—Il va subir tout ce calvaire, Bea. Comme Leo.

—C'était donc en août? m'interroge M. Wright.

—Oui. Le 10 août. Quatre semaines plus tard, elle m'a appelée pour m'annoncer qu'on lui avait proposé une nouvelle thérapie génique pour son bébé.

—Que savait-elle à ce sujet?

—Elle m'a dit qu'un gène sain serait injecté au bébé pour remplacer celui responsable de la mucoviscidose, et que cela se ferait pendant la grossesse. À mesure que le fœtus se développerait, le nouveau gène continuerait à prendre la place du précédent.

—Quelle a été votre réaction?

—J'ai eu peur des risques qu'elle encourait. D'abord avec le vecteur, et…

—Le vecteur? m'interrompt M. Wright. Excusez-moi, je ne…

—C'est ce qui permet d'introduire un nouveau gène dans le corps. Une sorte de taxi, si vous voulez. On utilise souvent les virus parce qu'ils infectent très bien les cellules et qu'ils leur transmettent ce gène dans le même temps.

—Vous maîtrisez le sujet, on dirait.

—Nous sommes tous des experts amateurs en matière de génétique dans la famille. À cause de Leo.

—Mais des gens sont morts en testant ces thérapies géniques, Tess. Tous leurs organes ont lâché.

—Laisse-moi finir, s'il te plaît. Ils ne se serviront pas d'un virus comme vecteur – c'est ce qu'il y a de génial dans cette thérapie. Quelqu'un a réussi à fabriquer un chromosome artificiel pour apporter le gène dans les cellules du bébé. L'enfant ne court donc aucun danger. C'est incroyable, non?

En effet. Mais cela ne m'empêchait pas de me faire du souci. Je me souviens de la fin de notre appel : j'avais endossé l'uniforme complet de la grande sœur.

—D'accord, admettons que le vecteur ne pose pas de problème. Qu'en est-il du gène modifié? Et si, en plus de soigner la mucoviscidose, il avait des conséquences imprévues?

—Tu veux bien arrêter de t'inquiéter?

—Il pourrait produire des effets secondaires désastreux, comme détraquer quelque chose d'autre dans le corps dont on n'a pas la moindre idée.

—Bea…

—D'accord, ça paraît peut-être un risque mineur…

Tu m'as coupé la parole pour me faire descendre de mes grands chevaux.

—Sans cette thérapie, il a la mucoviscidose. C'est sûr à cent pour cent. Alors je ne peux pas refuser un risque mineur.

—Tu as dit qu'ils allaient injecter le gène dans ton ventre?

—Comment veux-tu qu'il atteigne les cellules du bébé autrement? as-tu répondu avec un sourire perceptible dans la voix.

—Cette thérapie pourrait donc t'affecter, toi aussi.

Tu as poussé un soupir, celui qui voulait dire «lâche-moi, s'il te plaît». Le soupir que l'on adresse à une sœur aînée.

—Je suis ta sœur, ai-je ajouté. J'ai le droit de m'inquiéter pour toi.

—Et je suis la mère de mon enfant.

Ta réponse m'a prise au dépourvu.

—Je t'écrirai, Bea, as-tu conclu.

Et tu as raccroché.

—Elle vous écrivait souvent? s'enquiert M. Wright.

Je me demande si cela l'intéresse simplement ou s'il veut en venir quelque part.

—Oui. En général, elle le faisait quand elle se doutait que j'allais désapprouver sa conduite. Parfois aussi quand elle voulait mettre ses idées au clair et qu'elle avait besoin de moi comme d'une interlocutrice muette pour les tester.

Je ne suis pas certaine que tu le saches, mais j'ai toujours apprécié tes conversations à sens unique. Même si elles m'exaspéraient souvent, elles me soulageaient aussi de mon rôle de critique et je trouvais cela libérateur.

—La police m'a donné une copie de sa lettre, m'informe M. Wright.

Je suis désolée. J'ai dû confier toute ta correspondance aux inspecteurs.

— Celle sur les anges humains, précise M. Wright en souriant.

Je lui sais gré de souligner ce qui comptait pour toi, pas ce qui est important pour son rapport. Et il ne m'est pas nécessaire de relire ta lettre pour me rappeler ce passage :

Tous ces gens, ces gens que je ne connais pas, dont je n'avais même jamais entendu parler, ont travaillé des heures et des heures, jour après jour, durant de nombreuses années, pour trouver un traitement. Les recherches ont débuté grâce à des dons. Il y a vraiment des anges, des anges humains vêtus de blouses blanches de laboratoire et de jupes en tweed, qui organisent des courses à pied et des ventes de gâteaux et qui sollicitent les gens dans la rue pour que, un jour, le bébé d'une personne qu'ils n'ont jamais rencontrée puisse guérir.

— Est-ce sa lettre qui a apaisé vos craintes concernant cette thérapie ?

— Non. Juste avant que je ne la reçoive, les essais de thérapie génique ont fait la une de l'actualité aux États-Unis. La presse et la télévision ne parlaient plus que du traitement de la mucoviscidose lancé par le laboratoire Gene-Med. Mais ils ne montraient que des photos de bébés guéris et n'abordaient presque pas l'aspect scientifique. Même les journaux de qualité employaient beaucoup plus les expressions « bébé miracle » que « traitement génétique ».

— Oui, ça a été pareil ici, remarque M. Wright.

— Mais l'info faisait aussi le tour du Net et j'ai pu en apprendre davantage par ce biais. J'ai découvert que les essais avaient satisfait tous les contrôles réglementaires, et même plus encore. Jusque-là, vingt bébés au Royaume-Uni étaient nés guéris et se portaient très bien. Les mères n'avaient souffert d'aucun effet secondaire. Aux États-Unis, des femmes enceintes qui avaient appris que leur enfant serait atteint de la maladie suppliaient qu'on les fasse bénéficier de ce traitement. J'ai compris alors quelle chance avait Tess.

— Que saviez-vous de Gene-Med ?

— Qu'il s'agissait d'une entreprise bien établie qui faisait de la recherche génétique depuis des années. Et aussi qu'elle avait acheté le chromosome du professeur Rosen, avant d'employer celui-ci pour qu'il continue ses travaux.

Permettant ainsi à tes anges gardiens aux jupes en tweed d'arrêter de solliciter les gens dans la rue.

— J'ai également regardé une demi-douzaine d'interviews données par le professeur Rosen, celui qui avait conçu ce nouveau traitement.

Je sais que cela ne devrait pas entrer en ligne de compte, mais c'est cet homme qui m'a fait changer d'avis sur la thérapie, ou du moins, qui m'a ouvert l'esprit. Je me souviens de la première fois que je l'ai vu à la télé.

La présentatrice télé du matin a ronronné sa question :

— Qu'est-ce que cela fait, professeur Rosen, d'être l'« homme derrière le miracle », comme certaines personnes vous surnomment ?

En face d'elle, le professeur avait l'air d'un cliché ambulant avec ses lunettes aux montures métalliques, ses épaules maigrelettes et son front plissé. Une blouse blanche devait certainement être accrochée quelque part hors du champ de la caméra.

— On peut difficilement qualifier ça de miracle. Il a fallu des dizaines d'années de recherche et…

— Vraiment, l'a-t-elle interrompu.

Ce n'était pas une question, mais il s'est mépris et a vu là une invitation à poursuivre.

— Le gène responsable de la mucoviscidose se trouve sur le chromosome 7. Il produit une protéine que l'on appelle le régulateur transmembranaire de la fibrose cystique, le CFTR.

La présentatrice a lissé la jupe crayon qui moulait ses jambes parfaitement carénées.

— Si nous pouvions avoir la version simplifiée, professeur Rosen.

— C'est la version simplifiée. J'ai créé un microchromosome artificiel…

— Je doute que nos téléspectateurs soient en mesure de comprendre, a-t-elle dit en agitant les mains comme si ces notions dépassaient l'entendement humain.

Elle m'a agacée et j'ai été ravie de voir que le professeur partageait ma réaction.

— Vos téléspectateurs ont un cerveau, n'est-ce pas ? Mon chromosome artificiel peut transporter sans danger un nouveau gène sain dans les cellules.

J'ai pensé que quelqu'un l'avait probablement entraîné à exposer son savoir dans une langue accessible aux demeurés, mais il a paru rapidement incapable de le supporter plus longtemps.

— Le chromosome artificiel humain peut non seulement introduire, mais aussi maintenir de façon stable des gènes thérapeutiques. Des centromères…

La présentatrice s'est hâtée de lui couper la parole.

— J'ai peur que nous ne soyons obligés d'arrêter là notre leçon de science, parce que nous sommes en liaison avec quelqu'un qui aimerait vous remercier tout particulièrement.

Elle s'est tournée vers un gros écran de télévision montrant en direct une chambre d'hôpital. Occupés à câliner un nouveau-né bien portant, une mère larmoyante et un père tout fier ont remercié le professeur Rosen d'avoir guéri leur beau petit garçon – ce qu'il a trouvé à l'évidence embarrassant et de très mauvais goût. Il ne se gargarisait pas de son succès et j'ai apprécié ce trait de caractère.

— Vous avez donc fait confiance à cet homme ? demande M. Wright.

Il ne montre pas ce qu'il en pense, mais il a dû voir lui aussi le professeur à la télé durant ce déferlement médiatique.

— Oui. Dans toutes ses interviews, il m'a donné l'impression d'un scientifique engagé qui n'avait aucune expérience des médias. Il semblait modeste, gêné par les louanges, et sa gloire télévisuelle ne l'amusait visiblement pas du tout.

Je ne précise pas en revanche que le professeur Rosen m'avait aussi rappelé M. Normans. Tu l'avais eu en maths? Si gentil soit-il, M. Normans n'avait pas de temps à perdre avec les simagrées des adolescentes et, dans sa bouche, les équations sonnaient comme des tirs de mitraillette. L'inexpérience face aux médias, des lunettes à montures métalliques et une ressemblance avec un ancien professeur ne constituaient pas des raisons logiques de croire que ces essais thérapeutiques étaient sûrs, mais c'était le coup de coude personnel dont j'avais besoin pour surmonter mes réserves.

— Tess vous a-t-elle décrit ce qui s'est passé quand elle a bénéficié de cette thérapie?

— Pas en détail, non. Elle m'a juste dit qu'elle avait eu une injection et qu'il fallait ensuite attendre.

Tu m'as téléphoné en pleine nuit, sans réfléchir au décalage horaire ou sans t'en soucier. Todd s'est réveillé et a décroché. Irrité, il m'a tendu le combiné en articulant en silence: Bon sang, il est 4h30!

— Ça a marché, Bea. Il est guéri.

J'ai pleuré à gros sanglots. J'avais tellement angoissé, pas en pensant à ton bébé, mais à ce que ce serait pour toi d'aimer un enfant atteint de la mucoviscidose et de t'en occuper. Todd a cru qu'un malheur était arrivé.

— Putain, c'est merveilleux.

Je ne sais pas ce qui l'a surpris le plus: que je pleure à l'annonce d'une nouvelle merveilleuse ou que je lâche un juron.

—J'aimerais l'appeler Xavier, a dit Tess. Si maman est d'accord.

Leo était si fier de son second prénom. Il regrettait que ce ne soit pas celui qu'on utilisait tous les jours avec lui.

—Leo trouverait ça supercool, ai-je répondu, tout en songeant combien il était triste que quelqu'un meure en étant encore assez jeune pour employer cette expression, «supercool».

—Oui, n'est-ce pas?

La secrétaire de M. Wright nous interrompt en nous apportant de l'eau minérale. Je me sens soudain terriblement assoiffée et, sous son regard désapprobateur, je vide d'un trait mon gobelet. Lorsqu'elle le ramasse, je note des traces orange sur les paumes de ses mains. Elle a dû se mettre de l'autobronzant hier soir. Cela m'émeut que cette femme grande et forte ait essayé de se faire jolie avec l'arrivée du printemps. Je lui souris, mais elle ne le voit pas. Toute son attention est rivée sur M. Wright. Je lis dans ses yeux qu'elle l'aime, et que c'est pour lui qu'elle a voulu donner un hâle à ses bras et à son visage, et que c'est à lui qu'elle a pensé en achetant sa robe. M. Wright met fin à mon commérage mental:

—Pour vous, il n'y avait donc pas de problème avec le bébé ni avec la grossesse?

—Je croyais que tout allait bien. Je ne m'inquiétais que de la façon dont elle allait s'en sortir en tant que mère célibataire. À ce moment-là, c'était ma principale préoccupation.

La secrétaire énamourée s'en va, presque complètement ignorée par M. Wright qui me fixe par-dessus la table. Je jette un coup d'œil à sa main – dans son intérêt à elle. Il ne porte pas d'alliance. Oui, je divague encore et je suis peu pressée de continuer. Tu sais ce qui va suivre. Je suis désolée.

3

Durant un moment, la sonnette de la porte d'entrée a fait partie de mon rêve teinté de rouge. Puis j'ai couru ouvrir, certaine que c'était toi. Le lieutenant Finborough savait qu'il n'était pas la personne que j'espérais, et il a eu le bon goût de paraître à la fois gêné et plein de commisération. De même, il savait quelle serait ma pensée suivante.

— Pas de panique, Beatrice. Nous ne l'avons pas retrouvée.

Il est entré dans ton salon. Derrière lui se tenait l'agent Vernon.

— Emilio Codi a vu la reconstitution, m'a-t-il appris en s'asseyant sur ton canapé. Tess a déjà accouché.

Mais tu me l'aurais dit.

— Il doit y avoir une erreur.

— L'hôpital St Anne nous a confirmé que Tess a donné naissance à son enfant mardi dernier et qu'elle est sortie le même jour.

Il a attendu un instant, compatissant, avant de lâcher sa deuxième bombe.

— Le bébé était mort-né.

J'avoue que, sur le moment, je n'ai même pas pensé à lui. Pardonne-moi. Je n'avais qu'une seule préoccupation en tête : ton accouchement avait eu lieu une semaine plus tôt et je n'avais toujours aucune nouvelle de toi.

— Nous avons interrogé le service de psychiatrie de St Anne, a continué Finborough. Tess leur a automatiquement été adressée à cause de la mort de son bébé. Un certain docteur Nichols s'occupe d'elle. Je lui ai parlé chez lui et il m'a dit que votre sœur souffrait de dépression postnatale.

Notre relation volait en éclats sous ces coups de boutoir. Tu ne m'avais pas prévenue que ton bébé était mort. Tu souffrais de dépression, mais tu ne t'étais pas tournée vers moi. Je connaissais toutes les peintures sur lesquelles tu travaillais, tous tes amis, et même le livre que tu lisais et le nom de ton chat (Pudding – je m'en suis souvenue le lendemain). Je connaissais tous les détails de ton existence. Mais j'ignorais le plus important. Je ne te connaissais pas, en réalité.

Le diable me proposait un pacte, finalement. Accepter que je n'étais pas proche de toi et, en échange, j'aurais la certitude que tu n'avais pas été kidnappée ni assassinée, et que tu étais toujours en vie. J'ai dit oui tout de suite.

— Nous nous inquiétons toujours pour elle, a ajouté Finborough, mais il n'y a aucune raison de croire que quelqu'un est impliqué dans sa disparition.

J'ai marqué une brève pause. Ce n'était qu'une formalité – je voulais juste vérifier les clauses en petits caractères dans le contrat.

— Que faites-vous des appels téléphoniques malveillants qu'elle a reçus ?

— Le docteur Nichols pense que Tess a probablement eu une réaction excessive à cause de l'état émotionnel dans lequel elle se trouvait.

— Et sa fenêtre cassée ? Il y avait du verre par terre dans sa chambre quand je suis arrivée.

— Nous avons mené l'enquête après que sa disparition nous a été signalée. Cinq voitures garées dans la rue ont eu leur pare-brise fracassé par un voyou mardi soir. Un pavé a dû atteindre la fenêtre de Tess.

Le soulagement a banni toute la tension de mon corps, laissant place à un épuisement total.

Après leur départ, je suis allée voir Amias.

— Vous saviez que son bébé était mort, n'est-ce pas ? C'est pour ça que vous m'avez conseillé de donner ses habits.

Il m'a regardée avec désarroi.

— Je suis navré. Je croyais que vous étiez au courant.

Je n'avais pas envie de m'engager sur ce terrain-là. Pas encore.

— Pourquoi avez-vous dit à la police qu'elle avait disparu ?

— Nous devions dîner ensemble et elle n'est pas venue. Elle avait promis et elle tient toujours parole, même avec un vieillard comme moi.

— Et pourquoi n'avez-vous pas parlé du bébé aux enquêteurs ?

— Elle n'est pas mariée.

Voyant que je ne comprenais pas, il a précisé sa pensée :

— J'ai eu peur qu'ils ne la prennent pour une fille aux mœurs légères et qu'ils ne se donnent pas la peine de la rechercher.

Il avait peut-être raison, du moins en partie. La police risquait en effet de mettre moins d'empressement à te retrouver maintenant, mais parce qu'elle savait que tu souffrais de dépression postnatale. J'y ai pourtant à peine prêté attention sur le coup.

— Tess m'a dit que son bébé avait été guéri.

— De la mucoviscidose, oui. Mais il y avait un autre problème que les médecins n'avaient pas vu. Quelque chose aux reins, je crois.

Je suis allée chez maman lui annoncer la bonne nouvelle. Oui, bonne, parce que tu étais vivante. Excuse-moi, je ne me souciais pas de ton bébé. J'avais bien conclu un pacte avec le diable, finalement.

Un pacte qui était aussi un marché de dupes. En conduisant, j'ai songé que j'avais été stupide de me laisser si facilement abuser. Disposée à tout accepter pour te retrouver, j'avais fermé les yeux devant la vérité. Je te connais depuis ta naissance. J'étais avec toi quand papa nous a abandonnés et quand Leo est mort. Je sais tout ce qu'il y a d'important dans ta vie. Tu m'aurais parlé de ton bébé. Et tu m'aurais prévenue si tu étais partie. Quelque chose – quelqu'un – devait donc t'en avoir empêchée.

Maman a éprouvé le même soulagement que moi au début, et je m'en suis voulu de gâcher sa joie.

— Ils se trompent, maman. Elle ne serait jamais partie sans m'en parler.

Mais elle s'accrochait fermement à cette bonne nouvelle et refusait que je la lui arrache.

— Ma chérie, tu n'as jamais eu d'enfant. Tu ne peux même pas imaginer ce qu'elle doit ressentir. Et le baby blues est déjà bien assez dur sans qu'on y ajoute tout ça.

Maman a toujours été douée pour les euphémismes.

— Je ne dis pas que la mort de son bébé me réjouit, a-t-elle continué, mais au moins, elle a une seconde chance maintenant. Il n'y a pas beaucoup d'hommes disposés à élever l'enfant d'un autre.

Fidèle à elle-même, elle voyait pour toi de beaux lendemains.

— Je ne crois vraiment pas qu'elle soit partie volontairement...

— Elle aura un autre enfant un jour, dans des circonstances bien plus heureuses, a-t-elle tranché sans m'écouter.

Pourtant, alors même qu'elle tentait de t'imaginer à l'abri dans un futur sans danger, sa voix a vacillé.

— Maman...

— Tu savais qu'elle était enceinte, n'est-ce pas ?

À présent, au lieu de penser à l'avenir, elle se penchait sur le passé. Tout plutôt que de s'attarder sur ce que tu vivais à cet instant.

— À ton avis, était-il convenable qu'elle soit une mère célibataire ?

— Tu t'en es bien sortie. Tu nous as montré que c'était possible.

Ma remarque était bien intentionnée, mais je n'ai réussi qu'à la mettre en colère.

— Il n'y a aucune comparaison possible entre le comportement de Tess et le mien ! Aucune. J'étais mariée quand je suis tombée enceinte. Et mon mari m'a peut-être quittée, mais ça n'a jamais été mon choix.

Je ne l'avais jamais entendue l'appeler « mon mari » avant. Toi non plus, hein ? Il a toujours été « votre père ».

— Et j'ai des notions de bienséance, moi ! Ça ne ferait pas de mal à Tess de les assimiler.

Comme je l'ai dit, la colère peut faire oublier la terreur, du moins temporairement.

Le blizzard s'est levé alors que je revenais de Little Hadston. On aurait dit que la M11 avait soudain été catapultée dans une boule de neige violemment secouée. Des millions de flocons tombaient en tous sens et heurtaient le pare-brise, trop nombreux et trop rapides pour que les essuie-glaces aient le temps de les ôter. Des panneaux lumineux sur l'autoroute avertissaient des conditions de circulation dangereuses et incitaient les conducteurs à ralentir. Une ambulance m'a doublée à vive allure en faisant retentir sa sirène.

— Ce n'est pas du boucan, Bea. Une sirène, c'est le clairon de la cavalerie des temps modernes.

Tu venais d'entrer aux beaux-arts et, forcément, tu nourrissais plein de pensées que-personne-d'autre-que-toi-n'avait-jamais-eues. Et tu avais aussi cette manie agaçante, propre aux étudiants, de croire que les non-étudiants ne comprenaient jamais rien.

—Par cavalerie, je veux dire un camion de pompiers, ou une voiture de police, ou une ambulance accourant à la rescousse.

—J'avais compris, Tess, merci.

—Mais tu estimais l'idée trop stupide pour être commentée?

—Ouais.

Tu as ri.

—Sérieusement, pour moi, une sirène représente le bruit d'une société qui prend soin de ses citoyens.

L'ambulance avait disparu à présent et sa sirène était devenue inaudible. Y avait-il une cavalerie pour toi aussi? Je me suis forcée à arrêter de raisonner ainsi – je ne pouvais pas m'autoriser à m'interroger sur ce qui t'arrivait. Mais j'étais transie de froid, j'avais peur et je me sentais seule.

Les rues près de ton appartement étaient dangereusement glissantes faute d'avoir été salées. Ma voiture a dérapé quand je me suis garée et j'ai failli renverser une moto stationnée là. Un homme d'une petite vingtaine d'années était assis en bas des marches menant chez toi, avec à la main un bouquet ridiculement gros, enveloppé dans du papier Cellophane sur lequel fondaient les flocons. J'ai deviné de qui il s'agissait grâce à la description que tu m'en avais faite. Simon, le fils de ministre. Tu avais raison, ses lèvres percées font paraître son visage enfantin torturé. Ses habits de motard étaient trempés et ses doigts blanchis par le froid. Malgré l'air glacial, j'ai perçu l'odeur de son after-shave. Tu m'avais parlé de ses avances maladroites et de ta réaction. Je ne connais pas beaucoup de personnes à part toi qui tiennent parole quand elles promettent à quelqu'un de rester leur amie en guise de lot de consolation.

Je lui ai dit que tu avais disparu et il a serré son bouquet contre sa poitrine, écrasant les fleurs dans leur emballage.

— Depuis combien de temps ? a-t-il demandé d'une voix de garçon éduqué dans les meilleures écoles.

— Jeudi dernier.

J'ai eu l'impression qu'il pâlissait.

— J'étais avec elle ce jour-là.

— Où ?

— À Hyde Park. On est restés ensemble jusqu'à 16 heures environ.

C'était deux heures après ton passage au bureau de poste. Il devait être la dernière personne à t'avoir vue.

— Elle m'a téléphoné le matin et a proposé qu'on se retrouve à la Serpentine Gallery, la galerie d'art du parc, a-t-il poursuivi. On s'est donné rendez-vous là-bas pour prendre un café et se donner des nouvelles.

Cette fois, il avait pris l'accent des quartiers populaires du nord de Londres. Mais laquelle de ses deux facettes était authentique ?

— Après, j'ai proposé de la raccompagner chez elle, a-t-il continué d'un ton geignard. Elle a refusé et je ne l'ai pas appelée ni revue depuis. Oui, d'accord, ce n'est pas très sympa de ma part, mais je voulais qu'elle sache ce que c'est d'être battu froid par quelqu'un.

Il devait avoir un ego monstrueux pour croire que tu puisses t'inquiéter de l'avoir vexé alors même que tu venais de perdre ton enfant. Et aussi pour supposer que cela me serait égal, à moi, maintenant que tu avais disparu.

— Où l'as-tu quittée ?

— C'est elle qui est partie, OK ? Je ne l'ai abandonnée nulle part.

J'étais sûre qu'il mentait. Son accent populaire était faux.

— Où ?

Il n'a pas répondu.

— Où ? ai-je crié.

— Près du café Lido.

Je n'avais jamais crié après quelqu'un avant.

J'ai téléphoné au lieutenant Finborough et lui ai laissé un message pour qu'il me rappelle de toute urgence. Simon en a profité pour aller dans ta salle de bains réchauffer ses mains blanches et engourdies sous le robinet d'eau chaude. Plus tard, la pièce sentirait son after-shave et je lui en voudrais d'avoir masqué l'odeur de ton savon et de ton shampooing.

— Qu'a dit la police ? s'est-il enquis en sortant.

— Qu'ils allaient mener des investigations.

— « Mener des investigations » ? Tu as eu affaire à des superflics américains ou quoi ?

Toi seule a le droit de me taquiner ainsi. Le policier que j'avais eu au bout du fil m'avait en fait répondu : « Je vais vérifier ça tout de suite. »

— Donc, ils vont fouiller Hyde Park ? Et ils nous diront ensuite ce qu'il en est ? a voulu savoir Simon.

Je suis ta sœur. C'est moi que Finborough contacterait.

— Le lieutenant Finborough me préviendra s'il y a du nouveau, oui.

Simon s'est étendu sur ton canapé, ses chaussures pleines de neige tachant ta couverture indienne. Parce que je n'avais pas fini de l'interroger, j'ai masqué ma contrariété.

— La police pense qu'elle souffre de dépression postnatale. Comment l'as-tu trouvée ?

Il a gardé le silence quelques instants et je me suis demandé s'il essayait de se souvenir ou s'il réfléchissait à un mensonge.

— Elle était désespérée. Il fallait qu'elle prenne des cachets pour arrêter les montées de lait et elle m'a dit que c'était l'une des pires choses qu'elle vivait. Produire toute cette nourriture pour son bébé et ne pas pouvoir la lui donner.

La mort de ton enfant a commencé à s'imprimer en moi. Du moins un peu. Je suis désolée que cela ait pris si longtemps. Ma seule défense est que mon inquiétude pour toi était telle qu'elle ne laissait aucune place à cet enfant.

En même temps, quelque chose me chiffonnait dans ce qu'avait dit Simon, et j'ai soudain compris quoi.

— Tu as dit « était ».

Il a affiché une mine décontenancée.

— Tu as dit qu'elle « était » désespérée ? ai-je insisté.

L'espace d'un instant, il a eu l'air acculé, puis il s'est ressaisi.

— Je voulais dire qu'elle l'était quand je l'ai vue jeudi après-midi, oui, a-t-il déclaré en adoptant de nouveau son faux accent populaire. Comment veux-tu que je sache comment elle va maintenant ?

Son visage ne me paraissait plus du tout enfantin, mais cruel, et ses piercings n'étaient plus pour moi que le signe d'un masochisme savouré, pas d'une révolte adolescente. J'avais cependant une autre question à lui poser.

— D'après Tess, son bébé avait été guéri ?

— Oui, sa mort n'avait rien à voir avec la mucoviscidose.

— Était-elle liée à sa naissance prématurée ?

— Non, c'était dû à un truc qui l'aurait tué même s'il était né à terme. Quelque chose en rapport avec les reins.

Je me suis armée de courage.

— Sais-tu pourquoi elle ne m'a pas prévenue de la mort de son enfant ?

— Je pensais qu'elle l'avait fait, a-t-il répondu, une lueur triomphante dans le regard. Tu étais au courant que je devais être le parrain ?

Il est parti de mauvaise grâce après que mes allusions polies se sont transformées en demande claire et nette – et inhabituelle de ma part.

J'ai attendu en vain pendant deux heures et demie que le lieutenant Finborough me rappelle. « Il est occupé », m'a-t-on répondu lorsque j'ai téléphoné au commissariat. J'ai décidé ensuite d'aller à Hyde Park. J'espérais que l'officier ne s'y trouverait pas et qu'il était occupé parce qu'il enquêtait sur une affaire plus urgente. J'espérais que ton cas se résumait désormais pour lui à une histoire de personne disparue qui réapparaîtrait quand elle le jugerait bon. J'espérais que je me trompais et qu'il avait raison de croire que tu étais partie te réfugier quelque part après la mort de ton enfant. J'ai fermé la porte et glissé la clé sous le cyclamen rose au cas où tu rentrerais chez toi en mon absence.

Alors que j'approchais de Hyde Park, une voiture de police m'a doublée. Sa sirène m'a fait paniquer et j'ai accéléré. Parvenue à Lancaster Gate, l'une des entrées du parc, je l'ai aperçue qui rejoignait d'autres véhicules déjà garés, toutes sirènes hurlantes eux aussi.

Je me suis avancée sous la neige qui tombait doucement autour de moi. Comme je regrette de n'avoir pas attendu un peu plus longtemps, de n'avoir pas d'abord eu une heure rien qu'à moi. Cela semblera égoïste à beaucoup de gens, mais tu as connu une profonde détresse et une partie de toi est morte avec elle, alors je sais que tu me comprendras.

Au loin, je distinguais des policiers. Ils étaient une dizaine, peut-être davantage. Des voitures roulaient vers eux dans les allées mêmes du parc et les badauds commençaient à se diriger vers le centre de toute cette agitation – c'était la téléréalité en vrai.

Il y avait tant d'empreintes de pas et de traces de pneus dans la neige…

Je me suis approchée lentement, en proie à un calme étrange. J'avais plus ou moins conscience des battements irréguliers de mon cœur contre mes côtes, de mon souffle court, de mes violents frissons, mais mon esprit gardait ses distances et ne s'associait pas encore aux réactions de mon corps.

Je suis passée près d'un gardien du parc en uniforme marron qui parlait à un homme accompagné de son labrador.

— On nous a interrogés sur le Lido et le lac et j'ai cru qu'ils allaient draguer le plan d'eau, mais l'officier en chef a décidé de fouiller d'abord nos bâtiments désaffectés. Avec les restrictions budgétaires, on en a pas mal.

D'autres promeneurs avec leurs chiens et des joggeurs sont venus grossir les rangs de son auditoire.

— Le bâtiment là-bas servait de toilettes pour hommes il y a des années, mais ça coûtait moins cher d'en mettre des nouvelles que de rénover celles-là.

Je les ai laissés pour aller rejoindre les forces de police qui tiraient un cordon autour d'une petite bâtisse victorienne délabrée, à moitié cachée par les buissons.

Tremblante, l'agent Vernon se tenait un peu à l'écart. Ses joues habituellement roses étaient toutes pâles et ses yeux rougis par les larmes. L'un de ses collègues avait un bras enroulé autour d'elle. Ils ne m'ont pas remarquée.

— Oui, déjà, disait-elle, mais seulement à l'hôpital, et pas des gens aussi jeunes. Ni aussi seuls.

Je l'aimerais plus tard pour cette manifestation physique de sa compassion. Mais sur le moment, ses paroles ont brûlé ma conscience au fer rouge, obligeant mon esprit à affronter la réalité.

J'ai atteint le cordon de police. Le lieutenant Finborough m'a aperçue et a paru déconcerté, comme s'il se demandait ce que je faisais là. Puis la pitié s'est lue sur son visage.

— Beatrice, je suis désolé, a-t-il dit en s'avançant vers moi.

Je l'ai interrompu. Si je pouvais l'empêcher de poursuivre, alors rien de tout ça ne serait réel.

— Vous vous trompez, ai-je dit, prise d'une soudaine envie de fuir.

Il m'a retenue par la main et j'ai cru qu'il tentait de me maîtriser. Aujourd'hui, pourtant, je pense qu'il me témoignait juste de la gentillesse.

— C'est Tess que nous avons retrouvée.

— Vous ne pouvez pas en être certain, ai-je répliqué en tentant de me libérer.

Il m'a fixée bien en face jusqu'à ce que je croise son regard. Même dans l'état où j'étais, j'ai senti que cela requérait du courage.

— Tess avait sa carte d'étudiante sur elle. Il n'y a pas d'erreur possible. Je suis désolé, Beatrice. Votre sœur est morte.

Il a lâché ma main. Je me suis éloignée de lui.

— Beatrice..., a appelé l'agent Vernon en courant vers moi.

— Elle a envie d'être seule, lui a lancé Finborough.

Je lui en ai été reconnaissante.

Je me suis assise sous un bouquet d'arbres aux branches noires, nues et sans vie. La neige assourdissait tout autour de moi.

À quel moment ai-je compris que tu étais morte ? Quand Finborough me l'a dit ? Quand j'ai vu le visage pâle et strié de larmes de l'agent Vernon ? Quand j'ai découvert tes affaires de toilettes dans ta salle de bains ?

Ou quand maman a téléphoné pour m'apprendre que tu avais disparu ? Quand ai-je compris ?

Un brancard a été sorti des toilettes délabrées. Une housse à cadavre reposait dessus et je m'en suis approchée.

Une mèche de tes cheveux s'était coincée dans la fermeture éclair.

C'est là que j'ai compris.

4

Pourquoi je t'écris ? J'ai biaisé la dernière fois en prétextant la nécessité d'éclaircir tout ça et en évoquant mes petits détails qui formeraient un tableau pointilliste. En fait, j'ai évité la partie la plus importante de la question – pourquoi t'écrire à toi ? Est-ce que je joue à faire semblant d'une manière presque démente ? Des draps et des couvertures figurent une tente, un bateau de pirates ou un château. Tu es le chevalier sans peur, Leo un prince comme dans les films de cape et d'épée, et moi la princesse et la narratrice qui raconte l'histoire à sa guise. J'étais toujours la narratrice, tu te rappelles ?

Est-ce que j'imagine que tu m'entends ? Oui, bien sûr/évidemment que non. Fais ton choix : moi, je recommence sans cesse.

Plus simplement, j'ai besoin de te parler. Maman m'a dit que je n'ai pas été très bavarde jusqu'à ta naissance, mais qu'à partir du moment où j'ai eu une sœur avec qui discuter, je suis devenue intarissable. Je n'ai pas envie de m'arrêter maintenant. Sinon, je perdrais une partie de moi. Une partie qui me manquerait. Je sais que tu ne peux pas me désapprouver ni commenter cette lettre, mais cela ne signifie pas que j'ignore tes critiques ou que je ne peux pas deviner tes remarques, de même que tu connaissais et devinais les miennes autrefois. C'est une conversation à sens unique, mais que je ne peux avoir qu'avec toi.

Et je veux te dire pourquoi tu as été assassinée. Je pourrais débuter par la fin, te donner la réponse, les dernières lignes, mais tu m'interrogerais forcément et cela nous ramènerait en arrière de quelques pages, puis de quelques autres, jusqu'à ce qu'on en revienne là où nous sommes maintenant. Je vais donc tout te raconter étape par étape, au rythme où je l'ai vécu, sans le recul de la réflexion.

— Un policier que je n'avais jamais vu m'a demandé de l'identifier.

J'ai expliqué à M. Wright ce que je viens de te dire, en omettant les pactes avec le diable et les digressions non essentielles pour ma déclaration.

— Quelle heure était-il ?

Il s'est exprimé de la même voix douce que depuis le début de cet entretien, mais je suis incapable de lui répondre. Le jour où tu as été retrouvée, le temps est devenu fou. Une minute durait une demi-journée, une heure passait en quelques secondes. Comme dans un conte pour enfants, je voyais défiler les semaines, les années, je prenais la deuxième étoile à droite et fonçais tout droit vers une aube qui ne se lèverait jamais. J'étais dans un tableau de Dali, avec des horloges dégoulinantes, je prenais le thé avec des chapeliers fous. Pas étonnant qu'Auden ait écrit dans son poème *Funeral Blues* : « Arrêtez toutes les pendules ». C'était un geste désespéré pour ne pas perdre l'esprit.

— J'ignore quelle heure il était, dis-je, avant de me risquer à lui exposer une fraction de ma vérité : le temps ne signifiait plus rien. D'habitude, il altère et affecte tout, mais lorsqu'une personne que vous aimez meurt, il ne peut rien y changer. L'éternité elle-même n'y changera jamais rien. Le temps n'a donc plus aucun sens.

En voyant ta mèche de cheveux, j'ai compris que l'affliction, c'était de l'amour transformé en manque éternel. La formule est un peu *too much* pour M. Wright, certes, mais je veux qu'il appréhende mieux ta mort. Elle ne peut être définie par des heures, des jours ou des minutes. Tu te souviens de mes cuillères à café de 1930, celles qui ressemblaient à des bonbons fondus ? C'est ainsi que je vivais ma vie, alors. En petites doses bien mesurées. Mais ta mort était un vaste océan dans lequel je sombrais. Savais-tu qu'un océan pouvait faire jusqu'à onze kilomètres de profondeur ? Les rayons du soleil ne descendent pas aussi bas. Dans l'obscurité la plus totale, seules des créatures difformes et méconnaissables survivent. Des émotions mutantes dont je n'avais jamais soupçonné l'existence avant ta mort.

— Si on s'arrêtait là ? propose M. Wright.

Je me demande si j'ai médité à voix haute et s'il redoute d'avoir affaire à une folle. Mais non, je suis presque certaine de m'être tue. Il se montre délicat, voilà tout. Reste que je ne tiens pas à revenir sur cette journée.

— Je préférerais qu'on termine, dis-je.

Il se raidit de façon presque imperceptible et je sens qu'il s'arme de courage face à ce qui va suivre. Je n'avais pas envisagé que cela soit pénible pour lui aussi – tout comme il a été pénible pour le vieux marin de Coleridge de conter son histoire, et pour le pauvre convive de l'écouter.

M. Wright hoche la tête et je continue :

— La police a fait venir maman à Londres, mais elle n'avait pas la force d'identifier Tess. Je suis donc allée seule à la morgue. Un agent m'a accompagnée – un homme proche de la soixantaine, dont j'ai oublié le nom. Il a été très gentil avec moi.

Lorsque nous sommes entrés à la morgue, l'agent m'a pris la main et ne l'a pas lâchée. Nous sommes passés devant une salle où étaient pratiquées les autopsies. Les surfaces métalliques étincelantes, les carreaux blancs et l'éclairage cru lui donnaient des airs de cuisine au design high-tech poussé à l'extrême. Puis nous sommes arrivés dans la pièce où tu te trouvais et où régnait une puissante odeur d'antiseptique. Le policier m'a demandé si j'étais prête. Je ne le serais jamais, mais j'ai fait signe que oui et il a repoussé la couverture.

Tu portais le gros manteau d'hiver que je t'avais offert à Noël pour être sûre que tu aies bien chaud, et j'ai été ridiculement heureuse que tu l'aies sur toi. Pour le reste, il n'y a pas de mots qui puissent décrire la couleur de la mort, pas de code Pantone qui corresponde à ton visage. C'était le contraire de la couleur, le contraire de la vie. J'ai effleuré tes cheveux brillants comme le satin.

— Elle était si belle.

L'agent a serré ma main plus fort.

— Oui, elle est belle.

Il a parlé au présent et j'ai cru qu'il m'avait mal entendue. Mais je pense maintenant qu'il essayait d'adoucir cet instant. La mort ne t'avait pas tout volé encore. Il avait raison. Tu étais belle à la manière des héroïnes tragiques de Shakespeare. Tu étais devenue une Desdémone, une Ophélie, une Cordélia, pâle et raidie dans la mort. Une héroïne bafouée. Une victime passive. Sauf que tu n'as jamais été tragique, passive ou victime. Tu étais joyeuse, passionnée et indépendante.

J'ai vu ensuite que les manches épaisses de ton manteau étaient rouges de sang – un sang séché, qui avait raidi la laine. Et j'ai vu les entailles à l'intérieur de tes bras, là où la vie s'était écoulée hors de toi.

Je ne me souviens pas de ce qu'a dit le policier ni si je lui ai répondu ou pas. Je me rappelle juste de sa main tenant la mienne.

Quand nous avons quitté le bâtiment, il m'a demandé si je voulais que la police française prévienne mon père. J'ai accepté en le remerciant.

Maman m'attendait dehors.

— Je suis désolée, je ne supportais pas l'idée de la voir comme ça.

Pensait-elle que moi, j'en étais capable ?

— Tu n'aurais pas dû avoir à le faire, a-t-elle ajouté. Ils devraient utiliser l'ADN ou que sais-je. Quelles méthodes barbares.

Je n'étais pas d'accord. Si horrible cela fût-il, il fallait que j'affronte la réalité brutale de ton visage sans couleur pour croire à ta mort.

— Tu es restée toute seule ?

— Non, il y avait un policier avec moi. Il était très gentil.

— Ils ont tous été très gentils, a-t-elle dit – il était impératif qu'elle trouve quelque chose de positif dans cette histoire. Ce n'est pas juste, la façon dont la presse s'en prend à eux, n'est-ce pas ? Ils n'auraient pas pu être plus attentionnés ou…

Sa voix s'est brisée. Il n'y avait rien de positif dans cette histoire.

— Son visage était-il… ? Je veux dire, était-il… ?

— Il était intact. Parfait.

— Un si joli visage.

— Oui.

— Il l'a toujours été. Mais c'est dommage, on ne le voyait pas avec tous ces cheveux. Je n'arrêtais pas de lui dire de les relever ou de se faire faire une coupe décente – pas parce que je ne les aimais pas, mais pour que tout le monde sache quel joli visage elle avait.

Elle s'est effondrée, et je l'ai serrée dans mes bras tandis qu'elle s'accrochait à moi. C'était le contact physique dont nous avions toutes deux besoin depuis ma descente de l'avion. Moi qui n'avais pas encore pleuré, je l'ai enviée, comme si une petite partie de la souffrance pouvait se déverser à travers les larmes.

Je l'ai ramenée chez elle en voiture et l'ai aidée à se coucher. Puis je suis restée assise à son côté jusqu'à ce qu'elle s'endorme.

Je suis rentrée à Londres en pleine nuit. Sur la M11, j'ai ouvert les vitres pour hurler par-dessus le bruit du moteur et le vacarme rugissant de l'autoroute. J'ai hurlé dans l'obscurité jusqu'à ce que ma gorge me brûle et que ma voix devienne rauque. À Londres, les rues étaient calmes, vides, les trottoirs silencieux et déserts. Il paraissait inconcevable que la ville noire et abandonnée retrouve la lumière et ses habitants au matin. Je n'avais pas encore réfléchi à l'identité de ton meurtrier – ta mort avait anéanti toute pensée. Je voulais juste retourner dans ton appartement. D'une certaine façon, il me semblait que cela me rapprocherait de toi.

L'horloge de la voiture indiquait 3h40 quand je suis arrivée. Je m'en souviens parce que ce n'était plus le jour où tu avais été découverte. C'était le lendemain. Déjà, tu glissais dans le passé. Les gens croient qu'il est rassurant de dire que «la vie continue». Ne comprennent-ils pas que voir la vie continuer alors que la personne que vous aimez a disparu représente l'une des douleurs les plus atroces qui soient? Les jours allaient se suivre, et aucun ne serait celui où tu avais été découverte. Celui où l'espoir s'était éteint, et avec lui une existence dont tu faisais partie.

Dans l'obscurité, j'ai glissé sur les marches et je me suis rattrapée à la rampe glacée. La poussée d'adrénaline et le froid ont imprimé plus durement dans mon esprit l'idée de ta mort. J'ai cherché la clé sous le cyclamen rose en m'éraflant les doigts sur le béton gelé. Elle n'était plus là, et ta porte était entrouverte.

Je suis entrée.

Il y avait quelqu'un dans ta chambre. La douleur avait étouffé toute autre émotion, si bien que je n'ai ressenti aucune peur en poussant la porte. Et quand j'ai découvert un homme en train de fourrager dans tes affaires, la colère l'a emporté en moi sur le reste.

— Qu'est-ce que vous foutez là ?

Dans le nouveau paysage mental où m'avait projetée mon deuil, je ne reconnaissais même pas mes mots. L'homme s'est retourné.

— Voulez-vous qu'on s'arrête là ? propose M. Wright.

Je jette un œil à l'horloge. Il est presque 19 heures. Je lui suis reconnaissante de m'avoir laissée finir le récit de cette journée.

— Je suis désolée, je ne m'étais pas aperçue qu'il était si tard.

— Comme vous l'avez dit, le temps perd tout son sens quand une personne que vous aimez meurt.

Je me demande s'il va poursuivre. Après avoir mis mon cœur à nu devant lui durant les cinq dernières heures, je sens l'inégalité de nos situations respectives. Un silence s'installe et je songe presque à lui demander de s'ouvrir à son tour.

— Ma femme est morte il y a deux ans dans un accident de voiture.

Nos regards se croisent et une complicité s'établit entre nous. Nous sommes deux vétérans de la même guerre, deux écorchés vifs fatigués des combats. Dylan Thomas avait tort, la mort a un empire[1]. Elle gagne la guerre et ses dommages collatéraux ont pour nom la douleur. Lorsque j'étais étudiante en lettres, je n'aurais jamais imaginé débattre un jour avec des poètes au lieu d'apprendre leurs vers.

M. Wright m'accompagne dans le couloir jusqu'à l'ascenseur. Une femme de ménage passe l'aspirateur. D'autres bureaux sont plongés dans le noir. Il appuie sur le bouton d'appel et attend avec moi que la cabine arrive et que je sois rentrée à l'intérieur.

En descendant les étages, je sens un goût de bile dans ma gorge. Mon corps a revécu tous les événements que je viens d'évoquer, de sorte que j'éprouve la même nausée qu'alors, comme si j'avais de nouveau essayé d'expulser physiquement ce que je savais. Mon cœur martèle mes côtes, aspirant l'air de mes poumons, et je sors de l'ascenseur avec un mal de tête aussi violent que lorsque tu as été découverte. Ta mort m'avait fait sur le coup l'effet d'une déflagration qui ne cessait de retentir dans mon cerveau. Là, parler à M. Wright m'a redonné l'impression d'être dans un champ de mines avec les yeux bandés. Ta disparition ne se transformera jamais en souvenir inoffensif, et même si j'ai appris certains jours – les bons jours – à la contourner, cela m'est impossible pour l'instant.

Je quitte le bâtiment dans la douceur du soir, mais je tremble encore et j'ai la chair de poule. J'ignore si c'est le froid glacial ou le choc qui m'ont fait frissonner autant ce jour-là.

---

1. Allusion à un poème de Dylan Thomas (1914-1953), *Et la mort n'aura pas d'empire*. (*N.d.T.*)

Contrairement à hier, je ne perçois pas de présence menaçante derrière moi – peut-être parce que je n'ai plus assez d'énergie pour avoir peur après un tel récit. Je décide de marcher plutôt que de prendre le métro. Mon corps a besoin d'écouter les signaux du monde réel, pas ceux de ma mémoire. Et comme je prends mon service au Coyote dans un peu plus d'une heure, je devrais avoir le temps de m'y rendre à pied.

Tu es étonnée, hein ? Oui, je suis hypocrite. Je me rappelle encore mon ton condescendant.

—Serveuse dans un bar ? Tu ne pouvais pas trouver une activité moins…

J'ai laissé ma phrase en suspens, mais tu savais comment la compléter : « abrutissante », « indigne de toi », « dénuée de perspective ».

—C'est juste un job alimentaire. Pas un choix de carrière.

—Mais pourquoi ne pas chercher un vrai travail à temps plein qui pourrait déboucher sur quelque chose ?

—Parce que je veux un petit boulot du soir et rien de plus.

Il y avait une pointe sèche dans ta voix. Tu avais compris ma raillerie cachée, mon manque de confiance dans ton avenir en tant qu'artiste.

Ma foi, c'est plus qu'un petit boulot du soir pour moi. C'est le seul travail que j'aie. Après m'avoir accordé trois semaines de congé pour raisons familiales, mon patron a cessé de compatir à mon sort. Il a bien fallu que je lui dise, « une bonne fois pour toutes Beatrice », ce que je comptais faire, et rester à Londres équivalait à démissionner. Cela renvoie de moi l'image d'une personne décontractée, capable de faire preuve de flexibilité face aux événements et d'échanger sans la moindre hésitation un poste de cadre dans une agence de design pour un poste de barmaid à temps partiel. Mais tu sais que cela ne me ressemble pas du tout. Mon travail à New York, avec son salaire, son plan de retraite et ses horaires réguliers, représentait ma dernière attache à une vie prévisible et sans danger. Curieusement pourtant, j'aime travailler au Coyote.

Marcher me fait du bien et, quarante minutes après, je respire plus lentement et mon cœur bat de nouveau à un rythme familier. C'est alors que je t'entends me reprocher de n'avoir pas téléphoné à papa. Je sais, mais j'avais pensé que sa jeune épouse le réconforterait bien mieux que moi. Eh oui, ils ont beau être mariés depuis huit ans, elle était toujours sa jeune épouse à mes yeux – toute fraîche, blanche et pétillante de jeunesse avec sa tiare en faux diamants. Elle n'était pas frappée du sceau de la perte, elle. Pas étonnant que papa l'ait préférée à nous.

En arrivant au Coyote, je découvre l'auvent vert tiré et Bettina occupée à sortir les vieilles tables en bois. Elle m'accueille en m'ouvrant grand ses bras, dans lesquels je n'ai qu'à me jeter. Quelques mois plus tôt, un tel contact m'aurait répugné, mais je suis heureusement devenue un peu moins rigide. Je me réjouis même de sa présence et j'arrête de trembler.

— Tu es en état de travailler ? demande-t-elle en me dévisageant avec inquiétude.

— Je vais bien, je t'assure.

— On a regardé les infos. Le procès aura lieu cet été, alors ?

— Oui.

— À ton avis, quand vais-je récupérer mon ordinateur ?

Sachant que tu t'en servais souvent, la police a pris son PC afin de voir s'il n'y avait rien dans le disque dur qui puisse les aider dans leur enquête.

— Mon écriture est illisible et les clients n'arrivent pas à déchiffrer les menus, ajoute-t-elle en souriant.

Le sourire de Bettina, magnifique, me touche toujours beaucoup, et quand elle passe un bras autour de moi pour m'entraîner à l'intérieur du café, je comprends qu'elle guettait en réalité ma venue.

Je fais mon service, encore nauséeuse et la tête lourde, mais si mon silence ne passe pas inaperçu, personne ne hasarde la moindre réflexion. J'ai toujours été bonne en calcul mental, si bien que cette partie de mon travail ne me pose aucun problème, seulement discuter avec les gens m'est plus difficile. Par chance, Bettina parle pour deux et je me repose sur elle ce soir, comme je le faisais souvent avec toi. Les clients, tous des habitués, me témoignent la même courtoisie que le personnel, sans poser de question ni commenter ce qui m'arrive. Le tact est contagieux.

Le temps que je rentre chez moi, il est tard et, épuisée par cette journée, je n'aspire qu'à dormir. Dieu merci, il ne reste que trois vaillants reporters dans la rue. Peut-être s'agit-il de journalistes free lance qui ont besoin d'argent. Séparés de la meute, ils ne crient pas leurs questions ni ne braquent des objectifs sous mon nez, mais jouent à la place un scénario du genre soirée cocktail, où chacun a au moins conscience que je ne désire pas forcément lui parler.

— Mademoiselle Hemming ? lance une femme.

Hier, c'était « Beatrice » (ou « Arabella » pour ceux qui n'avaient pas fait leurs devoirs), et je leur en avais voulu de cette feinte familiarité.

— Puis-je vous poser quelques questions ? continue la journaliste en restant à une distance respectable de moi.

Je reconnais celle qui était au téléphone dimanche derrière la porte de la cuisine.

— Vous ne préféreriez pas être chez vous en train de lire une histoire à votre enfant avant qu'il ne s'endorme ?

Ma question la déconcerte visiblement.

— J'ai surpris votre conversation l'autre jour, dis-je.

— Mon fils est chez sa tante, ce soir. Et je ne suis hélas pas payée pour lire des histoires à l'heure du coucher. Y a-t-il des informations concernant votre sœur que vous aimeriez partager avec le public ?

— Elle avait acheté à son bébé des petits pots de peinture qu'on applique avec les doigts.

Je ne sais pas ce qui m'a poussée à dire ça. Peut-être parce que, pour la première fois, tu ne vivais pas uniquement dans l'instant présent et que tu prévoyais l'avenir. Bien sûr, ce n'est pas ce qui intéresse la journaliste.

J'essaie de te résumer en une phrase. Je pense à tes qualités, mais dans ma tête cela prend bientôt la forme d'une petite annonce : « J. F., 21 ans, belle, talentueuse, populaire et aimant s'amuser cherche… » Je t'entends rire. J'ai oublié de préciser « grand sens de l'humour », alors que cela s'impose vraiment dans ton cas. Je réfléchis aussi aux raisons pour lesquelles les gens t'aiment, mais la liste que j'établis se rapproche dangereusement d'une notice nécrologique et tu es trop jeune pour ça. Un autre reporter, plus âgé, et jusqu'alors silencieux, intervient à son tour :

— Est-il vrai qu'elle a été renvoyée de son école ?

— Oui. Elle détestait les règles, surtout quand elles étaient ridicules.

Il prend des notes pendant que je continue à chercher une formule pour te décrire tout entière. Combien de propositions relatives une phrase peut-elle contenir ?

— Mademoiselle Hemming ?

Je croise le regard de la journaliste.

— Elle devrait être ici. Maintenant. Vivante.

Tel est, en six mots, le résumé que je fais de toi.

Je referme la porte de l'appartement et t'entends me dire que j'ai été dure avec papa. Tu as raison, mais j'éprouvais encore une telle colère contre lui. Tu étais trop jeune pour mesurer combien maman et Leo ont souffert quand il est parti, trois mois tout juste avant la mort de notre frère. Objectivement, je savais que c'était la mucoviscidose qui l'avait fait fuir ; elle avait rendu Leo si malade qu'il ne supportait plus de le regarder. C'était elle aussi qui avait mis maman dans un tel état de tension nerveuse que son cœur s'était serré jusqu'à n'être plus qu'une petite boule à peine capable de faire circuler le sang dans son corps – a fortiori de battre pour quelqu'un d'autre. Objectivement, donc, papa avait ses raisons. Mais parce qu'il était père de trois enfants, j'estimais qu'aucune ne pouvait se défendre.

Tu l'as cru quand il a dit qu'il reviendrait. Moi qui avais pourtant cinq ans de plus que toi, je me suis aussi laissé avoir et j'ai nourri durant des années un rêve dans lequel tout finissait bien. Et puis le premier soir que j'ai passé à l'université, j'ai cessé de rêver. Une conclusion heureuse ne servirait à rien parce que ce n'était pas ça que je voulais connaître avec mon père. J'aurais aimé un beau début, en fait. J'aurais aimé qu'il prenne soin de moi dans mon enfance, pas que les choses s'arrangent à l'âge adulte. Aujourd'hui, cependant, je n'en suis plus aussi certaine.

Par la fenêtre, je vois que les reporters sont tous partis. Pudding enroule son corps ronronnant autour de mes chevilles pour me soutirer encore à manger. Je la nourris, puis remplis un arrosoir et sors par la porte de la cuisine.

—C'est ton arrière-cour? ai-je demandé lors de ma première visite, étonnée que tu n'aies pas attribué à ce mot le sens de «jardin» que lui donnent les Américains.

Il n'y avait là que quelques mètres carrés de terre jonchés de gravats et deux poubelles à roulettes. Tu as souri.

—Ce sera bientôt joli, Bea. Attends, tu verras.

Tu as dû travailler comme un forçat. Tous les cailloux ont disparu, la terre a été bêchée et ensemencée. Tu as toujours eu une passion pour le jardinage, n'est-ce pas? Je me souviens, quand tu étais petite, tu suivais maman dans le jardin avec ton déplantoir peint de couleur vive et ton tablier pour enfant. Moi, je n'ai jamais aimé ça. Ce n'était pas la longue attente entre la plantation et le résultat final qui m'ennuyait (alors que toi, si, tu mourais d'impatience), c'était le fait que les fleurs fanaient trop vite après avoir fleuri. Elles étaient trop éphémères à mon goût, et je préférais collectionner les ornements en porcelaine, des objets inanimés, solides et fiables, qui ne changeraient pas et ne mourraient pas en une journée.

Mais depuis que je vis chez toi, je te promets que j'ai fait beaucoup d'efforts pour m'occuper de ce petit carré de jardin. (Heureusement, c'est Amias qui a la charge de tes pots au bas des marches de la porte d'entrée). J'ai arrosé les fleurs tous les jours, en ajoutant même un peu d'engrais spécial. Non, je ne sais pas vraiment pourquoi – peut-être parce que je crois que tu y attaches de l'importance, ou parce que je veux protéger ton jardin pour compenser le fait que je n'ai pas su te protéger, toi. Bref, quelle que soit ma motivation, j'ai peur d'avoir complètement échoué. Toutes les plantes sont mortes. Leurs tiges ont bruni et les quelques feuilles desséchées qui restent s'effritent. Rien ne pousse sur les bandes de terre nue. Je vide les dernières gouttes de l'arrosoir. Pourquoi est-ce que je m'obstine à accomplir cette tâche inutile ?

— *Ce sera bientôt joli, Bea. Attends, tu verras.*

Je retourne remplir l'arrosoir et j'attends encore un peu.

5

Mercredi

J'arrive dans les locaux du CPS et remarque la manière dont la secrétaire énamourée me dévisage. En fait, scruter serait plus exact. Je sens qu'elle me jauge comme une rivale. M. Wright entre d'un pas pressé, son attaché-case dans une main, un journal dans l'autre. N'ayant pas encore effectué la transition entre sa vie privée et sa vie professionnelle, il me décoche un grand sourire chaleureux. À cet instant, la mine de sa secrétaire devient ouvertement hostile, et j'ai la certitude qu'elle voit bien en moi une rivale.

— Désolé de vous avoir fait patienter, dit-il sans se rendre compte de rien. Venez.

Mentalement, il est encore en train de nouer sa cravate. Je le suis dans son bureau et, lorsqu'il referme la porte, je sens les yeux de sa secrétaire toujours posés sur lui de l'autre côté du battant.

— Ça a été, hier soir ? s'inquiète-t-il. Je me doute que ces séances sont très éprouvantes pour vous.

Avant ta mort, seuls des adjectifs de second ordre s'appliquaient à ma vie : « stressant », « contrariant », « pénible ». Au pire, « vraiment triste ». Maintenant, je peux sortir l'artillerie lourde. « Éprouvant », « traumatisant », « dévastateur » font désormais partie de mon lexique personnel.

— Nous en étions au moment où vous avez surpris quelqu'un dans la chambre de Tess…

— Oui.

Il m'accorde toute son attention à présent et nous passons aux choses sérieuses. Reprenant ma déposition, il en lit à voix haute la dernière phrase : « Qu'est-ce que vous foutez là ? »

L'homme s'est retourné. Malgré le froid qui régnait dans l'appartement, il avait le front couvert de sueur. Un moment s'est écoulé avant qu'il ne réponde. Que cela ait été intentionnel ou pas, il l'a fait avec un accent italien enjôleur.

— Je m'appelle Emilio Codi. Je suis désolé si je vous ai fait peur.

Mais j'avais tout de suite deviné qui il était. Ai-je flairé un danger à cause des circonstances, parce que je le soupçonnais de t'avoir tuée, ou aurais-je eu la même impression en temps normal ? Contrairement à toi, la sexualité latine – ce côté viril et effronté mêlant mâchoire carrée et teint mat – me paraît menaçante plutôt qu'attirante.

— Vous êtes au courant qu'elle est morte ? ai-je dit.

Mes paroles m'ont semblé ridicules, comme une réplique trop théâtrale que je n'aurais pas su comment réciter. Puis je me suis rappelé ton visage livide.

— Oui, j'ai appris la nouvelle aux infos. Quelle terrible tragédie.

Si inapproprié cela fût-il, il jouait de sa séduction sans réfléchir. Je me suis fait la réflexion que séduire voulait aussi dire abuser, tromper.

— Je suis juste venu chercher mes affaires, a-t-il ajouté. Ça peut sembler indécent et précipité, bien sûr…

— Vous savez qui je suis ?

— Une amie, je suppose.

— Sa sœur.

— Je suis désolé, je dérange…, a-t-il dit, sans pouvoir masquer sa nervosité.

Il s'est dirigé vers la sortie, mais je lui ai bloqué le passage.

— L'avez-vous tuée ?

— À l'évidence, vous êtes bouleversée…

Je l'ai interrompu :

— Vous avez essayé de la persuader d'avorter. Vouliez-vous qu'elle disparaisse, elle aussi ?

Il a posé ce qu'il tenait dans ses mains et j'ai vu qu'il s'agissait de tableaux.

— Vous avez perdu la raison. C'est bien compréhensible, mais…

— Sortez ! Foutez le camp d'ici !

J'ai hurlé ma douleur après lui, hurlé et hurlé encore, et j'ai continué même après son départ. Amias est arrivé en courant, les yeux lourds de sommeil.

— J'ai entendu des cris, a-t-il dit.

Puis il m'a regardée en silence. Je n'ai pas eu besoin de parler pour qu'il comprenne. Son corps a paru s'affaisser de l'intérieur et il m'a tourné le dos afin que je ne sois pas témoin de sa détresse.

Le téléphone a sonné. J'ai laissé le répondeur se mettre en route.

— Bonjour, c'est Tess.

Durant un instant, les règles de la réalité ont été abolies. Tu étais vivante.

J'ai attrapé le combiné.

— Chérie, tu es là ? a demandé la voix de Todd.

Ce que j'avais entendu n'était bien sûr que le message d'accueil de ton répondeur.

— Beatrice ? C'est toi ?

— Elle a été retrouvée dans des toilettes publiques, ai-je articulé. Cela faisait cinq jours qu'elle était là. Toute seule.

Il y a eu un silence. L'information ne cadrait pas avec le scénario qu'il avait prévu.

— Je te rejoins le plus vite possible.

Todd était ma bouée de sauvetage. C'était pour ça que je l'avais choisi. Quoi qu'il advienne, je pourrais me raccrocher à lui.

J'ai contemplé la pile de tableaux qu'Emilio avait laissée – des nus de toi exclusivement, qu'il avait dû peindre lui-même. Tu n'as jamais eu ma timidité dans ce domaine.

Sur chaque toile, tu détournais le visage.

— Le lendemain matin, vous êtes allée voir le lieutenant Finborough pour lui faire part de vos soupçons ?

— Oui. Il a considéré qu'Emilio avait eu un comportement très déplacé en venant chercher ses peintures, mais qu'il ne fallait pas forcément y voir autre chose. Il a ajouté que le médecin légiste allait demander une autopsie et que, pour l'heure, on ne pouvait pas porter d'accusations ni tirer de conclusions.

Il s'était exprimé de façon si mesurée, si contrôlée. Cela m'avait mise hors de moi. Peut-être que, dans mon état instable, j'étais jalouse de son calme.

— J'espérais qu'il interrogerait au moins Emilio sur ce qu'il faisait le jour où Tess a été tuée, mais il m'a répondu que, sans les résultats de l'autopsie, ils ne pouvaient pas savoir quand elle était morte.

La secrétaire énamourée entre avec de l'eau minérale et j'accueille avec joie cette interruption. Curieusement déshydratée, j'avale mon verre d'un trait, avant de remarquer pour la première fois les ongles rose perle et l'alliance de cette femme. Pourquoi n'ai-je regardé que la main gauche de M. Wright hier ? J'ai une pensée attristée pour le mari de la secrétaire. Même s'il ne risque pas d'être trompé dans l'immédiat, il est fait mentalement cocu de 9 heures à 17 h 30 tous les jours.

— Merci, Stephanie, dit M. Wright en lui souriant.

Son sourire est dénué de tout sous-entendu, mais sa candeur est séduisante et susceptible d'être mal interprétée. J'attends de me retrouver seule avec lui pour continuer.

— Je suis allée voir Emilio Codi.

Je replonge dans le précipice du passé, un peu plus sûre de moi par la simple grâce d'un vernis à ongles et de deux alliances.

La colère fusait dans mon corps épuisé quand j'ai quitté le commissariat. Finborough m'avait dit qu'ils ignoraient quand tu étais morte, mais je le savais, moi. C'était le jeudi. Tu avais quitté Simon près du Lido, ainsi qu'il me l'avait raconté, mais tu n'étais jamais sortie de Hyde Park. Rien d'autre ne faisait sens.

J'ai appelé ton école et une secrétaire à l'accent germanique m'a expliqué d'un ton acerbe qu'Emilio travaillait chez lui. Quand je lui ai dit que j'étais ta sœur, cependant, elle s'est radoucie et m'a donné son adresse.

En route, je me suis souvenue de notre conversation au sujet de celle-ci.

—Je n'en ai aucune idée. On ne se voit qu'à l'école ou chez moi.

—Qu'est-ce qu'il essaie de cacher?

—On n'a pas eu l'occasion d'aller chez lui, c'est tout.

—Je parie qu'il vit dans un coin comme Hoxton. Un quartier bourgeois, du genre tendance, mais avec des gens pauvres autour pour faire chic.

—Tu le détestes vraiment, hein?

—Et avec juste assez de graffitis aussi pour conserver le côté jungle urbaine. Les gens comme lui doivent sortir la nuit avec des bombes de peinture histoire que le quartier garde ses tags branchouilles

et ne devienne pas un jardin d'enfants pour les classes moyennes aux revenus moyens.

—Qu'a-t-il fait pour mériter ça?

—Oh, je ne sais pas. Peut-être qu'il a couché avec ma petite sœur, qu'il l'a mise enceinte et qu'il a ensuite fui ses responsabilités.

—À t'entendre, on croirait que je suis incapable de mener ma barque.

J'ai laissé flotter ta remarque entre nos deux téléphones. Je devinais le rire dans ta voix.

—Tu as oublié de préciser qu'il est mon professeur et qu'il abuse de son autorité, as-tu ajouté.

Tu riais toujours de me voir si sérieuse.

J'ai découvert où il vit, et ce n'est ni à Hoxton, ni à Brixton, ni dans aucun de ces endroits où les classes moyennes branchées affluent dès qu'on peut y boire des cafés allégés au lait écrémé. Emilio Codi vit à Richmond. Le joli, le raisonnable quartier de Richmond. Et sa maison est un joyau de l'époque victorienne dont l'immense pelouse à elle seule doit valoir une rue ou deux dans le quartier nettement moins coté de Peckham. J'ai frappé à la porte à l'aide du heurtoir d'origine.

Tu es sidérée que j'aie fait ça, n'est-ce pas? Je sais, mes actes paraissent extrêmes, mais une blessure à vif vous dépouille de toute logique et de toute modération. Quand Emilio a ouvert la porte, j'ai trouvé les termes qui le décrivent typiques d'un roman à l'eau de rose: beauté du diable, charme animal – autant d'expressions traduisant une menace implicite.

—L'avez-vous tuée? ai-je demandé. Vous n'avez pas répondu à ma question la dernière fois.

Il a tenté de refermer la porte, mais je l'ai bloquée avec une force étonnante pour moi qui n'avais jamais lutté contre un homme avant. Toutes les séances de sport que j'avais scrupuleusement suivies avec un coach personnel avaient servi à quelque chose au bout du compte.

— Elle a dit à son propriétaire qu'elle recevait des appels malveillants. C'était vous ?

Une voix féminine s'est élevée derrière lui à cet instant.

— Emilio ?

Sa femme l'a rejoint dans l'entrée. J'ai encore les mails que nous avons échangés à son sujet.

De : tesshemming@hotmail.co.uk
À : iPhone de Beatrice Hemming
Salut Bea,

Je l'ai interrogé avant que tout ça ne commence et il m'a répondu qu'ils s'étaient mariés à la hâte, mais qu'ils profitaient maintenant de la vie à loisir et qu'ils ne se repentaient pas du tout. Et si chacun apprécie la compagnie de l'autre, ils n'ont plus de relations physiques depuis des années et ne sont pas jaloux. Tu es satisfaite maintenant ?

Biz.
T.

De : iPhone de Beatrice Hemming
À : tesshemming@hotmail.co.uk
Ma chère T.,

Que c'est pratique pour lui. J'imagine qu'elle a la quarantaine et, comme la nature est bien plus cruelle pour les femmes que pour les hommes, quel autre choix cela lui laisse-t-il ? Non, je ne suis pas satisfaite.

Lol

Bea

PS : pourquoi utilises-tu la police Coreyshand dans tes mails ? Elle ne se lit pas facilement.

De : tesshemming@hotmail.co.uk

À : iPhone de Beatrice Hemming

Ma chère Bea,

Tu avances sans jamais vaciller sur la corde raide et étroite de la moralité, alors que je tombe à la première petite oscillation. Mais je le crois. Il n'y a aucune raison pour que quiconque souffre dans cette histoire.

Biz

T.

PS : je trouvais cette police sympathique

PS2 : savais-tu que lol signifiait « laughing out loud », autrement dit « mort de rire » ?

De : iPhone de Beatrice Hemming

À : tesshemming@hotmail.co.uk

Ma chère T.,

Tu n'es quand même pas naïve à ce point ? Ouvre les yeux.

Lol

Bea (de ma part, cela signifie « lots of love », autrement dit « je t'aime très fort ».)

De : tesshemming@hotmail.co.uk

À : iPhone de Beatrice Hemming

« Ouvrir les yeux » ? La prochaine fois, tu me diras d'essayer de tourner la page. Il faut que tu quittes les États-Unis et que tu rentres à la maison. Bonne journée, ma belle.

Biz

T.

J'avais imaginé une femme de quarante et quelques années dont la beauté aurait injustement fané, contrairement à celle de son mari. J'avais imaginé une égalité entre eux à vingt-cinq ans, mais un déséquilibre quinze ans plus tard. Sauf que la femme devant moi n'avait pas plus de trente ans et que ses yeux étaient d'un bleu pâle déconcertant.

— Emilio, qu'y a-t-il ? a-t-elle demandé d'un ton très aristocratique qui m'a fait penser que la maison devait lui appartenir.

Je l'ai ignorée et me suis concentrée sur Emilio :

— Où étiez-vous jeudi dernier, le 23 janvier, le jour où ma sœur a été assassinée ?

— Elle parle de l'une de mes étudiantes, Tess Hemming, a-t-il expliqué à sa femme. On l'a vue aux infos locales hier soir, tu te souviens ?

Où étais-je quand le reportage a été diffusé ? Encore à la morgue, avec toi ? En train de border maman ?

Emilio a passé un bras autour des épaules de son épouse.

— C'est la sœur de Tess, a-t-il dit d'une voix mesurée. Elle vit une épreuve particulièrement traumatisante et… elle s'en prend à la terre entière.

Il essayait de se débarrasser de moi par cette explication. Et de toi aussi.

— Oh, arrêtez ! Tess était votre maîtresse ! Et vous me connaissez parce que je vous ai surpris en train de récupérer vos peintures dans son appartement la nuit dernière.

Sa femme l'a dévisagé, l'air soudain pâle et fragile. Il a resserré son étreinte.

— Tess faisait une fixation sur moi, c'est tout. Ce n'était qu'un fantasme, mais il a pris des proportions démesurées. Je suis allé chez elle parce que je voulais m'assurer qu'elle n'avait rien fabriqué de mensonger à mon sujet.

Je savais ce que tu voulais que je dise.

— Et le bébé, c'était un fantasme lui aussi ?

— Il n'y a pas de bébé, a-t-il déclaré sans lâcher sa femme, qui pour sa part demeurait muette et immobile.

Je suis désolée. Et je suis désolée aussi pour ce qui va suivre.

— Maman ?

Une petite fille descendait les escaliers.

— C'est l'heure de dormir, ma chérie, a dit sa mère en lui prenant la main.

Je t'avais demandé un jour s'il avait des enfants et tu avais paru étonnée que je songe même à poser la question.

— *Bien sûr que non, Bea.*

En clair : *« Bien sûr que non. Parce que, s'il en avait, je ne coucherais pas avec lui. Tu me prends pour qui ? »* La moralité était peut-être pour toi une corde bien moins raide et étroite que la mienne, mais tu t'étais fixé des limites que tu n'entendais pas dépasser. Pas après papa. Voilà donc ce qu'Emilio avait tenté de cacher.

Il m'a claqué la porte au nez et, cette fois, je n'ai pas été assez forte pour l'en empêcher.

— Laissez-nous tranquilles, a-t-il dit en fixant la chaînette de sécurité.

Je suis restée seule à crier sur le seuil. Sans que je sache comment, j'étais devenue la folle en proie à une obsession délirante, et lui un membre d'une petite famille persécutée et assiégée dans sa belle demeure d'époque. Bon, d'accord, j'avais utilisé la veille des répliques dignes d'une série policière, et là je virais vers un scénario hollywoodien. Mais la vraie vie, ou du moins la mienne, ne m'avait donné aucun modèle à suivre pour faire face à une telle situation.

J'ai attendu sur leur pelouse. La nuit est tombée, et avec elle un froid glacial. Dans le jardin enneigé de cet étranger, sans rien de familier autour de moi, des chants de Noël me sont revenus à la mémoire. Tu as toujours eu une préférence pour les plus joyeux, *Vive le vent* ou *La Marche des rois*, ceux qui parlaient de fêtes, de cadeaux et de bon temps. Mes goûts à moi me portaient vers les plus posés, les plus sérieux – *Douce nuit*, *Noël blanc*. Là, devant la maison des Codi, c'est un chant tiré d'un poème de Christina Rossetti, *In the bleak midwinter*, qui a résonné dans ma tête : « En plein cœur de l'hiver / Le vent froid faisait pleurer / La terre était dure comme le fer / Et l'eau pareille à un rocher. » Je ne m'étais jamais rendu compte que ces vers s'adressaient à ceux qui ont perdu un être cher.

La femme d'Emilio a interrompu mon solo silencieux en sortant de chez elle. Une veilleuse s'est allumée qui a éclairé ses pas jusqu'à moi, et j'ai supposé qu'elle venait apaiser la folle dans son jardin de crainte que celle-ci ne se mette à trucider son lapin, comme Glenn Close dans *Liaison fatale*.

— Nous n'avons pas été présentées tout à l'heure, a-t-elle dit. Je suis Cynthia.

Peut-être le sang-froid fait-il partie des gènes de l'aristocratie. Je me suis surprise à tendre la main en réponse à cette étrange déclaration cérémonieuse.

— Beatrice Hemming.

Elle a pressé ma main avant de continuer avec une politesse davantage empreinte de chaleur.

— Je suis désolée pour votre sœur. J'en ai une, moi aussi, a-t-elle expliqué avec une compassion qui semblait sincère. La nuit dernière, juste après les infos, Emilio m'a dit qu'il avait oublié son portable à l'école. C'est un ordinateur hors de prix dont il a vraiment besoin pour son travail, et il ment très bien. L'ennui est que je l'avais vu dans son bureau avant le dîner. J'ai cru qu'il allait rejoindre sa maîtresse, rien de plus.

Elle parlait vite, comme si elle avait besoin d'en finir.

— J'étais au courant, vous savez. Je n'avais pas abordé la question de front avec lui, c'est tout. Et je croyais que cette liaison était terminée depuis plusieurs mois. C'est bien fait pour moi – j'ai infligé la même chose à sa première femme et je n'avais jamais vraiment mesuré jusqu'ici ce qu'elle a dû subir.

Je n'ai pas répondu, mais dans ces circonstances des plus improbables, j'ai commencé à éprouver un peu de sympathie pour elle. La veilleuse devant la maison s'est éteinte et nous nous sommes retrouvées dans une obscurité quasi totale. L'instant devenait étrangement intime.

— Qu'est-il arrivé à leur bébé ?

Je n'avais jamais pensé à lui que comme à *ton* bébé.

— Il est mort, ai-je répondu.

Dans le noir, il m'a semblé qu'elle avait les larmes aux yeux et je me suis demandé si elle pleurait ton enfant ou son mariage raté.

— Quel âge avait-il ?

— Il est mort à la naissance. Je ne crois pas qu'on leur donne un âge dans ces cas-là.

Cela rend encore plus terrible l'image de l'enfant mort-né. Cynthia a posé d'instinct la main sur son ventre et j'ai remarqué alors seulement qu'il était un peu distendu. Elle devait être enceinte de cinq mois environ.

— Ce n'est sans doute pas ce que vous désirez entendre, a-t-elle déclaré en essuyant ses larmes d'un geste brusque, mais Emilio a travaillé à la maison jeudi dernier. Il le fait en général une fois par semaine. J'ai passé toute la journée avec lui et nous sommes allés ensuite à un cocktail. C'est un homme faible, dénué de toute conscience morale, mais il ne blesserait jamais personne. Physiquement, du moins.

Et sur ces mots, elle a fait demi-tour. J'avais toutefois une bombe à lâcher sur elle avant de partir.

— Le bébé de Tess avait la mucoviscidose. Ça signifie qu'Emilio est porteur du gène.

J'aurais tout aussi bien pu la frapper.

— Mais notre fille n'est pas malade…

Toi et moi avons grandi avec ces questions de génétique, comme d'autres grandissent en apprenant tout sur l'équipe de foot préférée de leur père. Ce n'était pas le moment idéal pour un cours intensif, mais j'ai quand même essayé de lui expliquer.

— Le gène de la mucoviscidose est récessif : même si Emilio et vous en êtes porteurs, vous avez aussi un gène sain. La probabilité pour que votre bébé soit malade est donc de cinquante pour cent.

— Et si je ne suis pas porteuse du gène ?

— Alors votre enfant n'a rien à craindre. Il faut que les deux parents soient porteurs.

Elle a hoché la tête, encore ébranlée par la nouvelle.

— Mieux vaudrait vérifier.

— Oui.

— Et au pire, sachez qu'il existe une nouvelle thérapie maintenant, ai-je ajouté pour la rassurer.

— Vous êtes très gentille de vous inquiéter pour moi.

Dans le jardin enneigé, j'ai senti la chaleur qui émanait d'elle.

Puis Emilio est sorti sur le perron et l'a appelée. Elle n'a pas bougé ni fait mine de l'avoir entendu.

— J'espère que la police retrouvera la personne qui a tué votre sœur, a-t-elle déclaré en me fixant bien en face.

Elle est ensuite rentrée lentement chez elle et a rallumé la veilleuse extérieure. Dans la lumière crue, j'ai vu Emilio l'enlacer, mais elle l'a repoussé avant de serrer fort ses bras autour d'elle. M'apercevant au même instant, il a tourné le dos.

J'ai attendu dans le noir jusqu'à ce que les lumières soient toutes éteintes dans la maison.

6

Je longeais les rues verglacées jusqu'à chez toi quand Todd m'a appelée pour me dire qu'il embarquait dans un avion à destination de Heathrow et qu'il atterrirait le lendemain matin. D'une certaine manière, la perspective de sa venue m'a donné l'impression que la route devenait un peu plus sûre.

Le lendemain, à l'aéroport, je ne l'ai pas reconnu quand il a franchi les portes de débarquement. Mes yeux cherchaient encore quelqu'un d'autre – un Todd idéalisé ? Toi ? Il m'a paru plus mince que dans mon souvenir, plus petit aussi. Je lui ai tout de suite demandé s'il y avait eu une lettre de toi au courrier, mais il m'a répondu que non.

Il avait apporté une valise de vêtements pour moi et toutes les affaires dont il pensait que j'aurais besoin, y compris une tenue appropriée pour ton enterrement et des somnifères prescrits par mon médecin. Ce jour-là, et ceux qui ont suivi, il a veillé à ce que je mange correctement. Cette description que je fais de lui, de nous, semble irréelle, je sais, mais c'est ainsi que je ressentais les choses.

Todd était ma bouée de sauvetage. Mais il ne m'empêchait pas – du moins pas encore – de sombrer.

J'ai laissé de côté l'arrivée de Todd et n'ai raconté à M. Wright que ma confrontation avec Emilio et mon échange avec sa femme.

— Je savais déjà qu'Emilio avait un mobile pour tuer Tess. Perdre son travail, et peut-être son mariage par-dessus le marché. Désormais, je savais aussi qu'il était capable de vivre dans le mensonge et de déformer la réalité. Même devant moi, la sœur de Tess, il a prétendu que Xavier n'était rien de plus qu'un fantasme obsessionnel dans la tête d'une étudiante.

— Vous avez cru à l'alibi que sa femme lui fournissait ?

— Sur le moment, oui. Je la trouvais sympathique. Mais plus tard, j'ai pensé qu'elle avait pu choisir de mentir pour protéger sa petite fille et son futur bébé. Que ses enfants devaient passer en premier pour elle et que, dans leur intérêt, elle ne voulait pas que son mari aille en prison. Sa petite fille était sûrement la raison pour laquelle elle n'avait pas quitté Emilio après avoir découvert qu'il la trompait.

M. Wright se penche sur un dossier devant lui.

— Vous n'avez pas parlé de cette rencontre à la police ?

Le dossier doit contenir la liste de mes appels au commissariat.

— Non. Deux jours plus tard, le lieutenant Finborough m'a dit qu'Emilio Codi avait déposé plainte contre moi auprès de son supérieur, le capitaine Haines.

— Pour quelle raison, à votre avis ?

— Je n'en étais pas sûre, et je n'y ai pas réfléchi sur le coup parce que Finborough m'a appris par la même occasion qu'ils avaient reçu les résultats de l'autopsie. J'étais surprise que ce soit allé si vite, mais il m'a expliqué qu'ils faisaient toujours cet effort pour que les familles puissent organiser les obsèques.

Je suis désolée que tu aies dû être de nouveau tailladée. Le légiste l'avait demandé et nous n'avions pas voix au chapitre. Mais je doute que cela te gêne. Tu as toujours envisagé la mort avec pragmatisme en n'éprouvant aucun sentiment pour le corps des défunts. Quand Leo est décédé, maman et moi l'avons serré contre nous en nous berçant de l'illusion que c'était toujours lui que nous tenions dans nos bras. Toi, tu avais tout juste six ans, mais tu t'es éloignée. Ton courage m'a fait pitié.

À l'inverse, j'ai toujours été pleine de révérence devant la mort. Le jour où nous avons trouvé Poucelina sans vie dans son clapier, tu l'as touchée avec tes fins doigts de petite fille pour voir quel effet ça faisait, alors même que tu pleurais. Moi, je l'ai enveloppée dans un foulard en soie, persuadée avec toute la gravité de mes dix ans qu'un corps mort était quelque chose de précieux. Je t'imagine rire de moi en m'entendant évoquer un lapin en ces termes, mais c'est ainsi : j'ai toujours considéré qu'un corps représentait davantage que le vaisseau de l'âme.

Le soir où le tien a été découvert, pourtant, j'ai eu la très nette impression que tu avais quitté ton enveloppe charnelle en aspirant tout ce que tu étais dans un tourbillon et en tirant des nuages de gloire dans ton sillage. Peut-être cette image m'a-t-elle été inspirée par le tableau de Chagall dans ta cuisine, ces gens éthérés montant vers le ciel, mais quelle qu'en soit la raison, je savais que ton corps ne renfermait plus rien de toi.

Je m'aperçois que M. Wright m'observe et je me demande combien de temps je suis restée silencieuse.

— Comment avez-vous réagi à l'autopsie ?

— Bizarrement, ce qu'on avait fait subir à son corps ne me dérangeait pas.

Je décide de garder pour moi Chagall et les nuages de gloire, mais je vais tout de même m'expliquer un peu :

— Un enfant est tellement indissociable de son corps – peut-être parce qu'un petit garçon tient tout entier dans nos bras. Mais à partir du moment où on devient trop grand pour ça, nos corps cessent de nous définir.

— Non, ma question était en fait : avez-vous accepté les conclusions du médecin légiste ?

Je rougis de honte, mais au moins ne lui ai-je pas parlé de Chagall. La mine de M. Wright s'adoucit tandis qu'il me dévisage.

— Je suis heureux de n'avoir pas été très clair.

J'esquisse un sourire – marquant ainsi ma première incursion hésitante dans le domaine de l'autodérision –, mais il a beau dire, je me sens très ridicule. Je crois que j'avais bien compris le sens de sa question.

Simplement, je cherchais à repousser le moment de discuter des conclusions de l'autopsie, de même que je l'avais fait avec Finborough en lui demandant d'abord pourquoi celle-ci avait été effectuée si rapidement. À présent, je ne peux plus reculer.

— Plus tard ce jour-là, le lieutenant Finborough est passé à l'appartement avec le rapport d'autopsie.

Il m'avait dit qu'il préférait m'annoncer les résultats en personne et j'avais apprécié sa délicatesse.

Par la fenêtre, j'ai regardé l'officier de police descendre lentement les marches devant chez toi. Étaient-elles glissantes ou venait-il là à contrecœur? L'agent Vernon le suivait, ses chaussures de marche adhérant bien au sol et sa main gantée tenant la rampe au cas où – on devinait la femme avisée qui avait des enfants à la maison dont elle devrait s'occuper ce soir-là.

Finborough est entré dans ton salon, mais il ne s'est pas assis ni n'a ôté son manteau. J'avais essayé en vain de purger tes radiateurs et il faisait toujours aussi froid chez toi.

— Vous serez sûrement un peu réconfortée d'apprendre que le corps de Tess ne portait aucune trace d'agression sexuelle.

L'éventualité d'un viol avait été pour moi une angoisse innommée, une atrocité insupportable qui flottait à la lisière de mon imagination. Mon soulagement a été si intense que je l'ai ressenti comme une force physique.

— Il est certain maintenant qu'elle est morte le jeudi 23 janvier, a continué Finborough.

Cela confirmait ce que je savais déjà. Tu n'étais jamais sortie du parc après avoir vu Simon.

— L'autopsie a révélé que Tess est morte d'une hémorragie causée par les entailles sur ses bras. Il n'y a aucun signe de lutte, et donc aucune raison de croire que quelqu'un est impliqué dans son décès.

Il m'a fallu un moment pour donner un sens à ces mots, comme s'il s'était exprimé dans une langue étrangère que j'aurais d'abord dû traduire.

— Le médecin légiste a conclu à un suicide, a-t-il ajouté.

— Non. Tess ne se serait jamais tuée.

— En temps normal, je suis sûr que vous avez raison, a-t-il répondu gentiment. Sauf que là, les circonstances étaient tout sauf normales, n'est-ce pas ? Outre la douleur d'avoir perdu son enfant, Tess souffrait aussi de…

Je lui ai coupé la parole, énervée qu'il ose me dire ce que tu éprouvais, lui qui ne te connaissait pas.

— Avez-vous déjà regardé quelqu'un mourir de la mucoviscidose ? ai-je demandé.

Il a secoué la tête et a voulu répliquer, mais j'ai été plus rapide.

— Nous avons vu notre frère lutter pour respirer. Il a essayé de toutes ses forces de continuer à vivre, mais il a fini par se noyer dans son propre fluide et on n'a rien pu faire pour lui. Quand vous avez vu quelqu'un que vous aimez s'accrocher avec tant d'énergie à la vie, celle-ci devient trop précieuse pour que vous y renonciez.

— Dans des circonstances normales, oui, je n'en doute pas…

— Dans n'importe quelles circonstances.

L'attaquer en jouant sur les émotions n'avait pas écorné ses certitudes. J'allais devoir le convaincre en usant de logique, en ayant avec lui un débat musclé et viril.

— Il y a forcément un rapport avec les appels menaçants qu'elle recevait, non ?

— Son psychiatre pense qu'ils n'existaient probablement que dans sa tête.

— Quoi ?

— Selon lui, elle souffrait de psychose post-partum.

— Ces appels étaient imaginaires et ma sœur était folle ? C'est votre explication, maintenant ?

— Beatrice…

— Vous m'avez dit qu'elle souffrait de dépression postnatale. Pourquoi est-ce que vous employez maintenant le mot psychose ?

Il a gardé son calme devant ma colère insolente.

— À en juger par les indices à notre disposition, c'est l'hypothèse la plus probable.

— Mais Amias a affirmé que ces appels étaient réels quand il a signalé sa disparition !

— Il n'a jamais été présent quand elle les a reçus.

J'ai failli lui révéler que ton téléphone était débranché quand je suis arrivée, mais ça ne prouvait rien.

— Le psychiatre de Tess nous a expliqué que les symptômes de la psychose post-partum incluaient les illusions et la paranoïa, a continué Finborough. Malheureusement, la plupart des femmes concernées ont des pulsions suicidaires, et certaines passent à l'acte.

— Pas Tess.

— Nous avons retrouvé un couteau à côté d'elle, Beatrice.

— Vous ne pensez tout de même pas qu'elle se promenait avec ?

— C'était un couteau de cuisine. Et il y avait ses empreintes dessus.

— Quel genre de couteau ?

Je ne sais pas pourquoi je lui ai demandé ça. Peut-être me suis-je vaguement rappelé un séminaire où il était question d'imposer son autorité en interrogeant son interlocuteur. Finborough a hésité un instant avant de répondre.

— Un couteau à désosser de douze centimètres, de la marque Sabatier.

— Tess n'avait pas les moyens de se l'acheter.

En quoi cette conversation dégénérait-elle ? En farce ? Passions-nous du sublime au ridicule ?

— Peut-être un ami le lui a-t-il procuré, a suggéré Finborough. À moins qu'on ne le lui ait offert.

— Elle me l'aurait dit.

La compassion a atténué son air incrédule. Je voulais lui faire comprendre que nous partagions tous les détails de notre quotidien parce qu'ils étaient les fils qui nous liaient si étroitement l'une à l'autre. Tu n'aurais pas manqué de me parler d'un couteau Sabatier. Un élément de ta vie aussi proche de la mienne – j'avais les mêmes ustensiles de cuisine haut de gamme – aurait été trop rare et précieux pour être tu.

— On se confiait ce genre de petites choses. C'était ce qui nous rapprochait, à mon avis. Elle se serait doutée que je me serais intéressée à un couteau Sabatier.

Je sais, je n'étais pas très convaincante.

Finborough a répondu d'une voix douce, mais ferme, et je me suis brièvement demandé si, comme les parents, la police croyait à l'instauration de limites à ne pas franchir.

— Je conçois combien il vous est difficile de l'accepter. Et je conçois aussi pourquoi vous éprouvez le besoin de reprocher sa mort à quelqu'un, mais…

Je l'ai interrompu en lui assenant mes propres certitudes :

— Je la connais depuis sa naissance. Je la connais mieux que quiconque. Elle ne se serait jamais tuée.

Il m'a fixée avec compassion. Il n'aimait pas faire ça, c'était visible.

— Vous n'étiez pas au courant de la mort de son bébé, n'est-ce pas ?

Ébranlée, je suis restée muette. Son coup avait atteint une zone meurtrie et fragile en moi. Il m'avait déjà laissée entendre que nous n'étions pas proches, mais c'était alors la contrepartie d'un point positif : tu étais encore en vie et tu t'étais juste enfuie quelque part sans me prévenir. Cette fois, il n'y avait pas de récompense à la clé.

— Elle a acheté des timbres pour un envoi à l'étranger avant de mourir, non ? Au bureau de poste d'Exhibition Road. Elle a dû m'écrire.

— Vous avez reçu une lettre ?

J'avais demandé à un voisin d'aller relever notre courrier tous les jours et j'avais aussi téléphoné à notre bureau de poste local à New York pour exiger qu'ils fassent une recherche. Mais il n'y avait rien. Et si vraiment tu m'avais envoyé une lettre, elle serait déjà arrivée.

— Peut-être qu'elle a eu l'intention de m'écrire mais qu'elle en a été empêchée.

J'ai perçu moi-même la faiblesse de mon argument. Le lieutenant Finborough m'a dévisagée avec bienveillance.

— Je pense que Tess a vécu l'enfer après que son bébé est mort. C'est quelque chose que personne ne pouvait partager avec elle. Pas même vous.

À ces mots, je les ai plantés là, l'agent Vernon et lui, et je suis allée dans la cuisine en « faisant ma mauvaise tête », comme disait maman. Sauf que je ne faisais pas ma mauvaise tête. Je voulais juste marquer mon désaccord viscéral avec les conclusions du rapport d'autopsie. Quelques instants plus tard, j'ai entendu la porte d'entrée se refermer sur les deux policiers. Ils ignoraient que leurs paroles me parvenaient par les interstices de tes fenêtres.

— Ce n'était pas un peu..., a dit l'agent Vernon d'une voix douce.

Elle a laissé sa phrase en suspens, ou peut-être n'ai-je simplement pas distingué la fin.

— Plus vite elle acceptera la vérité, plus vite elle comprendra qu'elle n'a rien à se reprocher, a répondu Finborough avec tristesse, m'a-t-il semblé.

Mais je connaissais la vérité, de même que je la connais aujourd'hui : nous nous aimons. Nous sommes proches l'une de l'autre. Tu ne te serais jamais suicidée.

Une minute après, l'agent Vernon a redescendu les marches avec ton sac à dos.

— Je suis désolée, Beatrice. Je voulais vous donner ça.

J'ai ouvert le sac. Il ne contenait que ton portefeuille, dans lequel tu rangeais tes cartes de bibliothèque, de métro et d'étudiante – autant de signes d'appartenance à une société dotée de lieux culturels, de transports publics et d'écoles des beaux-arts. Pas une société dans laquelle une jeune femme de vingt et un ans pouvait être assassinée dans des toilettes délabrées et abandonnée là durant cinq jours avant que sa mort ne soit qualifiée de suicide et classée sans suite.

J'ai déchiré la doublure du sac, mais aucune lettre pour moi n'était cachée dedans.

— Il y a ça aussi, a dit l'agent Vernon en s'asseyant à mes côtés sur le canapé.

D'une enveloppe au dos cartonné, elle a sorti une photo que protégeaient deux morceaux de carton supplémentaires. J'ai été touchée par le soin dont elle faisait preuve, tout comme je l'avais été par sa façon de plier tes habits pour la reconstitution.

— C'est une photo de son bébé. Nous l'avons retrouvée dans la poche de son manteau.

J'ai pris le Polaroid, perplexe.

— Mais il est mort…

Elle a hoché la tête. En tant que mère, elle comprenait mieux ces choses-là.

— Peut-être qu'il était encore plus important pour elle de garder une photo de lui, alors.

J'ai examiné en premier lieu tes bras, qui tenaient le bébé, et tes poignets intacts. On ne voyait pas ton visage et je n'osais pas l'imaginer. Aujourd'hui encore, je n'ose toujours pas.

Puis je l'ai examiné, lui. Les yeux fermés, il semblait dormir. Ses sourcils n'étaient qu'un fin trait duveteux, à peine formés et d'une perfection surnaturelle. Ce petit visage n'avait jamais rien vu de vulgaire, de cruel ou de laid au monde. Il était beau, Tess. Sans aucun défaut.

Je porte ce cliché sur moi maintenant. En permanence.

L'agent Vernon a essuyé ses larmes afin qu'elles ne tombent pas sur la photo. Rien chez elle n'atténuait sa compassion et je me suis demandé si quelqu'un d'aussi émotif serait capable de rester dans la police. J'essayais de penser à autre chose qu'à ton enfant. À autre chose qu'à toi lorsque tu l'as serré dans tes bras.

Dès que j'ai fini de parler du Polaroid à M. Wright, je me lève brusquement et le prie de m'excuser un instant. Je me réfugie dans les toilettes pour dames, où mes larmes se mettent à couler sitôt la porte refermée derrière moi. Une femme se tient près des lavabos, peut-être une secrétaire ou une avocate. Elle a en tout cas la délicatesse de ne pas faire de commentaire et se contente à la place d'un pauvre sourire en partant, comme en signe de solidarité. Je ne t'ai pas tout dit encore, mais la suite ne regarde pas M. Wright, et c'est donc ici, dans ces toilettes où je pleure pour Xavier, que je vais continuer mon récit.

Une heure environ après le départ de l'agent Vernon, maman est arrivée à l'appartement avec Todd, qui avait fait tout le trajet jusqu'à Little Hadston pour aller la chercher avec ma voiture de location

– ainsi que je m'y attendais, il se comportait en gendre chevaleresque. Je leur ai rapporté les paroles du lieutenant Finborough et le visage de maman a semblé se chiffonner de soulagement.

— Je pense qu'il se trompe, ai-je dit.

Elle a cillé. J'ai senti qu'elle ne voulait pas que j'aille plus loin, mais je n'en démordais pas.

— Je ne crois pas qu'elle se soit suicidée.

— Tu préférerais qu'elle ait été assassinée ? a-t-elle répliqué en serrant plus étroitement les pans de son manteau contre elle.

— J'ai besoin de savoir ce qui s'est passé. Tu ne veux pas…

— Nous savons ce qui s'est passé. Elle n'avait plus toute sa tête. Le commissaire nous l'a expliqué.

Elle avait promu le lieutenant au rang de commissaire, comme pour donner plus de poids à son argument. J'ai perçu la pointe de désespoir dans sa voix.

— Elle n'avait sans doute même pas la moindre idée de ce qu'elle faisait, a-t-elle ajouté.

Todd s'est interposé :

— Ta mère a raison, chérie. Les policiers savent de quoi ils parlent.

Il s'est assis à côté d'elle et a adopté une posture très masculine en écartant grand les jambes. L'air viril, imposant, il prenait deux fois plus de place que nécessaire. Son sourire a glissé de ma mine fermée vers celle de ma mère, plus réceptive.

— Le point positif, a-t-il dit presque avec chaleur, c'est que l'autopsie est terminée et que nous pouvons maintenant organiser l'enterrement.

Maman a opiné du chef en le fixant avec gratitude, telle une petite fille. Elle se laissait complètement avoir par son numéro d'homme fort qui a les choses en main.

— Où aimeriez-vous qu'elle repose? a-t-il demandé.

«Qu'elle repose». À croire qu'on allait te mettre au lit et que tout irait mieux au matin. Pauvre Todd. Ce n'était pas sa faute si ses euphémismes m'exaspéraient. Mais maman ne lui en voulait pas, elle.

— J'aimerais qu'elle soit enterrée dans le cimetière du village, à côté de Leo.

Au cas où tu ne le saurais pas déjà, c'est là que se trouve ton corps. Dans les moments où je me sens vulnérable, je m'imagine que Leo et toi, vous êtes réunis quelque part, peu importe où. L'idée que chacun de vous a l'autre pour compagnie atténue un petit peu mon désespoir. Et bien sûr, s'il y a un «quelque part», une troisième personne est forcément avec vous.

Je tiens à te prévenir, ce qui va suivre sera pénible. J'ai sorti la photo de son enveloppe cartonnée et l'ai tendue à maman.

— C'est un cliché du bébé de Tess.

Elle a refusé d'y toucher et n'y a même pas jeté un œil.

— Mais l'enfant était mort.

— C'était un garçon.

— Pourquoi le prendre en photo? Quelle idée macabre!

Todd a tenté de venir à la rescousse.

— À mon avis, ils laissent les gens faire ça pour les aider dans leur travail de deuil.

Maman a posé sur lui un regard qu'elle réserve d'habitude aux membres de la famille. Il a haussé les épaules comme pour prendre ses distances avec une notion aussi étrangère et déplaisante pour lui, et j'ai continué seule.

— Tess aurait voulu que son bébé soit enterré avec elle.

La voix de maman a soudain résonné avec force dans l'appartement :

— Non. Il n'en est pas question.

— C'est ce qu'elle aurait souhaité.

— Elle aurait voulu que tout le monde connaisse l'existence de son enfant illégitime ? C'est ça qu'elle aurait voulu ? Que sa honte devienne publique ?

— Elle n'aurait jamais eu honte de lui.

— Eh bien elle aurait dû.

Maman était sur pilote automatique, infectée par les préjugés que l'Angleterre profonde lui avait inculqués pendant quarante ans.

— Tu veux coller un A sur son cercueil pour faire bonne mesure ? ai-je demandé.

— Chérie, la remarque est déplacée, est intervenu Todd.

J'ai été surprise qu'il ait compris mon allusion à la lettre écarlate que les femmes adultères étaient autrefois condamnées à porter. Ou peut-être a-t-il juste soupçonné que je venais de me montrer cruelle.

— Je sors faire un tour, ai-je annoncé en me levant.

— Dans la neige ?

Le ton était plus critique qu'inquiet. C'était Todd qui avait prononcé ces mots, mais cela aurait tout aussi bien pu être maman. Je n'avais jamais passé de temps avec eux deux avant, et je m'apercevais seulement à cet instant de leurs points communs. Était-ce la véritable raison pour laquelle j'allais épouser Todd ? Trouver chez quelqu'un des traits négatifs, mais qui vous sont familiers, n'engendre peut-être pas tant du mépris qu'un sentiment de sécurité. Je me suis tournée vers lui. Allait-il m'accompagner ?

— Je vais rester ici avec ta mère, a-t-il dit.

J'avais toujours pensé que, même si ma vie se transformait un jour en scénario catastrophe, Todd serait là pour me soutenir. À présent, je saisissais pourquoi personne ne serait jamais ma bouée de sauvetage. Je sombrais depuis que tu avais été découverte. Je coulais à pic, même, et trop vite pour que quiconque puisse empêcher mon naufrage. Ce qu'il me fallait, c'était quelqu'un prêt à me rejoindre dans le noir à onze kilomètres de profondeur.

— Vous avez assez de forces pour continuer ? s'enquiert M. Wright lorsque je regagne son bureau, les yeux gonflés.

— Oui, oui, dis-je d'un ton brusque.

Il doit sentir que je préfère donner ce style abrupt à notre entretien parce qu'il enchaîne aussitôt :

— Avez-vous demandé une copie du rapport d'autopsie au lieutenant Finborough ?

— Pas sur le moment, non. J'ai accepté sa parole selon laquelle il n'y avait rien à signaler en dehors des entailles sur les bras de Tess.

— Et ensuite, vous êtes allée dans le parc ?

— Oui. Seule.

Je ne sais pas pourquoi je donne cette précision. L'impression que Todd m'a trahie doit être encore vive en moi, même si cela n'a plus d'importance.

— Ça vous ennuie qu'on fasse une pause déjeuner ? dis-je en voyant à l'horloge qu'il est presque 13 heures.

Je dois retrouver maman à 13 h 10 dans un restaurant au coin de la rue.

— Pas du tout.

J'ai dit que je te raconterais l'histoire au rythme où je l'ai vécue, sans faire de bond en avant, mais il serait injuste envers maman et toi de taire plus longtemps ce qu'elle éprouve aujourd'hui. C'est moi qui ai fixé les règles et je suis autorisée à leur faire une petite entorse de temps à autre.

J'arrive avec quelques minutes d'avance au restaurant et vois derrière une vitre que maman est déjà assise à une table, ses cheveux raides tombant mollement autour de son visage maintenant qu'elle ne se fait plus de permanente.

Ses traits tendus se relâchent lorsqu'elle m'aperçoit. Elle m'embrasse et me serre contre elle au milieu de la salle, à peine gênée de bloquer le passage à un serveur qui retourne en cuisine. Puis elle repousse tendrement mes cheveux en arrière – je les ai plus longs, maintenant. Je sais, ça ne lui ressemble pas. Mais le chagrin l'a vidée de tout ce qui la caractérisait à nos yeux, dévoilant une personne très familière, associée dans mon esprit au bruissement d'une robe de chambre dans le noir et à des bras chauds autour de moi à un âge où je ne savais pas encore parler.

Je commande une demi-bouteille de rioja.

— Est-ce bien raisonnable ? s'inquiète-t-elle.

— Ce n'est qu'une demi-bouteille, maman. Et nous sommes deux.

— Mais, même en faible quantité, l'alcool peut agir comme un dépresseur. J'ai lu ça quelque part.

Un silence s'ensuit, avant qu'un rire ne nous échappe. C'est presque un vrai rire, parce que être déprimées serait un état bienvenu comparé à notre douleur de t'avoir perdue.

— Ce doit être dur pour toi de faire cette déposition, de devoir tout te rappeler.

— Pas tant que ça, en réalité. L'avocat du CPS, M. Wright, est quelqu'un de très gentil.

— Vous en êtes où ?

— Au parc. Juste après les résultats de l'autopsie.

Elle pose sa main sur la mienne et nous restons ainsi, dans une attitude propre d'habitude aux amants.

— J'aurais dû t'empêcher d'y aller. Il faisait si froid.

La chaleur de sa main me donne envie de pleurer. Heureusement, nous ne nous déplaçons plus maintenant sans au moins plusieurs mouchoirs. J'ai aussi de la vaseline, un baume pour les lèvres et, remède aussi optimiste que futile, un flacon d'essences florales pour les moments où les larmes me submergent dans des endroits gênants, par exemple sur l'autoroute ou au supermarché. Il y a toute une gamme d'accessoires portatifs adaptés au chagrin.

— Et Todd aurait dû t'accompagner, ajoute-t-elle – et cette critique portée contre lui sonne presque comme un soutien en ma faveur.

Je m'essuie le nez avec le mouchoir de petite fille en coton brodé de fleurs qu'elle m'a donné la semaine dernière. Selon elle, ces mouchoirs sentent moins mauvais que ceux en papier et ils présentent l'avantage d'être un peu plus écologiques, chose que tu ne manquerais pas d'apprécier.

— Tu mérites d'être aimée, dit-elle en pressant ma main. Et aimée correctement.

Venant de n'importe quelle autre personne, ces mots passeraient pour un cliché, mais maman n'a jamais fait de telles déclarations auparavant, de sorte que j'ai l'impression d'entendre une expression nouvelle.

— Toi aussi, dis-je.

— Je doute d'être une bonne affaire.

La franchise de nos propos te paraît sûrement bizarre. Je m'y suis habituée, mais il te faudra encore un peu de temps, j'imagine. Il y avait toujours des spectres présents à nos fêtes de famille, des tabous dont nul n'osait admettre l'existence et autour desquels nos conversations tournaient avec prudence, en s'enferrant dans des culs-de-sac où personne ne parlait à personne. Désormais, maman et moi mettons à nu ces invités indésirables que sont la trahison, la solitude, le deuil, la colère. Nous en parlons jusqu'à ce qu'ils deviennent invisibles et qu'ils ne siègent plus entre nous.

Il y a une question que je ne lui ai jamais posée, en partie parce que je suis presque certaine de connaître la réponse, et en partie parce que nous avons évité – délibérément, à mon avis – de faire en sorte que l'occasion se présente.

— Pourquoi est-ce que vous m'appelez par mon second prénom et pas par le premier ?

Je suppose que papa et elle – surtout papa – ont jugé dès le début que le beau nom romantique d'Arabella ne s'appliquait pas à moi et qu'ils ont fait à la place le choix plus compassé de Beatrice. Mais tout de même, j'aimerais bien avoir les détails.

— Quelques semaines avant ta naissance, nous sommes allés au National Theatre voir *Beaucoup de bruit pour rien*, répond maman. Mon étonnement doit être visible parce qu'elle précise :

— Ton père et moi faisions parfois ça, avant votre naissance. On allait passer la soirée à Londres et on rentrait par le dernier train. Beatrice est l'héroïne de la pièce. Elle est si courageuse, si franche. C'est un esprit libre. Toute petite, déjà, tu lui ressemblais. Ton père a dit qu'Arabella était trop fadasse pour toi.

Son explication est si inattendue que je reste stupéfaite. Si j'avais su cela dès l'enfance, aurais-je tenté de me montrer digne de mon prénom ? Au lieu d'être une Arabella ratée, j'aurais pu devenir une Beatrice courageuse. Mais malgré l'envie que j'en ai, je ne peux m'attarder sur le sujet. Ma question n'avait pour but que d'amener la suivante, celle qui me tient vraiment à cœur.

Tu es peinée que maman t'ait crue capable de te suicider et d'infliger une telle souffrance autour de toi, surtout après Leo. J'ai déjà essayé de t'expliquer qu'elle s'accrochait à ce qu'elle pouvait. C'était un réflexe défensif, mais il faut que tu l'entendes de sa propre bouche.

— Pourquoi as-tu cru à l'hypothèse de son suicide ?

Si elle est surprise, elle ne le montre pas et n'hésite pas un instant avant de me répondre.

— Parce que je préfére me sentir coupable jusqu'à la fin de mes jours plutôt que de savoir qu'elle a eu peur ne serait-ce qu'un instant.

Ses larmes tombent sur la nappe blanche damassée, mais elle ignore le regard réprobateur du serveur. Elle ne se soucie plus du tout de respecter les convenances et de se comporter comme il faut en société. Elle est désormais la mère qui s'asseyait au bout de nos lits, dans le noir, celle qui sentait la crème pour le visage et portait une robe de chambre froufroutante. Ce que j'ai aperçu d'elle lorsqu'elle s'est dépouillée pour la première fois de sa carapace est à présent exposé au grand jour.

J'ignorais que l'on pouvait aimer autant quelqu'un avant de voir maman pleurer pour toi – j'étais en pension quand Leo est mort et je n'ai pas été témoin de son deuil. Sa douleur me paraît à la fois choquante et magnifique. Et elle me fait redouter l'idée de devenir mère à mon tour, de risquer d'éprouver ce qu'elle vit à présent – et ce que tu as dû vivre avec Xavier.

Un court silence s'ensuit, résidu de tous les silences d'une époque antérieure. Maman le rompt la première :

— Tu sais, je me moque un peu du procès. Pour être honnête, je m'en moque complètement, même.

Elle m'observe en guettant ma réaction, mais je ne réponds pas. Je l'ai déjà entendue exprimer ça d'une foule de façons différentes. La justice et la vengeance ne l'intéressent pas, elle ne pense qu'à toi.

— Elle fait la une de l'actualité depuis plusieurs jours, déclare-t-elle avec fierté.

T'ai-je déjà dit qu'elle était fière de l'attention que te portaient les médias ? Elle estime que tu mérites d'être en première page et de faire l'ouverture de tous les journaux télévisés. Pas à cause de ce qui t'est arrivé, mais parce que tout le monde devrait savoir qui tu étais. Il faudrait que les gens soient informés de ta gentillesse, de ta chaleur, de ton talent, de ta beauté. Pour elle, ce n'est pas « Arrêtez toutes les pendules », mais « Faites tourner les rotatives ! » « Allumez la télé ! » « Regardez comme ma fille est belle ! »

— Beatrice ?

Ma vision se brouille et je n'entends plus que la voix de maman.

— Tu ne te sens pas bien ? Ma puce… ?

Son ton anxieux me ramène brusquement à la réalité. Je lis l'inquiétude sur son visage et je m'en veux d'en être la cause. Le serveur est cependant toujours occupé à débarrasser la table à côté de nous, donc mon malaise n'a pas pu durer longtemps.

— Je vais bien, dis-je. Je n'aurais pas dû boire de vin, c'est tout. Ça me donne toujours mal au cœur au moment du déjeuner.

À la sortie du restaurant, je promets de lui rendre visite ce week-end et de lui téléphoner ce soir, comme tous les soirs. Puis nous nous embrassons sous le soleil éclatant et je la regarde s'éloigner. Au milieu des employés de bureau qui rentrent de leur pause déjeuner, le cheveu brillant et le pas pressé, maman se démarque par sa tête gris terne et sa démarche incertaine. La douleur semble un fardeau sur ses épaules et elle avance le dos courbé, l'air trop frêle pour le porter. Perdue dans cette foule, elle m'évoque une frêle embarcation qui resterait à flot sur une mer immense sans que l'on sache comment.

Il y a une limite à ce que je peux lui demander en une fois, mais tu veux sans doute savoir si Xavier est enterré avec toi. Bien sûr qu'il l'est, Tess. Bien sûr. Dans tes bras.

7

Je rejoins le CPS avec quelques minutes de retard pour la session de l'après-midi. Parce que la tête me tourne encore un peu et que j'ai du mal à me concentrer, je demande un café serré à la secrétaire énamourée, sans me préoccuper de sa réaction. Il faut que je raconte ton histoire avec des réflexes aiguisés, une mémoire précise et des neurones en pleine forme, pas à moitié endormis. Je veux dire ce que j'ai à dire, puis rentrer chez moi et téléphoner à maman pour vérifier qu'elle va bien.

M. Wright me rappelle où nous en étions restés :

— Ensuite, vous êtes retournée à Hyde Park ?

J'ai gravi à la hâte les marches verglacées devant chez toi en enfilant mon manteau. Je croyais que mes gants étaient dans ma poche, mais il n'y en avait qu'un. C'était l'après-midi, les trottoirs étaient presque déserts et il faisait trop froid pour sortir sans raison. J'ai marché d'un pas rapide vers Hyde Park, comme si j'avais une heure limite à respecter, comme si j'étais en retard. Mais, parvenue à Lancaster Gate, devant la porte du parc, je me suis arrêtée. Qu'est-ce que je fabriquais là ? S'agissait-il juste d'une bouderie qui avait besoin de se focaliser sur quelque chose ? «*Je ne boude pas, je vais chercher mon service à thé !*» Je me revois à six ans, folle de rage, en train de monter en courant les escaliers de la maison. Cette fois, j'avais un vrai but, même si je ne le devais qu'à mon désir de fuir maman et Todd. Il fallait que je voie où s'était achevée ta vie.

J'ai franchi le portail en fer forgé. Le froid et la neige étaient si semblables à ceux que nous avions connus quand tu avais été retrouvée que j'ai eu l'impression de revenir six jours en arrière, jusqu'à cet après-midi-là. Je me suis dirigée vers les toilettes délabrées en enfonçant ma main nue dans la poche de mon manteau. De jeunes enfants faisaient un bonhomme de neige avec sérieux et énergie sous le regard d'une mère qui battait des pieds pour se tenir chaud. Elle leur a crié de terminer. Ces enfants et leur bonhomme de neige étaient le seul élément qui différait en ces lieux, et peut-être était-ce pour cela que mon attention se portait sur eux. À moins que ce ne fût leur innocence et leur ignorance du drame survenu ici qui expliquaient que je veuille les observer. J'ai continué à avancer. Le froid picotait ma main nue et je sentais la neige tassée sous la fine semelle de mes chaussures – lesquelles n'étaient pas faites pour marcher dans un parc enneigé mais pour sortir dîner à New York, dans une autre vie.

Je ne m'attendais pas du tout à trouver des bouquets déposés devant les toilettes. Il y en avait des centaines. Je ne parle pas d'un océan de fleurs, comme celui qui avait suivi la mort de Lady Diana, mais l'ensemble était tout de même impressionnant. Certains bouquets, à demi enfouis sous la neige, devaient être là depuis quelques jours. D'autres, encore en parfait état dans la Cellophane, étaient plus récents. J'ai remarqué des ours en peluche aussi, et je suis restée un moment perplexe avant de comprendre qu'ils rendaient hommage à Xavier. Un cordon de sécurité faisait le tour du petit bâtiment, délimitant la scène de ta mort avec un ruban en plastique jaune et noir. Avec les fleurs, il constituait la seule touche de couleur dans ce parc tout blanc.

Je l'ai enjambé en vérifiant qu'il n'y avait personne dans les parages. Je trouvais curieux que la police laisse une trace de son passage si longtemps après que tu avais eu besoin de son aide, mais je ne me suis pas étonnée en revanche de l'absence d'un officier sur place. Je n'ai appris que plus tard, grâce à l'agent Vernon, qu'il devait y en avoir un en permanence sur les lieux d'un crime, quelqu'un qui reste là, quoi qu'il advienne, et par tous les temps. Elle-même finit toujours par avoir une envie désespérée d'aller aux toilettes. C'est ça, m'a-t-elle dit, qui mettra un terme à sa carrière dans la police, et non pas sa trop grande compassion. Oui, je sais, je tergiverse.

Je suis entrée dans le bâtiment. Inutile de te décrire l'intérieur, tu l'as certainement vu en détail. Tu as des yeux d'artiste et je regrette que le dernier décor sur lequel ils se soient posés ait été si sale, nauséabond et laid. Il y avait des taches de sang sur le sol en ciment de l'une des cabines et des éclaboussures rouges sur les murs effrités. J'ai vomi dans un lavabo, avant de m'apercevoir qu'il n'était relié à aucun conduit d'évacuation. Je savais qu'on ne pouvait pas se réfugier volontairement dans un tel endroit. On ne pouvait pas choisir de mourir dans ce cadre.

J'ai essayé de chasser de mon esprit l'idée que tu avais passé cinq nuits là, toute seule. J'ai essayé de m'accrocher à l'image chagallienne de toi montant vers les cieux, mais je n'étais pas sûre de l'échelle temporelle. Avais-tu quitté ton corps, comme je l'espérais de tout mon cœur, au moment où tu es morte ? Ou était-ce plus tard, quand tu as été découverte, quand ton cadavre a été vu par une autre personne que ton assassin ? Ou bien à la morgue, quand l'officier de police a repoussé la couverture et que je t'ai identifiée ? Ma peine t'a-t-elle libérée ?

Je suis sortie de ce bâtiment sordide et, accueillant avec bonheur l'air blanc et glacé, j'ai inspiré dans le froid jusqu'à en avoir mal aux poumons. Les bouquets s'expliquaient à présent. Des gens bien tentaient de combattre le mal avec des fleurs. Je me suis rappelé la route de Dunblane[1], bordée de jouets. Je n'avais jamais compris avant comment on pouvait s'imaginer qu'une famille dont l'enfant avait été tué serait heureuse de recevoir un ours en peluche. Maintenant, je comprenais. Un millier de doux jouets étouffait un peu l'écho horrible des coups de feu. « Telle n'est pas l'humanité, avaient dit les offrandes. Nous ne sommes pas comme ça. Le monde ne se résume pas à ça. »

J'ai commencé à lire les cartes. Certaines étaient illisibles, trempées par la neige, l'encre se délayant

1. Ville d'Écosse où, en 1996, un homme a ouvert le feu dans une école, tuant plusieurs enfants et leur institutrice. (*N.d.T.*)

dans le papier mouillé. J'ai reconnu le nom de Kasia. Elle avait laissé un ourson avec *Xavier* écrit en grosses lettres enfantines. Le point du «i» dessinait un cœur, et elle avait ajouté des croix et des ronds, symboles de baisers et d'étreintes. La snob en moi a grimacé devant son mauvais goût, mais j'étais aussi touchée et je m'en suis voulu de mon dédain. Il faudrait que je cherche son numéro de téléphone en rentrant pour la remercier de son geste.

J'ai rassemblé les cartes encore déchiffrables pour les emporter – personne n'aurait envie de les lire à part maman et moi. Alors que je les fourrais dans mes poches, j'ai vu un homme d'une cinquantaine d'années, un peu plus loin, qui tenait son labrador en laisse dans une main et un bouquet de chrysanthèmes dans l'autre. Je me souvenais de lui – il regardait la police s'affairer l'après-midi où tu as été retrouvée. Ce jour-là aussi, le chien tirait sur sa laisse. L'inconnu hésitait, attendant peut-être que je m'en aille pour poser ses fleurs. Je me suis approchée de lui. Il portait un chapeau en tweed et un blouson Barbour, tel un notable campagnard qui avait davantage sa place sur ses terres que dans un parc londonien.

—Vous étiez un ami de Tess? ai-je demandé.

—Non, j'ignorais jusqu'à son nom avant de l'entendre à la télé. On se saluait, c'est tout. À force de croiser une personne assez souvent, on noue une sorte de relation avec elle. Une relation très superficielle, bien sûr. Disons plutôt qu'on se reconnaissait dans la rue.

Il s'est mouché.

— Je n'ai aucun droit d'être bouleversé, a-t-il ajouté. C'est absurde, je sais. Et vous, vous étiez proche d'elle ?

— Oui.

Quoi qu'en dise Finborough, nous étions proches. Le notable a hésité, peu sûr qu'il soit conforme à l'étiquette de bavarder devant des couronnes mortuaires.

— Le policier est parti, alors ? Il a dit que le cordon serait bientôt enlevé parce qu'il ne s'agit pas d'une scène de crime.

La police ayant décidé que tu t'étais suicidée, il ne s'agissait évidemment pas d'une scène de crime. Le notable, qui paraissait espérer une réaction de ma part, a tenté de me sonder :

— Ma foi, si vous étiez proches, vous en savez sûrement plus que moi.

Peut-être appréciait-il cette petite discussion. La sensation des larmes qui vous picotent les yeux n'est pas déplaisante et la terreur et la tragédie, lorsqu'elles restent à bonne distance, ont de quoi émoustiller. Il est même excitant d'avoir un lien ténu avec un drame qui n'est pas le vôtre. Cet homme pourrait raconter autour de lui – et nul doute qu'il le faisait déjà –, qu'il avait un petit rôle dans l'histoire.

— Je suis sa sœur.

Oui, j'ai utilisé le présent. Ta mort ne m'empêchait pas d'être ta sœur et notre relation ne se conjuguait pas au passé, sinon je ne te pleurerais pas encore aujourd'hui. Le notable a eu l'air horrifié. Il devait supposer que j'étais à bonne distance de la tragédie, moi aussi.

Je me suis éloignée.

Les doux flocons, qui tombaient jusqu'alors çà et là, au hasard, sont devenus plus denses, plus coléreux, faisant peu à peu disparaître le bonhomme de neige des enfants. Le souvenir de ce que j'avais ressenti en partant la dernière fois était encore trop vif et j'ai décidé de quitter le parc par une autre sortie.

J'approchais de la Serpentine Gallery quand le blizzard s'est levé, étouffant les arbres et l'herbe sous un manteau blanc. Bientôt, tes fleurs et les ours en peluche de Xavier seraient cachés aux regards. J'avais les pieds engourdis, le froid brûlait ma main non gantée et je gardais un goût écœurant en bouche du fait d'avoir vomi. J'ai décidé d'entrer dans la galerie pour y boire un café et un verre d'eau, mais en y arrivant j'ai constaté que le bâtiment était plongé dans le noir et ses portes fermées par des chaînes. Un écriteau sur la fenêtre indiquait qu'il ne rouvrirait pas avant le mois d'avril. Simon ne pouvait donc pas t'avoir donné rendez-vous là. Il était la dernière personne à t'avoir vue vivante et il avait menti. Ce mensonge, qui résonnait dans ma tête comme un acouphène, était le seul bruit à ne pas être assourdi par la neige.

Les poches remplies de cartes, j'ai longé Chepstow Road jusqu'à ton appartement en tentant de joindre Finborough avec mon portable. De loin, j'ai aperçu Todd ; il faisait les cent pas devant chez toi. Maman avait déjà repris le train pour Little Hadston. Todd est rentré avec moi, soulagé, mais aussi contrarié à présent que son anxiété n'avait plus de raison d'être.

— J'ai essayé de t'appeler et la ligne était toujours occupée !

— Simon a menti. Il n'a pas retrouvé Tess à la Serpentine Gallery. Il faut que je prévienne le lieutenant Finborough.

Sa réaction, ou plutôt son absence de réaction, aurait dû me préparer à celle du policier. Juste à cet instant, celui-ci a enfin décroché. Je lui ai parlé de Simon.

— Peut-être qu'il essayait juste de se donner le beau rôle, a-t-il simplement déclaré.

— En mentant ?

— En disant qu'ils s'étaient vus à la galerie.

Je n'arrivais pas à croire que Finborough lui invente des excuses.

— Nous avons interrogé Simon quand nous avons appris qu'il était avec Tess ce jour-là, a-t-il continué. Rien ne laisse supposer qu'il soit impliqué dans sa mort.

— Mais il a menti sur l'endroit où ils étaient.

— Beatrice, vous devriez essayer de...

J'ai passé en revue les clichés qu'il s'apprêtait sans doute à utiliser : je devais essayer d'« aller de l'avant », de « tourner la page », ou même, petite fioriture stylistique, d'« accepter la vérité et de vivre ma vie ». Je l'ai interrompu avant qu'il ne puisse les exprimer.

— Vous avez vu l'endroit où elle est morte, n'est-ce pas ?

— En effet.

— Pensez-vous vraiment que l'on puisse choisir de mourir là ?

— Je ne crois pas que ç'ait été un choix.

J'ai d'abord cru qu'il commençait à se laisser convaincre, puis j'ai compris qu'il attribuait ta mort à une maladie mentale. Tout comme une personne qui, atteinte d'un trouble obsessionnel compulsif, ne peut que répéter la même tâche une centaine de fois, une femme souffrant de psychose post-partum ne peut qu'être emportée par la vague de sa folie et s'autodétruire. Les soupçons sont éveillés lorsqu'une jeune fille avec des amis, une famille, du talent et de la beauté est retrouvée morte. Même si elle a perdu son bébé, un point d'interrogation subsiste quant à ses derniers instants. Mais ajoutez «psychotique» à la liste de tous les adjectifs positifs qui la décrivent et il n'y a plus de question qui tienne. Vous offrez un alibi mental au meurtrier en faisant croire que la victime s'est tuée elle-même.

— Quelqu'un l'a obligée à entrer dans ces toilettes et l'a tuée là.

— Aucun mobile ne justifiait qu'on veuille la tuer, a répondu patiemment le lieutenant. Ce n'était pas un crime sexuel, Dieu merci, et on ne lui a rien volé. Et quand nous avons enquêté sur sa disparition, nous n'avons rencontré personne qui lui souhaitait du mal – plutôt le contraire, en fait.

— Allez-vous au moins reparler à Simon?

— Je ne pense pas du tout qu'on ait quelque chose à y gagner.

— Est-ce parce qu'il est le fils d'un ministre?

Je lui ai lancé cette accusation dans l'espoir de lui faire honte et de l'amener à changer d'avis.

— Ma décision de ne pas retourner voir Simon Greenly repose sur l'inutilité d'une telle démarche.

Maintenant que je le connais mieux, je sais qu'il s'exprime de façon aussi cérémonieuse quand il est soumis à une pression émotionnelle.

— Vous avez conscience cependant que le père de Simon est le député et ministre Richard Greenly ?
— Cette conversation ne nous mène nulle part. Peut-être…
— Tess ne vaut pas la peine que vous preniez ce risque, n'est-ce pas ?

Décrire les toilettes délabrées m'ayant donné un haut-le-cœur, M. Wright m'a servi un verre d'eau. Je lui ai parlé du mensonge de Simon et de mon appel à Finborough, mais j'ai omis de lui dire que, dans l'intervalle, Todd a pendu mon manteau, sorti les cartes de mes poches et étalé chacune d'elles avec soin afin qu'elles sèchent. Seulement, au lieu d'y voir un geste attentionné, j'avais l'impression que chaque carte mouillée qu'il lissait devant moi s'apparentait à une critique. Je savais qu'il approuvait les arguments du lieutenant, même s'il n'entendait que les miens.
— Donc, après que Finborough vous a dit qu'il n'interrogerait pas Simon, vous avez décidé de le faire vous-même ?
Il me semble détecter une pointe d'amusement dans la voix de M. Wright et je n'en suis pas surprise.
— Oui. Ça devenait une habitude.
Huit jours plus tôt, en arrivant à Londres, j'étais quelqu'un qui évitait toujours la confrontation. Mais, comparée à la brutalité meurtrière de ta mort, une confrontation verbale paraissait bien inoffensive, voire un peu triviale. Pourquoi une telle perspective m'avait-elle jusque-là intimidée, effrayée même ? Je me trouvais si froussarde et ridicule à présent.

Todd voulait aller acheter un grille-pain. (« C'est dingue, ça, ta sœur devait passer ses toasts sur le gril ! ») Le nôtre, à New York, avait une fonction décongélation et une autre pour réchauffer les croissants dont nous nous servions bel et bien. Sur le pas de la porte, il s'est tourné vers moi.

— Tu as l'air épuisée.

S'inquiétait-il ou était-ce un reproche ?

— Je t'avais dit hier soir de prendre l'un des somnifères que je t'ai apportés.

Un reproche.

Il est parti. Je ne lui avais pas expliqué pourquoi je ne pouvais pas prendre de somnifère – la raison était qu'il m'aurait paru lâche de t'effacer de mon esprit, même pour quelques heures. Et je ne l'avais pas prévenu non plus que je comptais aller voir Simon, parce qu'il se serait senti obligé de m'empêcher de me conduire de façon « si irréfléchie et ridicule ».

Je me suis rendue chez Simon en voiture et me suis garée devant la résidence où il habitait, dans le quartier chic de Kensington – j'avais trouvé ses coordonnées sur un Post-it dans ton carnet d'adresses. À l'interphone, il m'a dit de monter au dernier étage. Je l'ai à peine reconnu quand il m'a ouvert. Son visage poupin accusait la fatigue et ses joues mal rasées de jeune branché se couvraient désormais d'une barbe éparse.

— J'aimerais te parler de Tess.

— Pourquoi ? Je croyais que tu la connaissais mieux que quiconque, a-t-il répliqué d'un ton narquois et jaloux.

— Tu étais proche d'elle, toi aussi, non ?

— Ouais.

— Alors je peux entrer ?

Il a laissé la porte ouverte et je l'ai suivi dans un grand salon somptueux. Ce devait être le pied-à-terre londonien de son père quand celui-ci n'était pas dans sa circonscription. Un immense tableau représentant une prison occupait toute la longueur d'un mur. À y regarder de plus près, j'ai vu qu'il s'agissait d'un collage composé de milliers de photos de bébés, format passeport. L'ensemble était à la fois fascinant et répugnant.

— La Serpentine Gallery est fermée jusqu'en avril. Tu n'as pas pu voir Tess là-bas.

Il s'est contenté de hausser les épaules, comme s'il n'en avait rien à faire.

— Pourquoi as-tu menti ?

— J'aimais bien cette idée, c'est tout. Ça donnait des allures de rendez-vous galant à notre rencontre. La galerie est le genre d'endroit que Tess choisirait pour ça.

— Sauf que ce n'était pas un rendez-vous galant, n'est-ce pas ?

— Quelle importance si j'ai récrit notre histoire ? Si je l'ai transformée pour la faire correspondre à ce que je veux ? Si j'y ai ajouté un peu de fantaisie ?

J'avais envie de lui hurler après, mais donner libre cours à ma rage n'aurait servi à rien à part me procurer une brève satisfaction.

— Alors pourquoi l'avoir retrouvée dans le parc ? Il devait faire un froid de canard.

— C'est elle qui a voulu aller là-bas. Elle a dit qu'elle avait besoin de sortir, qu'elle devenait barjo chez elle.

— « Barjo » ? Elle a employé ce mot ?

Je ne l'avais jamais entendu dans ta bouche. Tu as beau être un vrai moulin à paroles, tu t'exprimes toujours avec le plus grand soin.

Simon a pris une bourse en velours dans un buffet aux portes vitrées.

— Peut-être qu'elle a dit qu'elle était claustrophobe. Je ne me souviens pas.

Cela me paraissait plus probable.

— Elle t'a expliqué pourquoi elle voulait te voir ?

Il s'est débattu avec des feuilles à rouler sans me répondre.

— Simon... ?

— Elle voulait juste passer du temps avec moi. Merde, c'est si difficile à comprendre ?

— Comment as-tu su qu'elle était morte ? C'est un ami qui t'a prévenu ? On t'a décrit les entailles sur ses bras ?

Je voulais le pousser à pleurer, parce que je sais que les larmes réduisent en mare salée les défenses que nous érigeons autour de nos secrets.

— On t'a dit qu'elle est restée cinq nuits toute seule dans des toilettes puantes ?

Les yeux humides, il m'a répondu d'une voix plus calme que d'habitude :

— Ce jour-là, tu m'as surpris devant son appartement. J'ai attendu au bout de la rue que tu ressortes de chez elle et je t'ai suivie à moto.

Je me souvenais vaguement du vrombissement d'un moteur lorsque je suis partie à Hyde Park. Après ça, je n'y avais plus prêté attention.

— J'ai poireauté des heures devant les portes du parc, a continué Simon. Il neigeait et j'étais déjà gelé, tu te rappelles ? Ensuite, je t'ai vue revenir avec une policière. Et j'ai remarqué une camionnette aux vitres fumées, aussi. Personne ne voulait m'expliquer ce qui se passait. Je n'étais pas de la famille.

Ses larmes coulaient maintenant sans qu'il fasse aucun effort pour les contenir. Comme le tableau accroché au mur, je le trouvais répugnant.

— Plus tard, ce soir-là, le journal télévisé en a parlé. Ils ont juste diffusé un petit reportage, un truc d'à peine deux minutes, sur une jeune femme qui avait été découverte morte dans des toilettes à Hyde Park. Ils ont montré la photo de sa carte d'étudiante. C'est comme ça que j'ai su.

Il a dû s'interrompre pour se moucher et s'essuyer les yeux. C'était le bon moment pour le soumettre à un interrogatoire.

— Pourquoi voulait-elle te voir ?

— Elle m'a dit qu'elle avait peur et qu'elle avait besoin de mon aide.

Le faire pleurer produisait son effet, ainsi que je l'avais prévu. J'avais appris la leçon le soir de mon entrée en pension, quand j'avais craqué et reconnu devant la responsable de l'internat que ce n'était pas ma maison et ma mère qui me manquaient, mais mon père.

— Pourquoi avait-elle peur ?

— Elle recevait apparemment des appels bizarres.

— Elle a précisé de la part de qui ?

Il a secoué la tête. Soudain, je me suis demandé si ses larmes étaient sincères ou si, telles les proverbiales larmes de crocodile, elles ne cachaient pas une âme cruelle et sans remords.

— Pourquoi t'a-t-elle choisi, toi, Simon ? Pourquoi pas un autre de ses amis ?

Il avait séché ses larmes cette fois et se refermait comme une huître.

— Nous étions très proches.

Peut-être a-t-il senti mon scepticisme parce qu'il a poursuivi d'un ton vexé et furieux.

— C'est facile pour toi, tu es sa sœur et tu as le droit de la pleurer. Les gens s'attendent à te voir complètement anéantie. Moi, je ne peux même pas dire qu'elle était ma petite amie !

— Elle ne t'a pas téléphoné, avoue.

Il a gardé le silence.

— Tess n'aurait jamais profité des sentiments que tu avais pour elle.

Il a essayé d'allumer son joint, mais ses doigts tremblaient et il n'arrivait pas à faire fonctionner son briquet.

— Que s'est-il vraiment passé ?

— Je l'avais appelée je ne sais pas combien de fois, mais soit je tombais sur sa messagerie, soit la ligne était occupée. Ce jour-là pourtant, elle a décroché. Elle m'a dit qu'il fallait qu'elle prenne l'air, alors j'ai proposé le parc. Elle a accepté. J'ignorais que la galerie était fermée et j'espérais qu'on pourrait aller là-bas. Et puis, quand on s'est retrouvés, elle m'a demandé si elle pouvait s'installer chez moi. Elle avait besoin d'être avec quelqu'un vingt-quatre heures sur vingt-quatre, sept jours sur sept.

Énervé, il a marqué une pause.

— Comme elle l'a dit aussi, j'étais la seule personne à l'école qui ne travaillait pas à temps partiel.

— « Vingt-quatre heures sur vingt-quatre, sept jours sur sept » ?

— Oui. En permanence, quoi. Je ne me souviens plus de l'expression exacte. Putain, quelle importance ?

Mais pour moi, si, cela avait de l'importance. Le choix de ses mots authentifiait ce qu'il me racontait.

— Elle avait peur et elle m'a demandé de l'aide parce que je représentais une solution pratique.

— Alors pourquoi es-tu parti ?

Ma question a paru le faire sursauter.

— Quoi ?

— Tu dis qu'elle voulait s'installer chez toi, alors pourquoi as-tu refusé ?

Ayant enfin réussi à allumer son joint, il en a tiré une bouffée.

— D'accord. Je lui ai avoué ce que je ressentais pour elle. Combien je l'aimais. Tout.

— Tu lui as fait des avances ?

— Ce n'était pas ça.

— Et elle les a rejetées ?

— D'entrée de jeu. Sans même prendre de gants. Elle m'a dit que, cette fois, elle ne pensait pas pouvoir me proposer « sérieusement » d'être amie avec moi.

Son ego monstrueux avait aspiré toute pitié pour toi, pour ta douleur, et l'avait transformé à ses propres yeux en victime. Mais il ne faisait pas le poids face à ma colère.

— Elle s'est tournée vers toi et tu as essayé d'exploiter son besoin de protection !

— C'est elle qui essayait de m'exploiter, pas l'inverse.

— Et malgré ça, elle voulait toujours s'installer dans ton appartement ?

Il n'a pas répondu, mais je devinais la suite.

— Sans conditions, n'est-ce pas ? ai-je ajouté.

Il ne réagissait toujours pas.

— Et pour toi, c'était hors de question, j'imagine.

— Pour finir émasculé ?

L'espace d'un instant, je l'ai juste dévisagé, trop étonnée par son égoïsme grossier pour répondre. Il a cru que je ne comprenais pas.

— La seule raison pour laquelle elle voulait venir chez moi, c'était parce qu'elle était terrorisée. Comment devais-je le prendre, à ton avis ?

— Elle était terrorisée ?

— J'ai exagéré. En fait...

— Tu disais qu'elle avait peur, avant. Maintenant, elle était terrorisée ?

— Bon, oui, elle pensait qu'un homme l'avait suivie dans le parc.

Je me suis forcée à garder une voix neutre.

— Elle savait qui il était ?

— Non. Je l'ai cherché. J'ai même regardé dans les buissons, je me suis couvert de neige et de merdes de chien gelées. Il n'y avait personne.

— Il faut que tu ailles voir la police. Que tu racontes tout ça au lieutenant Finborough. Il est au commissariat de Notting Hill, je vais te donner son numéro de téléphone.

— Pas la peine. Elle s'est suicidée, ils l'ont expliqué au journal télévisé.

— Mais tu étais là. Tu en sais plus long que la télé, non ?

Je lui parlais comme à un enfant, en tentant de le cajoler et en cachant mon désespoir.

— Elle t'a parlé d'un homme qui la suivait. Tu savais qu'elle avait peur.

— Ce n'était sans doute qu'une illusion paranoïaque. Il paraît que la psychose post-partum rend les femmes complètement folles.

— Qui t'a raconté ça ?

— J'ai dû l'entendre à la télé.

Il a croisé mon regard et, percevant lui-même combien son explication était peu crédible, il a ajouté tranquillement, comme si toute cette histoire ne le concernait pas :

— J'avoue, papa s'est renseigné pour moi. Je ne lui demande presque jamais rien, alors quand je le fais...

Il semblait avoir la flemme de terminer sa phrase. Puis il s'est avancé d'un pas vers moi et j'ai senti l'odeur de son after-shave, si âcre dans cet appartement surchauffé. Cela m'a rappelé avec acuité ma première image de lui, assis dans la neige devant ton appartement, un bouquet à la main. Malgré le froid, il dégageait le même parfum. Je n'y avais pas fait attention sur le moment, mais pourquoi acheter des fleurs et se parfumer alors que tu ne lui avais jamais offert que ton amitié en guise de lot de consolation ? Sans compter que tu venais tout juste de repousser ses avances...

— Tu avais un bouquet le jour où je t'ai surpris devant chez elle. Et tu sentais l'after-shave.

— Et ?

— Tu voulais tenter encore ta chance, c'est ça ? Tu espérais qu'elle serait assez désespérée pour accepter tes conditions ?

Il a haussé les épaules sans paraître avoir honte de lui. C'était un enfant gâté depuis la naissance. Gâté au point qu'il était devenu cet homme en face de moi, et non pas la personne qu'il aurait peut-être pu devenir.

Je lui ai tourné le dos et me suis retrouvée nez à nez avec tous les visages de bébés collés de manière à représenter une prison. D'instinct, je m'en suis écartée. J'ouvrais la porte pour partir quand j'ai senti des larmes couler sur mes joues.

— Comment as-tu pu l'abandonner là-bas ?

— Ce n'est pas ma faute si elle s'est tuée.

— Rien n'est jamais ta faute, hein ?

Je reviens à la réalité, mais l'odeur de Simon et de son appartement empeste encore ma mémoire. Heureusement, la fenêtre est ouverte et le parfum léger de l'herbe fraîchement tondue monte jusqu'à nous depuis le parc.

— Avez-vous rapporté les propos de Simon à la police ? s'enquiert M. Wright.

— Oui. J'ai parlé à l'un des adjoints du lieutenant Finborough. Il s'est montré poli, mais je savais que ma démarche ne servait à rien. L'homme qui avait suivi Tess était son meurtrier, mais il aurait tout aussi bien pu être le fruit de sa prétendue paranoïa. Les faits qui étayaient la thèse de l'assassinat plaidaient aussi en faveur de la psychose.

M. Wright regarde sa montre. Il est 17 h 15.

— Si on s'arrêtait là ?

J'acquiesce volontiers, soulagée de pouvoir sortir et respirer un peu d'air frais.

Je traverse St James's Park avant de prendre le bus jusqu'au Coyote. Tu te demandes sûrement comment j'en suis venue à travailler là ? Au début, je suis allée interroger tes collègues, dans l'espoir que l'un d'eux pourrait me livrer un indice sur ta mort. Mais personne n'était en mesure de m'aider, on ne t'avait pas vue depuis le dimanche précédant ton accouchement et on ne savait pas grand-chose de ta vie en dehors du Coyote. Dans l'intervalle, mon patron aux États-Unis m'avait « laissée partir », « vraiment à contrecœur, Beatrice », et j'ignorais quand je retrouverais un boulot. Todd et moi avions acheté notre appartement new-yorkais et ma part des remboursements engloutirait bientôt toutes mes économies. Il fallait que je gagne de quoi vivre, alors je suis allée voir Bettina pour lui demander du travail.

Je portais mes seuls vêtements propres – un tailleur-pantalon Max Mara –, et Bettina a d'abord cru que je plaisantais.

— D'accord, a-t-elle dit en comprenant que non, j'étais sérieuse. Je n'ai rien contre une paire de bras supplémentaire. Vous ferez deux services le week-end et trois en semaine, en commençant dès ce soir si vous voulez. C'est payé six livres de l'heure, plus un repas gratuit préparé par moi quand vous faites un service de plus de trois heures d'affilée.

Je crois que j'ai eu l'air un peu surprise.

— Pour être honnête, vous me branchez carrément, a-t-elle ajouté, avant d'éclater de rire devant ma mine horrifiée. Désolée, je n'ai pas pu m'en empêcher.

Son amusement devant ma capacité à me scandaliser me rappelait le tien : il n'y avait aucune méchanceté derrière.

En travaillant ce soir-là, je me suis fait la réflexion que ta mort avait en réalité libéré un emploi à temps partiel et qu'il fallait bien te remplacer. Mais, il y a peu, j'ai découvert que quelqu'un avait déjà été embauché. Bettina m'avait donc engagée par loyauté envers toi et par compassion envers moi.

Je rentre chez moi vers minuit en pensant ne plus trouver beaucoup de reporters dans la rue, voire plus aucun. Il est tard et, du reste, après la frénésie de ces derniers temps, ils ont sûrement pris toutes les photos et filmé toutes les images dont ils avaient besoin. Mais je me trompais : en arrivant, j'aperçois un groupe de journalistes avec leurs énormes projecteurs allumés. Au milieu d'eux il y a Kasia, qui était partie s'installer chez une amie il y a deux jours en attendant que la curiosité de la presse s'émousse et qu'elle puisse revenir. Car elle vit avec moi dorénavant. Cela doit te ravir et t'étonner à la fois, et tu te demandes sûrement comment nous nous débrouillons. Eh bien, elle dort dans ton lit, moi sur un futon que je déroule chaque soir dans le salon, et nous arrivons ainsi à nous faire chacune une place dans l'appartement.

En m'approchant, je vois combien elle semble timide, angoissée par toute cette attention, et épuisée aussi. Prise d'une envie furieuse de la protéger, je chasse les photographes et les journalistes.

— Tu es là depuis longtemps ?

— Des heures.

Pour Kasia, cela peut tout aussi bien signifier dix minutes au maximum.

— Qu'as-tu fait de ta clé ?

— Désolée, se contente-t-elle de répondre avec embarras.

Comme toi, elle perd sans arrêt ses affaires. Je trouve son étourderie parfois attachante, mais ce soir je dois avouer qu'elle m'agace un peu. (Les vieilles habitudes ont la peau dure et je suis fatiguée par ma longue séance au CPS et par mon service de barmaid. Pour couronner le tout, la presse braque ses objectifs sous mon nez afin de prendre ce qui, j'imagine, doit être un cliché poignant.)

— Viens, il faut que tu manges.

Son accouchement est prévu dans une semaine seulement et elle ne devrait pas rester trop longtemps l'estomac vide. Cela lui donne des vertiges et le bébé pourrait en pâtir.

Je passe un bras autour d'elle sous le crépitement synchronisé des appareils photo. Demain, à côté du cliché me montrant en train de la soutenir, il y aura de nouveau des articles sur la façon dont je l'ai sauvée. Ils emploient réellement ce genre de mots, « sauver », « devoir la vie à ». Des mots de bande dessinée qui menacent de faire de moi une superhéroïne vêtue de collants sous son pantalon, capable de changer de tenue et de personnalité dans une cabine téléphonique, et de faire sortir des toiles d'araignée de ses poignets. Ils écriront que je suis arrivée trop tard pour te sauver (je ne me suis pas changée assez rapidement dans la cabine téléphonique), mais que, grâce à moi, Kasia et son bébé vivront. Comme nous tous, leurs lecteurs veulent que l'histoire se termine bien. Mais ce n'est pas mon histoire. Et la mienne s'est achevée sur une mèche de cheveux coincée dans une fermeture éclair.

8

Jeudi

Je traverse St James's Park en direction des bureaux du CPS. Le ciel est de nouveau bleu – Pantone 635, pour être précise. Un ciel plein d'espoir. Ce matin, M. Wright va me réclamer la suite de ton histoire, à savoir ma rencontre avec ton psychiatre. Mais je suis encore à moitié endormie et je n'ai pas la clarté d'esprit nécessaire pour cela, aussi vais-je d'abord me remémorer cet épisode ici, dans le parc. Ce sera une sorte de répétition mentale, en somme.

Il fallait patienter quatre mois pour obtenir un rendez-vous auprès du docteur Nichols dans le cadre du NHS, le service de santé public et gratuit ; j'ai donc accepté une consultation payante qui me permettait d'être reçue plus tôt. Agrémentée de vases de lis, de magazines en papier glacé et d'un distributeur d'eau minérale, la salle d'attente de son cabinet privé ressemblait davantage à un salon de coiffure haut de gamme qu'à un lieu un tant soit peu en rapport avec la médecine. La jeune réceptionniste, au regard dédaigneux de rigueur, jouait son rôle de gardienne de la porte sacrée en traitant les patients avec condescendance. J'ai feuilleté une revue pour m'occuper – j'ai hérité de la peur qu'éprouve toujours maman à l'idée de paraître « désœuvrée » –, tout en notant qu'elle était datée du mois suivant. J'ai repensé à ton rire devant la manie des magazines de mode de voyager ainsi dans le temps. Selon toi, la date sur la couverture aurait dû à elle seule alerter les gens sur les absurdités contenues à l'intérieur.

Ce bavardage mental témoignait bien sûr de ma nervosité face à l'énorme enjeu de mon rendez-vous. C'était à cause du docteur Nichols que la police était convaincue que tu souffrais de psychose post-partum. C'était à cause de lui qu'ils croyaient à l'hypothèse de ton suicide. C'était à cause de lui que personne ne cherchait ton meurtrier.

La réceptionniste m'a jeté un coup d'œil.

— À quelle heure avez-vous dit que vous aviez rendez-vous ?

— 14 h 30.

— Vous avez de la chance que le docteur Nichols se soit arrangé pour vous recevoir.

— Je suis sûre que le prix de la consultation en sera d'autant plus élevé.

Je me préparais à une confrontation un peu plus houleuse, mais elle a juste paru irritée.

— Vous avez rempli le formulaire ?

Je le lui ai rendu vierge à l'exception du numéro de ma carte bancaire.

— Il manque la partie sur vos antécédents médicaux, a-t-elle fait remarquer avec mépris.

J'ai songé aux gens qui venaient ici, déprimés, angoissés, ceux qui perdaient prise avec la réalité et tombaient dans le gouffre de la folie. Fragiles, vulnérables, ils auraient dû avoir droit à un minimum d'égards de la part de la première personne à qui ils étaient obligés de s'adresser.

— Je ne suis pas ici pour une consultation médicale.

Elle n'a pas voulu montrer sa curiosité, ou peut-être a-t-elle cru que je n'étais qu'une folledingue de plus qui ne méritait pas qu'elle s'y intéresse.

— Je suis ici parce que ma sœur a été assassinée et que le docteur Nichols était son psychiatre.

Un bref instant, elle m'a prêté attention. Seulement j'avais les cheveux gras (faire l'impasse sur les shampooings est l'une des conséquences immédiates de la douleur), des cernes sous les yeux et je n'étais pas maquillée. Tous ces détails pouvaient passer pour des preuves de déséquilibre mental, et je me suis demandé si c'était ce qui t'était arrivé. Les signes physiques de ta peur ont-ils été perçus comme de la folie ?

Après qu'elle a rangé mon formulaire sans un mot, j'ai continué à attendre en me rappelant les mails que nous avions échangés lorsque je t'avais annoncé un jour que j'envisageais de consulter un psychothérapeute.

De : tesshemming@hotmail.co.uk
À : iPhone de Beatrice Hemming
Un psy ?! Mais pourquoi veux-tu en voir un, Bea ? Si tu as envie de parler de quelque chose, pourquoi ne pas t'adresser à moi ou à l'une de tes amies ?
Gros bisous
T.

De : iPhone de Beatrice Hemming
À : tesshemming@hotmail.co.uk
J'ai simplement pensé que ce serait intéressant, voire enrichissant, de le faire. Cela n'a rien à voir avec parler à une amie.
Lol
Bea
PS : les psys ne sont pas des charlatans, tu sais.

De : tesshemming@hotmail.co.uk
À : iPhone de Beatrice Hemming
Me parler à moi ne te coûterait rien, je ne me soucierais que de ton bien-être et je ne me limiterais pas à une séance d'une heure.
Gros bisous
T.
PS : Les psys ressemblent au cycle à 90° des lave-linge. Ils font rétrécir la personnalité des gens jusqu'à ce qu'elle puisse entrer dans une case définie par un manuel.

De : iPhone de Beatrice Hemming
À : tesshemming@hotmail.co.uk
Ils suivent une longue formation. Un psychiatre (et non un psychologue) est un médecin qualifié qui choisit ensuite de se spécialiser. Tu ne dirais pas qu'ils ressemblent à des lave-linge si tu étais maniaco-dépressive, ou démente, ou schizophrène, n'est-ce pas ?
Lol
Bea

De : tesshemming@hotmail.co.uk
À : iPhone de Beatrice Hemming
C'est vrai. Mais tu n'es rien de tout ça.
Biz
T.

PS : Je vais le crier un peu plus fort au cas où tu serais trop maniaco-dépressive, ou démente, ou schizophrène pour m'entendre.

De : iPhone de Beatrice Hemming
À : tesshemming@hotmail.co.uk
Je ne parlais pas seulement des maladies mentales les plus sévères. Les simples blessés de la vie ont parfois besoin de l'aide d'un professionnel eux aussi.
Lol
Bea

De : tesshemming@hotmail.co.uk
À : iPhone de Beatrice Hemming
Bea, je suis désolée. Peux-tu me dire ce qu'il y a ?
Énormes bisous
T.

De : iPhone de Beatrice Hemming
À : tesshemming@hotmail.co.uk
Il faut que je file, j'ai une réunion très importante.
À +
Bises
Bea

De : tesshemming@hotmail.co.uk
À : iPhone de Beatrice Hemming
Et moi, je suis censée servir les clients, pas t'envoyer des mails depuis l'ordinateur de Bettina. La table 4 attend

toujours son fromage, mais je ne bougerai pas tant que tu ne m'auras pas répondu.

Biz

T.

De: tesshemming@hotmail.co.uk

À: iPhone de Beatrice Hemming

La table 4 est repartie sans avoir eu son fromage.

Sois cool pour cette fois, tu veux? Tu vois, mon langage se relâche, c'est te dire si j'ai désespérément besoin que tu me pardonnes...

Bisous

T.

De: tesshemming@hotmail.co.uk

À: iPhone de Beatrice Hemming

J'ai fini mon service, belle Bea, et je suis toujours devant l'ordi de Bettina, alors réponds-moi dès que tu liras mon message, tu veux? S'il te plaît?

Bisouuuus

T.

De: iPhone de Beatrice Hemming

À: tesshemming@hotmail.co.uk

Je ne t'évitais pas, j'assistais juste à une réunion qui s'est éternisée. Il n'y a rien à lire entre les lignes au sujet de cette histoire de psy. Quand on vit à New York, on fait comme les New-Yorkais, voilà tout... Il doit être plus de minuit à Londres, alors rentre chez toi et dors un peu.

Lol

Bea

De: tesshemming@hotmail.co.uk

À: iPhone de Beatrice Hemming

Si tu ne veux pas te confier à moi, ce n'est pas grave. Je suppose que ça a un rapport avec Leo ? Ou papa ?

Lol

T.

La réceptionniste a levé les yeux de son bureau.

— Le docteur Nichols peut vous recevoir maintenant.

En me dirigeant vers sa salle de consultation, je me suis rappelée notre conversation téléphonique ce soir-là (à 2 heures du matin, pour toi). Je ne t'ai pas exposé les raisons pour lesquelles je voulais voir un psychiatre, mais tu m'as expliqué pourquoi tu le jugeais inutile.

— Notre esprit représente qui nous sommes. C'est le siège de nos sentiments, de nos pensées, de nos croyances. Le siège de l'amour, de la haine, de la foi, de la passion et de la poésie aussi.

Ton sérieux commençait à me gêner un peu, mais tu as continué :

— Comment quelqu'un peut-il espérer soigner l'esprit d'une autre personne à moins d'être également un théologien, un philosophe et un poète ?

J'ai ouvert la porte du docteur Nichols et je suis entrée.

Il devait être vêtu d'une blouse blanche quand tu l'as vu au dispensaire, mais dans son cabinet privé il portait un pantalon de velours usé et un vieux pull en laine qui lui donnaient un côté négligé comparé au papier peint rayé de style Régence. Je l'aurais dit proche de la quarantaine – pas toi ?

L'apitoiement se lisait sur son visage chiffonné quand il s'est levé de son fauteuil – du moins me semble-t-il.

— Mademoiselle Hemming ? Je suis vraiment désolé pour votre sœur.

Un bruit sourd résonnait sous son bureau et j'ai vu une vieille chienne labrador qui chassait je ne sais quoi dans son sommeil en remuant la queue par terre. J'ai pris conscience alors seulement de la légère odeur de chien qui régnait là – et que je préférais à celle des lis dans la salle d'attente. J'ai imaginé la réceptionniste accourir entre deux patients avec une bombe désodorisante.

— Asseyez-vous, je vous en prie, a dit le docteur Nichols.

Ce faisant, j'ai aperçu la photo d'une petite fille en fauteuil roulant exposée bien en évidence, et cette fierté paternelle sans réserve m'a rendu l'homme sympathique.

— En quoi puis-je vous aider ?

— Tess vous a-t-elle dit qui lui faisait peur ?

Visiblement pris au dépourvu par ma question, il a secoué la tête.

— Mais elle vous a bien parlé des appels menaçants qu'elle recevait ?

— Des appels perturbants, oui.

— A-t-elle précisé qui en était à l'origine ? Ou ce que cette personne lui disait ?

— Non. Elle répugnait à les évoquer et je ne crois pas qu'il aurait été utile d'insister. Sur le moment, j'ai supposé qu'il s'agissait d'un démarchage téléphonique, ou peut-être d'un faux numéro, et qu'elle se sentait harcelée en raison de son état dépressif.

— C'est ce que vous lui avez dit ?

— Je lui ai suggéré que c'était peut-être le cas, oui.

— Et elle a pleuré ?

Il paraît surpris que je sois au courant, mais je te connais depuis toujours. À quatre ans, même quand tu avais les genoux égratignés et le nez qui saignait, tu ne pleurais jamais – sauf si quelqu'un refusait à tort de te croire. Tes larmes exprimaient alors ton indignation outragée.

— Vous dites que vous avez pensé sur le moment à un démarchage téléphonique ou à un faux numéro ?

— Oui. Plus tard, je me suis rendu compte que Tess n'était pas dépressive, comme je l'avais d'abord cru, mais qu'elle souffrait de psychose puerpérale, autrement connue sous le nom de psychose post-partum.

J'ai hoché la tête. J'avais étudié le sujet et je savais que la psychose puerpérale ne s'appliquait qu'aux six semaines suivant l'accouchement.

— Bref, a continué le docteur Nichols, quand j'ai compris ça, j'ai aussi compris que ces appels étaient très probablement des hallucinations auditives. En langage profane, elle « entendait des voix » – et, en ce qui la concernait, la sonnerie du téléphone aussi.

— Vous avez changé votre diagnostic après qu'elle a été retrouvée morte, n'est-ce pas ?

L'émotion a brièvement durci ses traits, et quelques instants se sont écoulés avant qu'il ne me réponde.

— Oui. Il ne serait peut-être pas inutile que je vous donne plus de détails sur la psychose puerpérale. Les symptômes incluent la paranoïa, les illusions et les hallucinations. Les conséquences, hélas, se traduisent par un risque très accru d'infanticide et de suicide.

Ça aussi, mes recherches me l'avaient déjà appris.

— J'aimerais éclaircir un point, ai-je dit. C'est après qu'elle est morte que vous avez changé d'avis et que vous avez diagnostiqué une psychose. Et c'est seulement à partir de là que ces appels sont devenus pour vous des « hallucinations auditives » ?

— Oui, parce que les hallucinations sont une des manifestations de cette maladie.

— Tess ne souffrait pas de psychose puerpérale, post-partum ou autre.

Il a tenté en vain de m'interrompre.

— Combien de fois avez-vous vu ma sœur ? ai-je poursuivi.

— La psychiatrie ne repose pas sur une connaissance intime de la personne, contrairement à l'amitié ou aux liens familiaux. De même, dans les cas les plus graves, elle n'a rien à voir avec la relation à long terme entre un psychothérapeute et ses patients. Un psychiatre est formé pour reconnaître les symptômes des maladies mentales.

Je ne sais pas pourquoi, mais je le voyais bien répéter ce discours à l'avance devant son miroir. J'ai répété ma question :

— Combien de fois ?

— Juste une, a-t-il répondu en fuyant mon regard. À cause de la mort de son bébé, elle m'a été adressée automatiquement, mais elle a demandé à sortir de l'hôpital presque aussitôt après l'accouchement et je n'ai pas pu la voir à la maternité. On lui a donné un rendez-vous prioritaire deux jours plus tard.

— Elle était soignée dans le cadre du service public et gratuit ?

— Oui.

— Les gens comme elle doivent patienter quatre mois pour obtenir une consultation avec vous. C'est pour ça que je vous paie.

— Tess était une urgence. Tous les cas potentiels de dépression ou de psychose post-partum sont traités sur-le-champ.

— « Traités » ?

— Je suis désolé. Je voulais dire par là que les personnes concernées passent devant tout le monde.

— Combien de temps durent vos consultations ?

— J'aimerais qu'elles soient plus longues, mais…

— Avec une liste d'attente de quatre mois, vous devez être constamment sous pression ?

— Je passe autant de temps que possible avec chaque patient.

— Mais ce n'est pas assez.

Il s'est tu.

— Non, en effet, a-t-il enfin avoué.

— La psychose puerpérale est une urgence psychiatrique grave, n'est-ce pas ?

Je crois l'avoir vu ciller. Il ne devait pas s'attendre à ce que je sache ce genre de chose, mais j'avais bien fait mes devoirs.

— Oui, c'est exact.

— Une urgence qui nécessite une hospitalisation ?

Les bras bien serrés contre son corps, les jambes un peu écartées, il contrôlait rigoureusement son langage corporel. Malgré tout, je sentais qu'il était sur la défensive.

— Beaucoup de psychiatres auraient interprété les symptômes de Tess de la même façon, en y voyant les signes d'une dépression et non pas d'une psychose, a-t-il dit en baissant machinalement la main pour caresser les douces oreilles de son labrador, comme s'il avait besoin de réconfort. Il est bien plus difficile de poser un diagnostic en psychiatrie que dans les autres branches de la médecine. Il n'y a pas de radios ni de tests sanguins pour nous aider. Et je n'avais pas accès à son dossier médical, de sorte que j'ignorais s'il y avait des antécédents de troubles mentaux dans votre famille.

— Il n'y en a aucun. Quand avez-vous vu Tess ?

— Le 23 janvier à 9 heures.

Il n'avait eu à consulter ni son agenda ni son ordinateur pour me répondre. Il s'était préparé à ce rendez-vous, bien sûr. Il avait probablement passé la matinée au téléphone avec son syndicat professionnel. J'ai pourtant perçu une pointe d'émotion en lui et je me suis demandé s'il craignait pour lui-même ou s'il éprouvait une peine sincère pour toi.

— C'est-à-dire le jour où elle est morte ?

— Oui.

— Donc, le matin même de sa mort, vous pensiez qu'elle souffrait d'une dépression, pas d'une psychose ?

Incapable de cacher plus longtemps sa gêne, il a croisé les jambes avec l'air de se recroqueviller sur lui-même.

— Sur le moment, je n'ai décelé en elle aucun signe révélateur d'une psychose. Et rien n'indiquait qu'elle envisageait de s'en prendre à elle-même ou de mettre fin à ses jours.

J'aurais voulu crier qu'évidemment rien ne pouvait le laisser deviner, parce que tu n'avais pas mis fin à tes jours. Quelqu'un l'avait fait brutalement pour toi. J'ai entendu ma voix résonner au loin, tout bas, face aux cris qui enflaient dans ma tête :

— Par conséquent, c'est sa mort qui a modifié votre diagnostic ?

Il n'a pas répondu. Son visage chiffonné et son pantalon de velours avaient perdu leur côté dépenaillé et attendrissant à mes yeux. Désormais, le docteur Nichols me paraissait juste extrêmement négligent.

— Votre erreur n'a pas été de diagnostiquer une dépression au lieu d'une psychose, ai-je continué sans le laisser m'interrompre. Elle a été de ne pas envisager une seule fois que Tess puisse dire la vérité.

Il a essayé de nouveau de me couper la parole. Avait-il agi de même avec toi quand tu as voulu lui expliquer ce qui t'arrivait ? Je croyais que les psychiatres étaient censés écouter leurs patients, mais sans doute un court rendez-vous accordé en urgence dans un dispensaire public, et probablement casé tant bien que mal au milieu d'un emploi du temps déjà serré, ne laisse-t-il pas la possibilité de le faire.

— Vous ne vous êtes jamais dit que ces appels menaçants étaient peut-être réels, tout comme l'était l'homme qui l'a suivie dans le parc ce jour-là et qui l'a assassinée ?

— Tess n'a pas été assassinée !

J'ai trouvé étrange une telle véhémence. Après tout, un meurtre aurait signifié qu'il n'avait pas commis d'erreur de diagnostic. Il a marqué une pause, puis, avec l'air d'éprouver une douleur physique à prononcer ces mots, il a articulé péniblement :

— Tess entendait des voix, je vous le répète. Nous pouvons ne pas interpréter ça de la même façon si vous voulez, mais elle avait aussi des hallucinations visuelles. Au début, j'ai pensé à des cauchemars vivaces, ce qui est fréquent chez les personnes dépressives et affectées par la perte d'un être cher. J'ai cependant relu mes notes depuis et la vérité m'est apparue évidente.

L'émotion que j'avais sentie chez lui un peu plus tôt se lisait à présent sur son visage.

— Or les hallucinations visuelles sont le signe manifeste d'une psychose aiguë, a-t-il conclu.

— Quelles étaient ces « hallucinations » ?

— Je dois respecter le secret médical.

Comme c'était curieux. Cette obligation de confidentialité ne l'avait pas empêché de parler jusque-là. Y avait-il une raison à cela ou était-ce juste un nouvel exemple de son incompétence ?

— Je lui ai demandé de peindre ce qu'elle voyait, a-t-il finalement ajouté avec douceur. Je pensais que ça l'aiderait. Peut-être retrouverez-vous un tableau chez elle.

La secrétaire est entrée. La consultation était terminée, mais je n'ai pas bougé.

— Il faut que vous alliez voir la police pour leur dire que vous avez des doutes sur cette histoire de psychose puerpérale.

— Mais je n'en ai aucun ! Les symptômes étaient là, je vous l'ai expliqué, et je ne les ai pas vus.

— Vous êtes responsable de sa mort, et vous pourriez l'être aussi de l'impunité de son assassin. À cause de votre diagnostic, personne n'enquête sur lui.

— Beatrice...

C'était la première fois qu'il m'appelait par mon prénom. La cloche avait sonné, l'école était finie et il pouvait maintenant jouer sur le registre de l'intimité. Il s'est levé – mais pas moi.

— Je suis désolé, je ne peux rien faire de plus pour vous. Il m'est impossible de modifier mon jugement professionnel juste pour vous faire plaisir et parce que ça cadrerait avec un scénario que vous avez bâti autour de la mort de votre sœur. J'ai commis une erreur, une terrible erreur. Et je dois maintenant vivre avec.

La culpabilité suintait dans son discours, mince filet qui allait grossissant. On aurait dit que c'était un soulagement pour lui de la laisser enfin s'exprimer.

— Le fait est que la psychose puerpérale d'une jeune femme n'a pas été diagnostiquée et que je dois assumer ma part de responsabilité dans sa mort.

Ironie du sort, il est plus difficile d'argumenter avec quelqu'un d'honnête qu'avec une personne soucieuse uniquement de ses intérêts. Un haut degré de moralité, si inconfortable soit-il, vous rend inattaquable.

J'ai presque fini de raconter à M. Wright mon entrevue avec le docteur Nichols. Dehors, derrière la fenêtre ouverte, une pluie printanière cueille le parfum de l'herbe et des arbres avant de tomber sur le bitume des trottoirs. Je perçois rien qu'à l'odeur de l'air le léger fléchissement de la température.

— Il me semblait qu'il croyait avoir fait une terrible erreur et qu'il était sincèrement consterné.

— Vous lui avez demandé d'aller parler à la police ?

— Oui, mais il a refusé. Il était certain que Tess souffrait de psychose puerpérale.

— Même si ça renvoyait une mauvaise image de lui sur le plan professionnel ?

— Oui. Moi aussi, j'ai trouvé ça bizarre. Mais je l'ai expliqué par un courage moral mal placé. Convenir avec moi que Tess avait été assassinée aurait été la solution la plus lâche. En partant, j'étais convaincue d'avoir eu affaire à un homme bien qui se doublait d'un psychiatre catastrophique.

C'est l'heure du déjeuner et nous nous arrêtons là. M. Wright ayant un rendez-vous, je sors seule du CPS. Il pleut toujours.

Je n'ai jamais répondu à ton mail et je ne t'ai jamais non plus avoué la vraie raison pour laquelle j'ai vu un thérapeute. Parce que j'y suis allée, au bout du compte. C'était six semaines après que Todd et moi nous nous sommes fiancés. J'avais supposé que le mariage remédierait à mon manque d'assurance, mais avoir une bague de fiançailles autour de mon doigt ne m'a pas procuré la prise nouvelle que j'espérais sur la vie. J'ai consulté le docteur Wong, une femme très intelligente et empathique qui m'a fait comprendre qu'en ayant vécu le départ de papa et la mort de Leo en l'espace de quelques mois, il n'était pas surprenant que je me sente abandonnée, et par conséquent peu sûre de moi. Tu avais raison au sujet de ces deux blessures. Mais c'est le fait d'avoir été mise en internat la même année qui m'est apparu comme l'abandon final.

Au fil des séances, j'ai saisi que maman, loin de me rejeter, avait en réalité essayé de me protéger. Tu étais si jeune encore qu'elle pouvait te cacher sa douleur, mais ç'aurait été bien plus difficile avec moi. L'ironie voulait que ce soit pour me tranquilliser qu'elle m'a envoyée en pension.

Avec l'aide du docteur Wong, j'ai ainsi fini par avoir une meilleure connaissance de moi-même – et aussi de maman –, et mes critiques faciles se sont transformées en compréhension durement acquise.

Le problème était que cette prise de conscience ne m'a pas aidée à réparer les dégâts. Quelque chose en moi avait été cassé, et j'avais beau savoir à présent que cela était parti d'une bonne intention, le résultat était là. C'est comme un bibelot : il n'est pas nécessaire de le jeter délibérément par terre pour le briser, il suffit de le heurter par mégarde en faisant la poussière.

Tu vois donc pourquoi je n'ai pas partagé ton scepticisme au sujet des psychiatres, même si je reconnais qu'il leur faut une sensibilité artistique en plus de leur savoir scientifique (le docteur Wong avait obtenu un diplôme en littérature comparée avant de se lancer dans la médecine), et qu'un bon praticien incarne la version moderne de l'homme de la Renaissance. En même temps que je te dis ça, je me demande si mon respect et ma gratitude envers ma propre psychiatre n'ont pas influé sur mon opinion vis-à-vis du docteur Nichols, et si ce n'est pas pour cette raison que j'ai eu l'impression d'avoir affaire à quelqu'un de vraiment bien.

Je regagne les locaux du CPS avant M. Wright, qui arrive en courant cinq minutes plus tard, l'air ennuyé. Peut-être son rendez-vous s'est-il mal passé. Cela devait avoir un rapport avec toi – ton histoire est si énorme que des députés appellent à une enquête officielle. Une lourde responsabilité pèse de ce fait sur les épaules de l'avocat, mais il ne laisse rien paraître de la pression qu'il doit subir et il ne la reporte pas non plus sur moi, ce dont je lui suis reconnaissante.

Il met en route son magnétophone et nous reprenons :

— Quand avez-vous trouvé les tableaux ?

Il n'a pas besoin de préciser lesquels. Nous le savons tous les deux.

— Sitôt rentrée à l'appartement, je les ai cherchés dans la chambre. À part son lit, Tess avait déplacé tous ses meubles. Même son armoire était dans le salon – où elle faisait ridicule, d'ailleurs.

Pourquoi préciser ça ? Peut-être parce que, si tu dois être une victime, je veux lui montrer que tu es une victime avec des petites manies, dont certaines avaient le don d'agacer ta grande sœur.

— Il y avait entre quarante et cinquante toiles adossées au mur. La plupart étaient des peintures à l'huile, certaines sur panneaux de bois épais. S'y ajoutaient quelques collages. Toutes ces œuvres étaient très grandes et il m'a fallu un moment pour les passer en revue. Je ne voulais pas les abîmer.

Elles étaient d'une beauté stupéfiante aussi. Te l'ai-je déjà dit, ou me faisais-je tout simplement trop de souci à l'idée que tu ne puisses pas gagner ta vie en peignant? Je connais la réponse. Je craignais que les gens ne veuillent pas de grandes toiles dont les couleurs ne se marieraient pas avec leur intérieur. Je craignais que la couche si épaisse de peinture ne s'effrite et n'abîme leur tapis, leur faisant perdre de vue que tu avais réussi à rendre la couleur tactile.

— J'ai mis environ une demi-heure à retrouver les tableaux dont le docteur Nichols avait parlé.

M. Wright n'a vu que les quatre peintures «hallucinatoires», pas les autres, mais je crois que c'est le contraste avec ces dernières qui m'a le plus choquée.

— Ce qu'elle peignait d'habitude était si…

Ah, autant y aller franchement.

— Joyeux. Beau. On aurait dit des explosions de vie, de lumière et de couleurs.

Pour tes quatre dernières toiles, en revanche, tu avais utilisé la palette des nihilistes, le spectre des noirs et des marrons, Pantone 4625 à 4715, en créant un effet qui forçait le spectateur à reculer. Je n'ai pas besoin d'expliquer ça à M. Wright – il a les photos dans son dossier et je les entrevois de mon siège. Même à l'envers, et reproduits en plus petit, tes tableaux me perturbent toujours autant, si bien que je dois détourner le regard.

— Ils étaient à l'arrière d'une grosse série et la peinture de l'un d'eux avait taché le dos du tableau suivant. J'ai supposé que Tess les avait placés là à la hâte avant qu'ils n'aient eu le temps de sécher correctement.

Est-ce pour pouvoir dormir que tu as caché le visage de cette femme hurlante, à la bouche semblable à une plaie béante ? Ou est-ce cet homme masqué et menaçant, tapi dans l'ombre, qui t'a perturbée aussi violemment que moi ?

— Selon Todd, ces toiles prouvaient que Tess souffrait de psychose.

— Todd ?

— Mon fiancé à ce moment-là.

M. Wright jette un œil à mon annulaire dépourvu d'alliance. Comme sur un signal, la secrétaire énamourée entre avec un sandwich. À l'évidence, déjeuner ne figurait pas au programme de l'avocat ce midi et elle a pensé à lui.

— Merci, Stephanie, dit-il avec un grand sourire.

Soudain, tout devient flou. La voix de M. Wright me parvient à travers un brouillard.

— Vous allez bien ?

— Oui.

Sauf que la pièce est plongée dans le noir. J'entends, mais ne vois plus rien. Ça m'est déjà arrivé durant le déjeuner avec maman hier. Je l'avais mis sur le compte du vin, seulement je n'ai pas de bouc émissaire aujourd'hui. Je sais que je dois garder mon calme si je veux que l'obscurité se dissipe, alors je continue mon récit en m'obligeant à me remémorer les événements. Dans le noir, tes peintures aux teintes mornes se détachent, éclatantes.

Je pleurais quand Todd est rentré. Mes larmes tombaient et glissaient sur les tableaux en se transformant en gouttes d'un noir d'encre et d'un marron boueux. Il a passé un bras autour de moi.

— Ce n'est pas Tess qui a peint ça, chérie.

Pendant un moment, j'ai repris espoir. Oui, c'était quelqu'un d'autre qui avait mis les toiles là, quelqu'un d'autre aussi qui avait éprouvé ces émotions.

— Elle n'était plus elle-même, a continué Todd. Elle n'était plus la sœur que tu connaissais. C'est l'effet produit par la folie : elle prive les gens de leur identité.

Je lui en ai voulu de s'imaginer qu'il maîtrisait le sujet. Comme si ses quelques séances avec un thérapeute lorsqu'il avait treize ans pour « surmonter » le divorce de ses parents avaient fait de lui un expert.

Je me suis concentrée de nouveau sur les tableaux. Pourquoi les avais-tu peints, Tess ? Pour faire passer un message ? Et pourquoi les avais-tu cachés ? Todd n'a pas compris que mon silence était lourd d'un bavardage intérieur impérieux.

— Il faut bien dire les choses comme elles sont.

Il se montrait si beauf tout à coup. À croire que s'entêter dans son erreur était un signe de virilité. Cette fois, il a senti ma colère.

— Je suis désolé. Le mot « folie » est peut-être trop brut pour décrire son état.

J'ai gardé le silence, mais j'étais alors en furieux désaccord avec lui. « Psychotique » me paraissait bien pire que « folle », parce que j'estimais qu'on ne pouvait pas l'être à la manière d'un chapelier fou ou d'un lièvre de mars. Il n'y a pas de représentations joyeuses et légères des psychotiques. De même, le roi Lear ne l'était pas quand il a découvert de grandes vérités au milieu de ses délires. Pour moi, la folie s'appréhendait comme une émotion éprouvée à un niveau intense et perturbant, une émotion respectable même pour son honorable pedigree littéraire. La psychose en revanche allait bien au-delà. Elle, on la redoute et on la fuit.

Aujourd'hui, pourtant, je crains la folie plus que je ne m'intéresse à son pedigree littéraire. Et je m'aperçois que ma précédente opinion était celle d'une personne non concernée par le problème. « Fais que je ne devienne pas fou, pas fou, ô ciel clément[1] ! » La perte de la raison, la perte de soi, génère en effet une terreur désespérante quelle que soit l'étiquette que l'on souhaite lui accoler.

J'ai inventé une excuse pour sortir et Todd a eu l'air déçu. Il devait penser que ces tableaux mettraient un terme à mon « refus de voir la vérité en face ». C'était l'expression qu'il employait dans les discussions téléphoniques qu'il menait d'une voix basse et inquiète avec nos amis communs à New York, quand il croyait que je ne l'entendais pas. Et même avec mon patron. De son point de vue, tes peintures

---

1. *Le Roi Lear*, I, 5. Trad. de Gilles Monsarrat. *In* William Shakespeare, *Œuvres complètes*, Tragédies II. Robert Laffont, 1995. (*N.d.T.*)

allaient m'obliger à affronter la réalité. Celle-ci était là, devant moi, représentée quatre fois sous la forme d'une femme hurlante et d'un homme-monstre. Des images psychotiques, effrayantes, infernales. Que me fallait-il de plus ? J'allais forcément accepter l'idée de ton suicide après ça et aller de l'avant. Il était possible de tourner la page. De continuer à vivre nos vies. Les clichés à valeur de soutien psychologique pouvaient devenir réalité.

Dehors, il faisait nuit et l'air était glacial. Le début du mois de février n'est pas une bonne période pour sortir constamment en faisant la tête. J'ai cherché une fois de plus mon gant dans ma poche. Si j'avais été un rat de laboratoire, j'aurais fait un piètre spécimen en matière d'apprentissage de schémas et de punitions. Puis je me suis demandé si glisser sur les marches serait pire que d'agripper à main nue une rampe en fer forgé couverte de neige. J'ai décidé que oui, et j'ai grimacé en serrant le métal froid entre mes doigts.

Je savais que je n'avais pas le droit d'en vouloir à Todd, parce que si les rôles avaient été inversés j'aurais voulu moi aussi qu'il redevienne la personne que je croyais connaître – quelqu'un de sensé et de posé, qui respectait l'autorité et ne faisait pas de scandale inutile. Mais je pense que tu es ravie que j'aie contredit des policiers et interpellé des hommes adultes sur le pas de leur porte et dans leur appartement, au mépris de toute autorité justement – et cela grâce à toi.

Je marchais seule dans les rues verglacées quand je me suis rendu compte que Todd ne me connaissait pas du tout, en réalité. Pas plus que moi, je ne le connaissais. Notre relation était faite d'échanges de menus propos. Nous n'étions jamais restés éveillés longuement la nuit en espérant unir nos esprits dans une conversation physique nocturne. Nous ne nous regardions pas dans les yeux parce que si ces derniers sont une fenêtre sur l'âme, il serait un peu impoli et gênant de fixer ainsi l'autre. Nous nous étions forgé une relation semblable à une rocade, contournant les émotions vives et les sentiments complexes, de sorte que nos personnalités nous étaient étrangères.

Il faisait trop froid pour continuer à marcher dehors, aussi suis-je rentrée. En atteignant le sommet des marches, je me suis heurtée à quelqu'un dans le noir et j'ai sursauté d'effroi, avant de constater que c'était Amias. Je crois qu'il était aussi surpris que moi de cette rencontre.

— Amias ?

— Je suis désolé. Je vous ai fait peur ? Attendez…

Il a tendu une lampe torche pour que je voie où je posais les pieds, et j'ai remarqué qu'il portait un sac de terre.

— Merci.

L'idée m'a soudain traversé l'esprit que je logeais chez lui.

— Je devrais vous payer quelque chose pour l'appartement.

— Pas du tout. De toute façon, Tess avait déjà réglé le loyer du mois prochain.

Il a dû deviner que j'en doutais parce qu'il a ajouté :

— Je lui demandais de me payer avec ses tableaux. Comme Picasso quand il allait au restaurant. Elle a peint ceux de février et de mars en avance.

Je pensais jusqu'alors que tu passais du temps avec lui parce qu'il incarnait un autre chat errant à tes yeux, mais il a un charme rare, n'est-ce pas ? Un charme masculin et très classe, sans être sexiste ou snob. Il m'évoquait des images en noir et blanc de trains à vapeur, de chapeaux en feutre et de femmes en robes à fleurs.

— J'ai peur que ce logement ne soit pas le plus salubre qui soit, a-t-il continué. J'ai proposé à Tess de le moderniser, mais elle a dit qu'il avait du caractère.

J'ai eu honte de moi et de mon agacement devant le manque d'appareils modernes dans la cuisine, devant l'état de la salle de bains et les fenêtres qui laissaient passer les courants d'air.

Mes yeux s'habituant un peu plus à l'obscurité, j'ai vu qu'Amias avait repiqué des plantes dans les pots devant chez toi. Ses mains nues étaient pleines de terre.

— Tess venait me voir tous les jeudis, a-t-il dit. Parfois juste pour boire un verre, parfois pour dîner. Il devait pourtant y avoir des tas d'autres choses qu'elle aurait préféré faire.

— Elle vous aimait bien.

J'avais fini par comprendre que c'était vrai. Tu as toujours eu des amis, des vrais amis, de générations différentes. J'avais imaginé que tu inverserais la tendance en vieillissant. Que tu serais un jour une octogénaire bavardant avec des gens bien plus jeunes que toi. Amias n'était pas du tout embarrassé par mon silence. Attentionné, il a même semblé attendre que je ne sois plus plongée dans mes réflexions avant de déclarer :

— La police ne m'a pas prêté beaucoup attention quand j'ai signalé sa disparition. Jusqu'à ce que je leur parle des appels qu'elle recevait. Là, ils en ont fait tout un plat.

Il s'est tourné vers ses pots et j'ai essayé d'avoir la courtoisie de le laisser suivre lui aussi le fil de ses pensées jusqu'au bout.

— Tess vous a-t-elle donné des détails sur ces coups de fil ? ai-je demandé ensuite.

— Elle m'a juste dit qu'elle recevait des appels vicieux. Et elle ne m'a prévenu que parce qu'elle avait débranché son téléphone et qu'elle craignait que je n'aie besoin de la joindre. Elle avait un portable, mais je crois qu'elle l'a perdu.

— « Vicieux » ? C'est le mot qu'elle a employé ?

— Oui. Du moins, il me semble. Ce qu'il y a de terrible avec la vieillesse, c'est qu'on ne peut plus se fier à ses souvenirs. Tess a pleuré, aussi. Elle voulait se retenir, mais elle n'a pas pu.

Il s'est tu un instant en essayant de garder son calme.

— Je lui ai conseillé d'aller voir la police.

— Son psychiatre a expliqué aux inspecteurs que ces appels n'existaient que dans son imagination.

— C'est ce qu'il a raconté à Tess aussi ?

— Oui.

— Pauvre Tessie. C'est dur de ne pas être cru.

Tessie. Je n'avais entendu personne t'appeler ainsi depuis le départ de papa.

— En effet.

Amias m'a refait face.

— J'ai entendu le téléphone sonner. Je l'ai dit à la police, mais je ne pouvais pas jurer que c'était l'un de ces appels malveillants. C'est juste après ça que Tess m'a demandé de garder sa clé. Deux jours seulement avant sa mort.

Je lisais l'angoisse sur son visage illuminé par la lueur orange des réverbères.

— J'aurais dû insister pour qu'elle aille porter plainte.

— Ce n'est pas votre faute.

— Merci, vous êtes gentille. Comme votre sœur.

Je me suis demandé s'il fallait parler de cette clé à la police, mais cela n'aurait fait aucune différence. Ils n'y auraient vu qu'un autre exemple de ta prétendue paranoïa.

— Son psychiatre estime qu'elle était folle. Vous pensez qu'elle l'était, vous aussi, après la mort de son bébé ?

— Non. Elle était bouleversée, et très effrayée, à mon avis. Mais elle n'était pas folle.

— La police est persuadée du contraire.

— L'ont-ils jamais rencontrée ?

Il a continué à planter ses bulbes. Avec le froid qu'il faisait, ses vieilles mains à la peau fine comme du parchemin et aux articulations déformées par l'arthrose devaient le faire souffrir. Sans doute était-ce sa manière de gérer la douleur. En plantant des bulbes à l'air mort qui fleuriraient par miracle au printemps. Je me suis rappelé tout le temps que maman et toi aviez passé dans le jardin après la mort de Leo. Le rapport entre les deux venait seulement de m'apparaître.

— Ce sont des King Alfred, a dit Amias. C'était sa variété préférée de jonquilles, parce qu'elles sont d'un jaune si intense. On est censé les planter à l'automne, mais elles poussent en six semaines, alors elles devraient avoir le temps de fleurir ce printemps.

Même moi, cependant, je savais qu'on ne devait pas planter des fleurs dans une terre gelée. J'ignore pourquoi, mais l'idée que les bulbes d'Amias ne fleuriraient jamais m'a rendue furieuse.

Au cas où tu te poserais la question, oui, j'ai même suspecté ton propriétaire au début. J'ai suspecté tout le monde. Mais en le voyant planter ces fleurs pour toi, mes derniers soupçons m'ont semblé absurdes. Je m'en veux aujourd'hui de les avoir nourris.

Amias m'a souri.

— Tess m'a dit que les scientifiques avaient introduit un gène de la jonquille dans un plant de riz pour produire du riz à la vitamine A. Vous vous rendez compte ?

Tu me l'avais raconté, à moi aussi.

— C'est la vitamine A présente dans les jonquilles qui leur donne cette couleur jaune. C'est incroyable, hein ?

— Oui, j'imagine.

J'essayais de me concentrer sur les propositions de mon équipe de designers pour le nouveau logo d'une société spécialisée dans la distribution du pétrole et j'étais contrariée qu'ils aient choisi un Pantone 683 déjà utilisé par une firme concurrente. Mais toi, tu ignorais que j'avais la tête ailleurs.

— Des milliers d'enfants devenaient aveugles à cause d'une carence en vitamine A. Maintenant, avec ce nouveau riz, ils n'auront plus de problème.

L'espace d'un instant, j'ai oublié mon logo.

—Des enfants pourront voir grâce à la couleur jaune d'une jonquille.

À mon avis, c'est le fait qu'une couleur puisse sauver la vue de quelqu'un que tu trouvais si miraculeusement approprié. J'ai souri à Amias et je crois que, à ce moment-là, nous nous sommes souvenus de toi de la même façon : en songeant à ton enthousiasme pour la vie, pour toutes ses possibilités, pour ses miracles quotidiens.

Ma vision redevient normale et l'obscurité se transforme en lumière. Je suis heureuse que le plafonnier ne puisse être éteint et que le soleil printanier entre à flots par la fenêtre grande ouverte. En face de moi, M. Wright me dévisage avec inquiétude.

—Vous êtes toute pâle.

—Je me sens bien, je vous assure.

—Nous allons en rester là pour aujourd'hui. Je dois assister à une réunion.

Peut-être est-ce la vérité, mais il est plus probable qu'il se montre seulement plein d'égards pour moi.

M. Wright sait que je suis malade et c'est sur son ordre, je pense, que sa secrétaire veille à ce que j'aie toujours de l'eau minérale. C'est sans doute aussi la raison pour laquelle il décide de clore aussitôt notre entretien. Il est assez sensible pour comprendre que je ne veux pas parler de mes problèmes physiques. Pas encore. Pas tant que cela ne sera pas nécessaire.

Tu as déjà deviné que je ne vais pas bien, n'est-ce pas ? Et tu t'es demandé pourquoi je ne t'en ai pas dit davantage. Tu as dû me trouver ridicule hier quand j'ai affirmé qu'un verre de vin au déjeuner pouvait me faire perdre connaissance. Je n'essayais pas de te leurrer, mais je ne voulais simplement pas te confier – ni m'avouer à moi-même – les faiblesses de mon corps. J'ai besoin d'être forte pour aller au bout de ce témoignage. Et il faut que j'aille jusqu'au bout.

Tu veux savoir ce dont je souffre, bien sûr, et je te le dirai lorsque le moment sera venu – ce moment où ton histoire devient aussi la mienne. En attendant, je vais essayer de ne pas trop ruminer la cause de mon mal parce que mes pensées, lâches comme elles sont, font demi-tour et fuient à son évocation.

Une musique diffusée à plein volume interrompt notre conversation à sens unique. J'arrive près de notre appartement et, à travers la fenêtre, j'aperçois Kasia qui danse sur des tubes des années soixante-dix. Elle me repère à son tour et, quelques instants plus tard, elle apparaît à la porte d'entrée et m'attrape par le bras. Sans même me laisser enlever mon manteau, elle tente de me faire danser moi aussi. C'est une habitude chez elle, à vrai dire. « Danser, très bon pour le corps », répète-t-elle. Mais aujourd'hui, j'en suis incapable, et j'invente une excuse pour m'asseoir sur le canapé et la contempler. Le visage radieux, en nage, elle rit en m'expliquant que le bébé adore ça. Elle semble totalement inconsciente des problèmes auxquels elle sera confrontée en tant que mère célibataire, polonaise et sans emploi.

Au-dessus de nous, Amias tape du pied en rythme. La première fois, j'ai cru qu'il nous demandait de baisser le son, mais il aime cette musique, en fait.

Selon lui, l'appartement était si calme avant que Kasia ne s'y installe.

Parce que celle-ci est essoufflée, je finis par la persuader d'arrêter et de manger quelque chose avec moi. Puis, pendant qu'elle regarde la télé, je donne un bol de lait à Pudding et sors dans ton jardin avec un arrosoir, en laissant la porte entrebâillée pour y voir clair. La nuit commence à tomber et il fait froid, le soleil printanier n'étant pas assez fort pour que l'air reste doux en soirée. Par-dessus la clôture, je note que les gens d'à côté utilisent leur arrière-cour pour y ranger leurs trois poubelles à roulettes. Tout en arrosant les plantes mortes et la terre nue, je me demande une fois encore pourquoi je m'obstine ainsi. Tes voisins doivent me juger ridicule. Ils n'auraient pas tort, du reste. Soudain, comme si elles étaient apparues là par un tour de passe-passe, je distingue de toutes petites pousses vertes au milieu des brindilles desséchées. Une vague d'excitation et d'étonnement monte en moi, et j'ouvre grand la porte de la cuisine, dont la lumière se déverse sur le jardin. Toutes les plantes qui étaient mortes présentent les mêmes petites pousses vert vif. Plus loin, sur le sol gris, des feuilles rouge sombre signalent l'endroit où une pivoine fleurira de nouveau dans toute sa beauté exubérante cet été.

Je comprends enfin ta passion et celle de maman pour le jardinage. C'est un miracle saisonnier. Cette vigueur, cette croissance, cette vie, ce renouveau – pas étonnant que les politiciens et les religions détournent les pousses vertes et l'imagerie du printemps à leur profit. Ce soir, moi aussi je les exploite et je me laisse aller à espérer que la mort n'est peut-être pas la fin de tout, au bout du compte. Que, quelque part, comme dans les *Chroniques de Narnia* qu'aimait tant Leo, il existe un paradis où la sorcière blanche n'est plus et où les statues s'animent. Ce soir, cela ne me semble pas tout à fait inconcevable.

9

Vendredi

Bien que je sois en retard, je me dirige lentement vers les bureaux du CPS. Il y a trois parties que je trouve particulièrement dures dans cette histoire. J'ai passé la première, à savoir la découverte de ton corps, et la seconde m'attend maintenant. Cela paraît banal, une facture, rien de plus, mais son effet a été dévastateur. Tandis que je traînasse, j'entends la voix de maman me dire qu'il est déjà 8h50 et que nous allons être en retard. *«Dépêche-toi, Beatrice!»* Tu déboules alors à toute vitesse sur ton vélo, ton sac avec tes affaires d'école accroché au guidon, les yeux pétillants de joie. Les passants te sourient lorsque tu les doubles en créant littéralement un souffle d'air frais. *«Nous n'avons pas toute la journée devant nous, Beatrice!»* Mais toi, tu savais que si, et tu vivais pleinement chaque minute.

J'atteins le bureau de M. Wright. Sans faire de commentaire sur mon arrivée tardive, il me tend un gobelet de café qu'il a dû prendre au distributeur près de l'ascenseur. J'apprécie son attention, et je sais qu'une infime partie de ma répugnance à lui raconter la suite de l'histoire s'explique par ma crainte qu'il n'ait une mauvaise opinion de moi.

Todd et moi étions assis à ta table en Formica, avec ton courrier devant nous. Je trouvais étrangement apaisant de faire le tri de tes documents administratifs. J'ai toujours dressé des listes et ta pile de lettres équivalait à une série de cases faciles à cocher. Nous avons commencé par les relances prioritaires, avant de nous attaquer aux factures moins urgentes. Comme moi, Todd est doué pour la paperasse, et tandis que nous travaillions agréablement ensemble, j'ai eu l'impression d'un lien véritable entre nous pour la première fois depuis qu'il m'avait rejointe à Londres. La raison pour laquelle nous étions en couple m'est revenue en mémoire, et aussi la manière dont les petites choses du quotidien nous unissaient l'un à l'autre. Notre relation reposait sur des détails pratiques plus que sur la passion, mais je chérissais encore ces attaches à petite échelle. À un moment, Todd est allé parler à Amias du « contrat de location ». J'ai exprimé mes doutes sur l'existence d'un tel document, mais il m'a fait remarquer, non sans raison me semble-t-il, que nous n'en saurions rien à moins de poser la question.

La porte s'est refermée derrière lui et j'ai ouvert la facture suivante. Je ne m'étais pas sentie aussi détendue depuis ta mort, au point que j'ai presque envisagé d'aller me préparer une tasse de café et de mettre la radio. Je retrouvais une once de normalité et, durant ce bref instant, j'ai pu envisager un temps sans douleur.

— J'ai sorti ma carte de crédit pour régler sa facture de téléphone. Depuis que Tess avait perdu son portable, je payais les communications de son fixe tous les mois. C'était mon cadeau d'anniversaire. Elle disait que j'étais trop généreuse, mais j'agissais aussi dans mon intérêt.

Je t'ai expliqué que je voulais être sûre que tu puisses m'appeler et me parler aussi longtemps que tu le souhaitais sans te soucier du coût de la communication. Ce que je n'ai pas précisé, c'est que je voulais être sûre aussi que ta ligne ne serait pas coupée si j'avais envie de te téléphoner.

— La facture était plus importante que les mois précédents. Comme elle était détaillée, j'ai décidé d'y jeter un œil.

Je m'exprime plus lentement, d'une voix traînante.

— J'ai vu que Tess avait essayé de me joindre sur mon portable le 21 janvier, à 13 heures – c'est-à-dire 8 heures du matin à New York. Je devais être dans le métro, en route pour mon travail. Je ne sais pas pourquoi l'opérateur a enregistré quelques secondes de connexion.

Je dois tout déballer d'une traite, sans marquer de pause, ou je ne pourrai pas recommencer.

— C'était le jour où elle a accouché de Xavier, probablement au moment où elle a ressenti les premières contractions.

Je m'interromps un court instant en évitant de regarder M. Wright en face, puis je reprends :

— Elle a retenté sa chance à 21 heures, soit 16 heures à New York.

— Huit heures plus tard, donc. Pourquoi a-t-elle attendu si longtemps ?

— Elle n'avait pas de portable, et une fois qu'elle est partie de chez elle pour aller à l'hôpital, il devait lui être difficile de m'appeler. Et puis, il n'y avait pas d'urgence. Je veux dire par là que je n'aurais de toute façon pas eu le temps de me rendre à Londres pour être avec elle au moment de l'accouchement.

Ma voix devient si faible que M. Wright est obligé de se pencher vers moi pour m'entendre.

— Elle a dû passer son deuxième appel en rentrant chez elle. Elle voulait me prévenir pour Xavier. La communication a duré douze minutes et vingt secondes.

— Qu'a-t-elle dit ?

J'ai soudain la gorge sèche, sans plus aucune salive pour poursuivre mon récit. J'avale une gorgée de café froid, mais rien n'y fait.

— Je ne lui ai pas parlé.

— Tu étais probablement sortie de ton bureau, ma chérie. Ou bien en réunion, a dit Todd lorsqu'il m'a découverte en pleurs.

Il venait de rentrer de chez Amias, stupéfait d'avoir appris que tu payais ton loyer en peignant des tableaux.

— Non, j'étais là.

J'avais regagné mon bureau après un briefing avec le service design qui avait duré plus longtemps que prévu. Je me souvenais vaguement de Trish m'annonçant que tu patientais en ligne et que mon patron voulait me voir. Je l'ai chargée de te dire que je rappellerais, et je crois même que j'ai collé un Post-it sur mon ordinateur en partant. Peut-être est-ce pour cela que j'ai oublié. Parce que je l'avais noté et que je n'avais plus besoin de m'en souvenir. Mais je n'ai aucune excuse. Absolument aucune.

—Je n'ai pas répondu à son coup de fil et j'ai oublié de la rappeler.

J'ai fait cet aveu d'une voix que la honte rendait presque inaudible.

—Le bébé est arrivé trois semaines avant terme. Tu ne pouvais pas deviner ce qui se passait.

Si, j'aurais dû.

—Et le 21 janvier, c'est le jour où tu as reçu ta promotion, a ajouté Todd. Tu avais forcément d'autres choses en tête.

Il m'avait trouvé une excuse à lui tout seul et il en paraissait presque ravi.

—Comment ai-je pu oublier?

—Elle n'a pas précisé que c'était important. Elle n'a même pas laissé de message.

M'absoudre de ma faute revenait à te faire porter toute la responsabilité.

—Elle n'aurait pas dû avoir à préciser que c'était important. Et quel message aurait-elle pu laisser à une secrétaire? Que son bébé était mort?

Je lui ai jeté ces mots à la figure en essayant de lui faire éprouver un peu de culpabilité. Mais, évidemment, cette culpabilité était mienne. Elle était à moi sans partage.

— Puis vous êtes allés dans le Maine ? demande M. Wright.

— Oui. On a décidé ça sur un coup de tête, et ce n'était que pour quelques jours. Tess n'était pas censée accoucher avant trois semaines.

Je me méprise de vouloir ainsi pathétiquement sauver la face.

— La facture montrait que la veille et le matin même de sa mort, elle a passé quinze appels à mon bureau et chez moi.

J'ai vu la colonne de chiffres, tous correspondant à mon numéro, tous révélant que je t'avais abandonnée, encore, encore et encore.

— Les appels à mon appartement ne duraient que quelques secondes.

Jusqu'à ce que tu tombes sur le répondeur. J'aurais dû enregistrer un message annonçant où nous étions partis, mais nous ne l'avions pas fait. Pas parce que nous avions été emportés par notre élan, non. Parce que nous avions décidé que cela valait mieux. « Ne crions pas sur les toits où nous allons. » Je ne me souviens plus qui, de Todd ou de moi, a dit cela.

Tu as sans doute supposé que je serais vite de retour, ce qui expliquait pourquoi tu n'avais pas laissé de message. Ou peut-être que tu ne pouvais tout simplement pas supporter de m'annoncer l'horrible nouvelle sans entendre d'abord ma voix.

— Dieu sait combien de fois elle a tenté de me joindre sur mon portable. Je l'avais éteint parce qu'on ne captait rien là où nous séjournions.

— Vous avez tout de même essayé de la recontacter ?

Il pose la question par gentillesse, à mon avis.

— Oui. Mais le chalet n'avait pas de ligne fixe, alors je ne pouvais le faire que lorsque nous allions au restaurant. J'ai appelé deux ou trois fois, mais ça sonnait toujours occupé. Je me suis dit qu'elle bavardait avec ses amis ou qu'elle avait débranché son téléphone pour pouvoir se concentrer sur ses peintures.

Il n'y a aucune justification qui tienne, cependant. J'aurais dû te prendre en ligne. Et quand je ne l'ai pas fait, j'aurais dû te rappeler aussitôt, et recommencer jusqu'à ce que tu décroches. Et si cela n'avait pas marché, j'aurais dû demander à quelqu'un d'aller voir si tu avais un problème, et ensuite embarquer dans le premier avion pour Londres.

J'ai la bouche trop sèche pour continuer à parler. M. Wright se lève.

— Je vais vous chercher un verre d'eau.

Après que la porte s'est refermée sur lui, je me lève à mon tour et fais les cent pas dans la pièce, comme si je pouvais ainsi laisser ma culpabilité derrière moi. Mais elle me suit partout, telle une ombre hideuse de moi-même.

Avant ces événements, j'étais persuadée d'être une personne attentionnée, prévenante, vigilante envers les autres. Je me souvenais toujours des anniversaires (je reportais chaque année sur mon calendrier tous ceux que j'aurais à souhaiter). J'envoyais des cartes de remerciement sans attendre (achetées à l'avance et rangées dans le dernier tiroir de mon bureau). Mais la vue de mon numéro sur ta facture de téléphone m'indiquait que je n'étais pas si attentionnée que ça. Je me montrais très consciencieuse vis-à-vis des petits détails de la vie, mais égoïste et cruellement négligente en ce qui concernait les choses importantes.

J'entends ta question, impérieuse : pourquoi, quand Finborough m'a dit que tu avais accouché, n'ai-je pas compris que tu avais été dans l'incapacité de m'appeler pour me l'annoncer ? Pourquoi ai-je conclu que tu n'avais pas cherché mon aide au lieu de voir que c'était moi qui t'en avais empêchée ? Eh bien parce que je croyais que tu étais encore vivante, alors. J'ignorais que tu avais été assassinée avant d'arriver à Londres. Et plus tard, quand ton corps a été découvert, j'ai été incapable de raisonner logiquement et de faire le rapprochement entre les dates.

Je n'ose pas imaginer ce que tu dois penser de moi. Tu es sûrement surprise que je n'aie pas débuté cette longue lettre par des excuses suivies d'une explication qui t'aurait permis de saisir les raisons de ma négligence. La vérité est que le courage m'a manqué et que j'ai repoussé ce moment aussi longtemps que possible, sachant que je n'avais aucune explication à offrir.

Je ferais n'importe quoi pour avoir une seconde chance, Tess. Mais contrairement à nos livres d'enfants, je ne peux pas revenir en arrière, passer devant la deuxième étoile à droite et rentrer par la fenêtre ouverte pour te retrouver vivante dans ton lit. Je ne peux remonter le cours des semaines et des jours jusqu'à regagner une chambre où un dîner chaud m'attendrait et où je serais pardonnée. Il n'y a pas de recommencement possible. Pas de seconde chance.

Tu t'es tournée vers moi et je n'étais pas là.

Tu es morte. Si j'avais répondu à ton appel, tu serais vivante.

C'est aussi simple que ça.

Je suis désolée.

10

M. Wright revient avec un verre d'eau pour moi. Je me souviens que sa femme est morte dans un accident de voiture. Peut-être était-ce sa faute à lui. Peut-être conduisait-il en ayant bu, à moins qu'il n'ait eu un moment d'inattention – la culpabilité qui me poursuit comme une ombre aurait ainsi une compagnie. Faute de pouvoir l'interroger, je bois mon verre. Puis il remet en route le magnétophone.

— Vous avez compris alors que Tess s'était tournée vers vous ?

— Oui.

— Et donc que vous aviez eu raison depuis le début ?

— Oui.

Il y avait un côté positif à tout ça. Tu t'étais en effet tournée vers moi. Nous étions proches, je te connaissais bien, et par conséquent je pouvais me fier à ma conviction que tu ne t'étais pas tuée. Ma confiance avait-elle jamais vacillé ? Un peu. Lorsque j'ai cru que tu n'avais pas voulu me prévenir de la mort de ton bébé. Lorsque j'ai cru que tu n'avais pas recherché mon aide malgré ta peur. Là, j'ai remis en question notre relation et je me suis demandé si je te connaissais vraiment. Et, en secret, je me suis aussi demandé si tu chérissais vraiment trop la vie pour abréger la tienne. Tes appels téléphoniques signifiaient que la réponse, si douloureuse qu'ait été son obtention, était un oui sans équivoque.

Le lendemain matin, je me suis réveillée très tôt. Il faisait encore nuit et j'ai songé à prendre un somnifère, cette fois pour échapper à mon sentiment de culpabilité autant qu'à ma souffrance. Mais je ne pouvais pas être aussi lâche. Je me suis levée en faisant attention à ne pas déranger Todd dans son sommeil et je suis sortie avec l'espoir d'échapper à mes pensées, ou au moins de trouver une sorte de distraction.

En ouvrant la porte, j'ai découvert Amias, armé d'une lampe torche, qui couvrait tes pots avec des sacs en plastique.

— Certains ont été soufflés par le vent pendant la nuit, a-t-il dit. Il faut que je les redresse avant qu'il ne soit trop tard.

Je l'ai revu en train de planter des bulbes de jonquilles dans le sol gelé. Depuis le début, ces derniers n'avaient aucune chance. Je ne voulais pas le contrarier, mais je n'avais pas non plus envie de lui débiter de fausses platitudes sur l'efficacité de ses serres improvisées avec des sacs en plastique, aussi ai-je changé de sujet.

— C'est calme, à cette heure, n'est-ce pas ?

— Attendez le printemps et vous verrez le raffut qu'il y aura.

J'ai dû paraître perplexe parce qu'il s'est expliqué :

— Le chant des oiseaux à l'aube. J'ignore pourquoi ils aiment cette rue plus qu'une autre, mais le fait est qu'ils viennent là.

— Je n'ai jamais vraiment compris à quoi servait ce chant.

Relançais-je la conversation pour lui faire plaisir ou pour chasser mes pensées ?

— Il leur sert à attirer un partenaire et à définir leur territoire, a répondu Amias. Dommage que les humains n'aient pas la même approche musicale de la chose, hein ?

— En effet.

— Vous saviez qu'ils respectaient un certain ordre ? On entend d'abord les merles, ensuite les rouges-gorges, les roitelets, les chouettes hulottes, les pinsons, les fauvettes, puis les grives musiciennes. Il y avait aussi un rossignol, à une époque.

Tandis qu'il me parlait, j'ai eu la certitude que je trouverais la personne qui t'avait assassinée.

— Et vous saviez qu'un rossignol pouvait avoir jusqu'à trois cents chants d'amour à son répertoire ? a repris Amias.

Tel était mon but, mon obsession. Je n'avais plus de temps à perdre avec la culpabilité.

— Un musicien a ralenti le chant de l'alouette et a découvert qu'il était très proche de la *Cinquième Symphonie* de Beethoven.

Il fallait que justice te soit rendue. Je te le devais plus qu'avant encore.

Pendant qu'Amias continuait à évoquer des miracles musicaux, je me suis demandé s'il se doutait du réconfort qu'il m'apportait. Probablement, oui. Il me laissait penser, mais en m'offrant une compagnie et une partition apaisante pour mon humeur lugubre. J'ai tendu l'oreille, sans rien entendre. Dans le silence et l'obscurité, il était difficile d'imaginer une aube printanière éclatante résonnant du chant des oiseaux.

À 9 heures pile, j'ai composé le numéro du commissariat.

— Le lieutenant Finborough, s'il vous plaît. De la part de Beatrice Hemming.

Todd, encore à moitié endormi, a paru déconcerté et irrité.

— Qu'est-ce que tu fais, chérie ?

— J'ai droit à une copie du rapport d'autopsie. Il y avait une notice à ce sujet dans toute la paperasse que l'agent Vernon m'a donnée.

J'avais accepté trop passivement les informations que l'on m'avait transmises.

— Chérie, tu vas lui faire perdre son temps.

J'ai noté que Todd n'avait pas dit « tu perds ton temps », mais « tu vas lui faire perdre son temps ». Il a toujours conscience des moments où il gêne les autres. J'étais pareille, avant.

— La veille de sa mort, Tess m'a appelée toutes les heures, et je ne sais combien de fois elle a aussi essayé de me joindre sur mon portable. Le même jour, elle a confié le double de sa clé à Amias parce qu'elle avait trop peur pour la laisser sous son pot de fleurs.

— Peut-être qu'elle commençait juste à se soucier des mesures élémentaires de sécurité.

— Non, il m'a dit qu'elle lui avait demandé de la garder après qu'elle avait reçu un nouvel appel malveillant. Le jour où elle a été assassinée, elle m'a téléphoné à 10 heures, sûrement en rentrant de son rendez-vous chez le psychiatre. Elle a recommencé ensuite toutes les demi-heures jusqu'à 13 h 30, moment où elle a dû sortir pour aller à la poste et retrouver Simon à Hyde Park.

— Chérie…

— Elle a dit à son psychiatre qu'elle avait peur. Et Simon m'a avoué qu'elle voulait une protection vingt-quatre heures sur vingt-quatre. Qu'elle était terrorisée et qu'elle avait vu quelqu'un la suivre dans le parc.

— C'est ce qu'elle prétendait, mais elle souffrait de psychose…

Le lieutenant Finborough nous a interrompus en prenant la ligne au même instant. Je l'ai mis au courant de tes nombreux appels à mon bureau et à mon appartement.

— Vous devez vous sentir très mal, a-t-il déclaré. Responsable, même.

J'ai été surprise par la gentillesse dans sa voix, même si je ne sais pas pourquoi. Il a toujours été très attentionné envers moi.

— Cela ne vous consolera guère, a-t-il continué, mais d'après ce que son psychiatre nous a dit, je pense qu'elle serait quand même allée jusqu'au bout, même si vous aviez pu lui parler au téléphone.

— Allée jusqu'au bout ?

— Ses coups de fil étaient probablement des appels au secours. Mais ça ne signifie pas que quiconque aurait pu l'aider, y compris sa famille proche.

— Elle avait besoin d'aide parce qu'elle était menacée.

— Elle se sentait menacée, oui, mais à la lumière de tous les autres faits, ces appels ne changent pas notre opinion selon laquelle elle s'est suicidée.

— J'aimerais avoir une copie du rapport d'autopsie.

— Êtes-vous sûre de vouloir vous infliger ça ? Je vous ai donné les principales conclusions et…

— J'ai le droit de lire ce rapport.

— Bien sûr. Je crains juste que vous ne le trouviez pénible.

— La décision m'appartient, non ?

J'étais présente lorsque ton corps a été sorti de toilettes délabrées, emballé dans un sac, et il me semblait que, après une telle expérience, « pénible » était un adjectif dont je pouvais m'accommoder avec une relative facilité. Le lieutenant Finborough a répondu à contrecœur qu'il demanderait au bureau du légiste de m'envoyer une copie.

En raccrochant, j'ai vu que Todd me dévisageait.

— Qu'est-ce que tu espères obtenir au juste, là ?

Dans ces mots, « au juste » et « là », j'ai perçu la mesquinerie de notre relation. Nous étions unis par de petites choses banales, mais l'énormité de ta mort arrachait tous ces liens fragiles et superficiels. J'ai dit que je devais aller à St Anne, soulagée d'avoir une excuse pour quitter l'appartement et éviter une dispute que je n'étais pas prête à avoir.

M. Wright se tourne vers une grosse chemise cartonnée devant lui – une parmi de nombreuses autres, toutes numérotées avec un code que je n'ai pas encore déchiffré, mais sur laquelle « Beatrice Hemming » a été griffonné en gros caractères. J'aime la touche personnelle de cette écriture brouillonne à côté de la série de chiffres. Cela me fait penser à tous les gens qui œuvrent à la justice dans les coulisses. Quelqu'un a écrit mon nom sur les dossiers. Peut-être est-ce la même personne qui retranscrira l'enregistrement du magnétophone dont le bourdonnement s'élève quelque part en arrière-fond, tel un gros moustique.

— Qu'avez-vous pensé du lieutenant Finborough à ce stade ?

— Qu'il était intelligent et gentil. Mais j'étais frustrée parce que je comprenais pourquoi les appels de Tess pouvaient être interprétés comme des « appels au secours ».

— Vous êtes allée à l'hôpital St Anne, dites-vous ?

— Oui. Je voulais demander à ce que son bébé soit enterré avec elle.

Je te devais non seulement justice, mais aussi l'enterrement que tu aurais souhaité.

J'avais téléphoné à l'hôpital à 6 h 30, ce matin-là. Une femme médecin compatissante avait répondu, sans paraître le moins du monde perturbée par ce coup de fil si matinal. Elle m'a suggéré de venir un peu plus tard, après l'ouverture.

En chemin, j'ai connecté un kit mains libres à mon téléphone et j'ai appelé le père Peter, le nouveau prêtre de la paroisse de ma mère, celui qui devait dire la messe lors de tes funérailles. De mes cours de catéchisme l'année de ma communion, j'avais le vague souvenir que le suicide était un péché (« Ne passez pas par la case Départ. Ne recevez pas 20 000 francs !

Allez droit en enfer ! »), aussi ai-je d'emblée adopté un ton plein de défi pour contrer toute critique.

— Tout le monde pense que Tess s'est suicidée. Pas moi. Mais, même si elle l'avait fait, elle ne devrait pas être condamnée pour ça.

Et sans lui laisser le temps de répliquer, j'ai enchaîné :

— Et son bébé devrait être enterré avec elle. Personne n'a le droit de la juger.

— Nous n'enterrons plus les gens aux carrefours[1], je vous assure, a répondu le père Peter. Et évidemment que son enfant doit être avec elle.

Malgré la douceur de sa voix, je me méfiais toujours.

— Ma mère vous a dit qu'elle n'était pas mariée ?

— Marie ne l'était pas non plus.

Cette fois, j'étais complètement désarçonnée. Plaisantait-il ?

— C'est vrai. Mais bon, elle était vierge. Et c'était la mère de Jésus.

Je l'ai entendu rire. C'était la première fois que quelqu'un riait de moi depuis que tu étais morte.

— Mon travail ne consiste pas à juger les gens. Les prêtres sont censés enseigner l'amour et le pardon. Voilà pour moi la vraie nature d'un chrétien. Essayer chaque jour de trouver cet amour et ce pardon en nous et chez les autres est le but que nous devrions nous fixer.

---

1. Dans l'Angleterre du Moyen Âge et de l'époque moderne, il était de coutume d'enterrer les suicidés au croisement des routes. Cette tradition a perduré au moins jusqu'au début du XIXe siècle. *(N.d.E.)*

Avant ta mort, ce discours m'aurait paru de mauvais goût. Les grandes questions existentielles sont embarrassantes. Mieux vaut les éviter. Mais maintenant, je préfère un style naturiste de conversation. Mettons tout à nu pour ne garder que ce qui compte vraiment. Montrons nos émotions et nos croyances sans le voile pudique de propos anodins.

— Voulez-vous que l'on discute du service religieux ? s'est enquis le père Peter.

— Non. Je laisse ça à ma mère. Elle m'a dit qu'elle aimerait s'en occuper.

L'avait-elle vraiment dit ? Ou était-ce juste ce que j'avais eu envie d'entendre quand elle m'avait annoncé qu'elle s'en chargerait ?

— Vous voulez ajouter quelque chose ?

— En fait, je ne veux pas vraiment que ma sœur soit enterrée. Tess était un esprit libre. Je sais que c'est un cliché, mais je ne vois pas d'autre façon de vous la décrire. Je ne veux pas dire par là qu'elle était affranchie de toute convention, même si c'est vrai, mais quand je songe à elle maintenant, je l'imagine s'élever vers le ciel. Son élément, c'est l'air, pas la terre. Et je ne supporte pas l'idée qu'elle soit enfouie dans le sol.

Je n'avais jamais parlé de toi ainsi avec quelqu'un. Mes paroles traduisaient des pensées bien plus profondes que celles, superficielles, que l'on exprime d'habitude. Je suppose que les prêtres entendent en permanence ce genre de confidence et qu'ils ont ainsi accès aux recoins les plus secrets de notre esprit – là où la foi, si elle existe, peut être trouvée. Le père Peter restait silencieux, mais je savais qu'il écoutait, et tout en passant devant un supermarché Tesco j'ai poursuivi cette conversation incongrue.

— Je ne saisissais pas les histoires de bûchers funéraires avant. Maintenant, si. C'est horrible de brûler quelqu'un qu'on aime, mais l'image de la fumée montant vers le ciel me paraît plutôt belle. Et j'aimerais que Tess soit là-haut. Quelque part où il y a de la couleur, de la lumière et de l'air.

— Je comprends. Nous ne pouvons pas vous proposer un bûcher funéraire, hélas, mais peut-être que votre mère et vous devriez envisager une crémation ?

Son ton enjoué m'a plu. La mort et les enterrements devaient faire partie de son quotidien, et sans aller jusqu'à se montrer irrévérencieux, il ne les laissait pas entacher sa verve.

— L'Église catholique n'autorise pas les crémations, n'est-ce pas ? Elle juge ça païen, d'après ma mère.

— Autrefois, oui. Il y a bien longtemps. Mais plus aujourd'hui. L'important est que vous croyiez toujours à la résurrection.

— J'aimerais bien, ai-je dit en espérant adopter un ton enjoué moi aussi – et en ne réussissant qu'à laisser filtrer le désespoir dans ma voix.

— Réfléchissez-y encore un peu et appelez-moi quand vous aurez pris une décision – ou même si vous ne l'avez pas fait et que vous avez juste envie d'en parler.

— D'accord. Je vous remercie.

En garant ma voiture de location dans le parking souterrain de l'hôpital, je me suis imaginée emporter tes cendres en Écosse, sur une montagne aux flancs recouverts de bruyère violette et d'ajoncs jaunes, et monter vers les cieux gris, au-dessus du premier niveau de nuages, pour t'éparpiller aux quatre vents dans l'air pur et frais. Je savais toutefois que maman n'accepterait jamais une crémation.

J'étais déjà venue à St Anne, mais l'hôpital avait été rénové jusqu'à devenir méconnaissable avec son nouveau hall rutilant, ses grandes installations artistiques et sa cafétéria. Contrairement à tous les hôpitaux où j'avais mis les pieds, il vous donnait l'impression de faire encore partie du monde extérieur. À travers les grandes portes vitrées, je voyais passer les gens qui faisaient leurs courses, et l'entrée était inondée de lumière naturelle. L'endroit sentait le café torréfié et les poupées tout juste sorties de leur emballage le jour de Noël.

Suivant les instructions que j'avais reçues, j'ai pris l'ascenseur jusqu'au quatrième étage et je me suis dirigée vers la maternité. Le côté rutilant de l'entrée ne s'étendait pas jusqu'à cette aile de l'hôpital, où l'odeur de café et de poupées neuves était masquée par celle, habituelle, des produits désinfectants et de la peur (ou sommes-nous les seules à ressentir ça à cause de Leo ?). Il n'y avait pas de fenêtres, juste des néons qui projetaient leur lumière aveuglante sur le linoléum, et pas d'horloges non plus. Même les montres des infirmières étaient retournées à leur poignet. J'étais de retour dans un monde hospitalier dépourvu de saison et de temps, dans lequel la maladie, la mort et les crises aberrantes de douleur devenaient absurdement ordinaires. Un panneau indiquait que je devais me laver les mains en utilisant le gel fourni. Après ça, l'odeur de l'hôpital est passée sur ma peau, ternissant le diamant de ma bague de fiançailles. Le bureau des infirmières était fermé, mais une femme d'une quarantaine d'années, aux cheveux roux frisés retenus en arrière par une pince, est apparue quand j'ai sonné. Elle avait l'air compétente, mais épuisée.

— Je suis Beatrice Hemming, j'ai prévenu le service de mon arrivée.

— Oh, oui. Je suis Cressida, la sage-femme en chef. Le docteur Saunders vous attend. C'est l'un des obstétriciens.

Elle m'a escortée dans le service postnatal. Des chambres de chaque côté du couloir s'élevaient des pleurs de bébé. Je n'avais jamais entendu d'enfants âgés de quelques heures seulement, et l'un d'eux m'a semblé désespéré, comme s'il avait été abandonné. Nous sommes entrées ensuite dans une pièce réservée aux familles.

— Je suis désolée pour votre neveu, a dit Cressida avec une compassion toute professionnelle.

L'espace d'un instant, je n'ai pas compris de qui elle parlait. Je n'avais jamais pensé à notre propre relation de parenté.

— Je l'appelle toujours le bébé de Tess, pas mon neveu.

— Quand l'enterrement aura-t-il lieu ?

— Jeudi prochain. En même temps que celui de ma sœur.

— Je suis désolée, on m'avait juste dit que l'enfant était mort…

Cette fois, la sage-femme n'affichait plus une compassion toute professionnelle. Elle était véritablement choquée.

J'étais reconnaissante envers le médecin que j'avais eu plus tôt au téléphone de ne pas avoir fait de ta mort le ragot croustillant du jour. Même si j'imagine que, dans un hôpital, un tel sujet relève plus de l'anecdotique que du ragot.

— J'aimerais que son bébé soit enterré avec elle.

— Oui, bien sûr.

— Et j'aimerais aussi voir la personne qui était présente avec Tess quand elle a accouché. J'aurais dû être là, vous comprenez, mais je lui ai fait faux bond. Je n'ai même pas répondu à son appel.

Je me suis mise à pleurer, mais c'était tout à fait acceptable ici. Même la salle, avec ses canapés au revêtement lavable, avait probablement été conçue pour les familles en larmes. La sage-femme a mis une main sur mon épaule.

— Je vais chercher à savoir qui était avec elle et lui demander de venir vous rencontrer. Excusez-moi un moment.

Elle est allée dans le couloir. Par la porte ouverte, j'ai aperçu une patiente sur un brancard avec un nouveau-né dans les bras. À côté, un médecin réconfortait un homme.

— C'est normal que le bébé pleure, disait-il. Mais pas le père.

L'homme a éclaté de rire et le médecin a souri.

— Quand vous êtes arrivés ce matin, vous étiez un couple, et maintenant vous êtes une famille. Incroyable, hein ?

La sage-femme a secoué la tête.

— En tant qu'obstétricien, docteur Saunders, cela ne devrait plus vous étonner.

J'ai observé le dénommé docteur Saunders tandis qu'il faisait entrer la mère et son enfant dans une chambre. Même de loin, je voyais qu'il avait un visage aux traits fins, dont les yeux semblaient éclairés de l'intérieur. Cela le rendait beau, plutôt que froidement séduisant.

Il est ressorti de la chambre avec la sage-femme.

— Docteur Saunders, a dit celle-ci, voici Beatrice Hemming.

Il m'a souri avec un parfait naturel, et la manière insouciante dont il portait sa beauté, comme s'il n'en avait pas conscience, m'a fait penser à toi.

— Ah, oui. Ma collègue, celle à qui vous avez parlé ce matin, m'a dit que vous passeriez. L'aumônier de l'hôpital a pris toutes les dispositions nécessaires avec les pompes funèbres et quelqu'un viendra chercher le bébé cet après-midi.

Il s'exprimait d'une voix lente qui tranchait avec l'agitation de la maternité et qui dénotait un homme confiant dans l'écoute qu'on lui prêtait.

— L'aumônier a fait porter le corps dans la chambre de repos, a-t-il continué. Nous trouvions qu'une morgue n'était pas un endroit pour lui. Je suis désolé qu'il ait dû y rester si longtemps.

J'aurais dû me préoccuper de ça plus tôt. De lui. Je n'aurais pas dû le laisser à la morgue.

— Voulez-vous que je vous conduise là-bas ?

— Vous êtes sûr d'en avoir le temps ?

— Absolument.

Alors qu'il m'accompagnait jusqu'aux ascenseurs, des cris de femme ont résonné. Ils venaient de l'étage au-dessus, sans doute de la salle de travail. Comme ceux du bébé un peu plus tôt, ces hurlements ivres de douleur ne ressemblaient à rien de ce que j'avais déjà entendu. Il y avait des infirmières et un autre médecin dans l'ascenseur, mais ils n'ont pas paru s'en émouvoir. Je me suis dit qu'ils y étaient habitués à force de travailler dans ce monde kafkaïen.

Les portes de la cabine se sont refermées. Le docteur Saunders et moi étions légèrement serrés l'un contre l'autre, et j'ai noté une fine alliance en or accrochée à une chaîne que l'on distinguait à l'encolure de sa blouse. Au deuxième étage, tout le monde est sorti et nous sommes restés seuls. Il m'a alors regardée droit dans les yeux, en m'accordant toute son attention.

— Je suis désolé, pour Tess.

— Vous la connaissiez ?

— Peut-être, je n'en suis pas certain. Pardonnez-moi, je dois vous paraître cruel, mais…

— Vous voyez défiler des centaines de patientes, ai-je complété.

— Oui. En fait, plus de cinq mille accouchements ont lieu ici chaque année. Quand le bébé de votre sœur est-il né ?

— Le 21 janvier.

Il s'est tu un moment.

— Je n'étais pas présent à l'hôpital cette semaine-là. Je suivais une formation à Manchester.

Je me suis demandé s'il mentait. Devais-je exiger une preuve qu'il n'était pas dans les parages lors de ton accouchement, puis de ton assassinat ? Je n'entendais pas ta voix me répondre, ni même me taquiner. À la place, celle de Todd m'a dit de ne pas être si ridicule. Il avait raison. Allais-je considérer tous les hommes de ce pays comme des coupables potentiels jusqu'à ce que, un à un, ils me prouvent leur innocence ? Et s'agissait-il seulement d'un homme ? Peut-être aurais-je dû aussi soupçonner les femmes, la gentille Cressida, ou le médecin à qui j'avais parlé ce matin-là au téléphone. Dire qu'on te jugeait paranoïaque ! Mais les médecins et les infirmières ont pouvoir de vie et de mort sur les gens, et cela devient une drogue pour certains d'entre eux. Encore que, avec un hôpital rempli de personnes vulnérables, qu'est-ce qui aurait bien pu inciter un professionnel de la santé à choisir des toilettes délabrées à Hyde Park pour donner libre cours à ses pulsions psychopathes ? À ce stade de mes pensées, le docteur Saunders m'a souri, et je me suis sentie à la fois gênée et un peu honteuse.

— On descend à l'étage suivant.

Parce que tu demeurais silencieuse, je me suis sermonnée : un bel homme n'est pas forcément un tueur – juste quelqu'un qui m'aurait rejetée sans même s'en rendre compte à l'époque où il était célibataire. À vrai dire, je savais que c'était pour cette raison que je me méfiais de lui. Je faisais juste reposer mes soupçons habituels sur un socle différent et bien plus extrême.

Lorsque nous avons atteint la morgue de l'hôpital, je pensais toujours davantage à ton assassin qu'à Xavier. Le docteur Saunders m'a guidée jusqu'à la pièce où les proches des défunts peuvent voir ces derniers. Il m'a demandé si je souhaitais sa compagnie, mais, sans réfléchir, j'ai répondu que non, je pouvais rester seule.

Je suis entrée. La pièce avait été décorée soigneusement et avec goût, à la manière d'un salon, avec des rideaux imprimés, de la moquette et des fleurs (artificielles, certes, mais en soie et donc onéreuses). J'essaie de présenter les choses sous un jour positif, agréable même, mais je ne veux pas te mentir. Ce salon pour les morts était horrible. Une partie de la moquette, celle la plus proche de la porte, avait été usée par tous les gens qui s'étaient tenus là, écrasés sous le poids de la douleur. Des gens qui refusaient de s'avancer vers la personne qu'ils aimaient, conscients que, lorsqu'ils le feraient, ils sauraient avec certitude que celle-ci n'était plus de ce monde.

Je me suis approchée de lui.

Je l'ai soulevé dans mes bras et je l'ai enveloppé dans la couverture en cachemire bleue que tu lui avais achetée.

Je l'ai tenu ainsi.

Les mots me manquent après ça.

M. Wright m'a écoutée avec attention et compassion lorsque je lui ai parlé de Xavier. Il ne m'a pas interrompue ni pressée de questions, et il a respecté mes silences. Sans doute m'a-t-il tendu un mouchoir à un moment donné parce que j'en ai un dans la main, complètement trempé.

— C'est là que vous avez décidé de ne pas faire incinérer Tess ?

— Oui.

Dans l'un des journaux d'hier, un journaliste a suggéré que nous avions refusé cette solution parce que je voulais m'assurer qu'« aucune preuve ne serait détruite ». Mais ce n'était pas la véritable raison.

J'ai dû rester environ trois heures avec Xavier. Alors que je le serrais contre moi, j'ai compris que l'air froid au sommet d'une montagne n'était pas fait pour un bébé. Et pour sa mère non plus, par conséquent. En sortant, j'ai appelé le père Peter.

— Le bébé peut-il être enterré dans les bras de Tess ? ai-je demandé en me préparant à une réponse négative.

— Bien sûr. C'est là qu'est sa place, à mon avis.

M. Wright ne me presse pas de justifier ce choix de l'inhumation et je lui sais gré de son tact. J'essaie de reprendre mon récit sans laisser transparaître mes émotions, d'un ton un peu emprunté.

— Je suis retournée voir la sage-femme en chef en pensant que je pourrais m'entretenir avec la personne qui avait accouché Tess, mais elle n'avait pas réussi à trouver le dossier de ma sœur et ignorait qui s'était occupé d'elle. Elle m'a proposé de revenir le mardi suivant en me disant qu'elle aurait fait des recherches d'ici là.

— Beatrice ?

Je m'enfuis du bureau en courant, en proie à une nausée irrépressible, et j'arrive aux toilettes juste à temps pour vomir. Une jeune secrétaire jette un œil à ce qui se passe avant de ressortir aussitôt. Tremblant de tous mes membres, je m'étends ensuite par terre, sur le carrelage froid, en essayant de reprendre le contrôle de mon corps.

M. Wright me rejoint et m'aide à me relever. Je m'aperçois alors que j'apprécie que l'on prenne soin de moi – pas de façon patriarcale, mais simplement avec gentillesse. Je ne comprends pas pourquoi je ne m'en suis jamais aperçue avant, ni pourquoi j'ai toujours repoussé toute marque de sympathie avant même qu'on ne m'en offre.

Je cesse enfin de trembler.

— Il faut rentrer chez vous, Beatrice.

— Mais, mon témoignage…

— On continuera demain matin si vous vous sentez assez en forme.

— D'accord.

Il veut appeler un taxi, ou au moins m'accompagner jusqu'au métro, mais je refuse poliment en lui expliquant que j'ai juste besoin de respirer un peu d'air frais – ce qu'il semble accepter.

J'ai envie d'être seule avec mes pensées, et celles-ci sont toutes tournées vers Xavier. Je l'ai aimé dès l'instant où je l'ai pris dans mes bras, et pas seulement parce qu'il était ton enfant.

En quittant le CPS, j'incline la tête en arrière pour contempler le ciel bleu pâle et empêcher mes larmes de couler. Je me souviens de la lettre que tu m'as écrite au sujet de Xavier, celle dont je n'ai pas encore parlé dans mon témoignage. Je t'imagine rentrer de l'hôpital sous la pluie. Je t'imagine lever les yeux vers un ciel noir sans merci. Je t'imagine crier « Rendez-le-moi ! » sans que personne ne te réponde.

Je t'imagine en train de m'appeler.

11

Samedi

À 8h30 le samedi matin, les trottoirs sont quasiment déserts et je ne trouve qu'une réceptionniste en tenue décontractée à l'accueil du CPS. Je monte au troisième étage dans un ascenseur vide. Il n'y a pas de secrétaire énamourée aujourd'hui et je passe sans m'arrêter devant la réception pour entrer dans le bureau de M. Wright.

Il a préparé un café et de l'eau minérale pour moi.

— Vous êtes sûre que ça va aller ? s'enquiert-il.

— Oui, je me sens bien maintenant.

Il met le magnétophone en marche, mais il me dévisage avec inquiétude et j'ai l'impression que, depuis hier, il me perçoit comme quelqu'un de bien plus fragile qu'il ne le pensait.

— Pouvons-nous commencer avec le rapport d'autopsie ? Vous en aviez demandé une copie.

— Oui. Je l'ai reçue deux jours plus tard par la poste.

M. Wright en a une devant lui, avec des passages surlignés en jaune. Je sais desquels il s'agit et je te l'expliquerai dans un petit moment, mais il y en a un qui n'est pas surligné et qui se détache pourtant du reste dans ma mémoire. Au tout début du rapport, le médecin légiste fait le serment « en son âme et conscience » de dire la vérité. Ton corps n'a pas été soumis à une froide analyse scientifique. Il a eu droit à une approche archaïque et plus humaine.

Département de médecine légale,
Hôpital Chelsea & Westminster, Londres.

Je soussignée Rosemary Didcott, diplômée en médecine, certifie par la présente en mon âme et conscience que le 30 janvier 2010, à la morgue de l'hôpital Chelsea & Westminster, et à la demande du médecin légiste, M. Paul Lewis-Stevens, j'ai disséqué le corps de Tess Hemming (21 ans), domiciliée au 35 Chepstow Road, à Londres, le corps ayant été identifié par le lieutenant Finborough, de la police métropolitaine de Londres, et que le rapport suivant est véridique.

Le corps était celui d'une femme de type caucasien, mince et mesurant 1,67 mètre. Il portait les traces d'un accouchement ayant eu lieu deux jours avant le décès.

D'anciennes cicatrices remontant à l'enfance étaient visibles sur le genou droit et le coude droit.

Sur le poignet et l'avant-bras droits, une entaille récente de dix centimètres de long et de quatre centimètres de profondeur avait sectionné le muscle interosseux et touché l'artère radiale. Sur le poignet et l'avant-bras gauches, on notait une entaille plus petite de cinq centimètres de long et deux centimètres de profondeur, et une autre plus importante de six centimètres de long et quatre centimètres de profondeur, qui avait sectionné l'artère ulnaire. Les blessures sont compatibles avec le couteau à désosser de douze centimètres qui a été retrouvé près du corps.

Je n'ai décelé aucune autre trace de coup, cicatrice ou marque quelconque.

Il n'y avait aucun signe de rapport sexuel récent.

Des prélèvements sanguins et tissulaires ont été effectués et adressés à l'analyste public.

J'estime que cette jeune femme est morte six jours avant la dissection, le 23 janvier.

En m'appuyant sur cet examen, je suis d'avis qu'elle a succombé à une exsanguination consécutive au sectionnement des artères dans ses poignets et ses avant-bras.

Londres, 30 janvier 2010.

J'ai lu ce document je ne sais combien de fois, mais l'expression « couteau à désosser » me paraît toujours aussi brutale que lors de ma première lecture. Il n'est fait aucune mention de la marque, Sabatier, qui aurait pu atténuer la crudité du propos en lui conférant un côté domestique.

— Les conclusions de l'analyste public avaient-elles été jointes au rapport ? demande M. Wright.

Il s'agit des tests effectués sur les prélèvements sanguins et tissulaires après l'autopsie initiale, dans un laboratoire différent.

— Oui, ils étaient attachés au dos et datés de la veille. Ils venaient donc juste d'arriver. Mais je n'y comprenais rien. Tout était rédigé dans un jargon scientifique qui n'était pas destiné à une personne non initiée. Heureusement, j'ai une amie médecin.

— Christina Settle ?

— Oui.

— J'ai sa déposition.

Je prends alors conscience qu'il doit y avoir des tas de gens qui travaillent sur ton affaire en enregistrant d'autres témoignages.

J'ai perdu contact avec mes anciens amis du lycée et de l'université lorsque je suis partie aux États-Unis, mais depuis ta mort plusieurs m'ont téléphoné et écrit. « Ils témoignent leur soutien », comme dit maman. Parmi eux se trouvait Christina Settle, aujourd'hui médecin à l'hôpital de Charing Cross. (D'après elle, plus de la moitié des élèves de ma classe de terminale option biologie, à Nuffield, ont poursuivi des carrières plus ou moins scientifiques.) Bref, Christina m'a écrit une chaleureuse lettre de condoléances, avec la même parfaite écriture penchée qu'autrefois. Elle terminait comme beaucoup d'autres par cette phrase : « Si je peux faire quoi que ce soit pour toi, surtout n'hésite pas. » J'ai décidé de la prendre au mot et je l'ai appelée.

Christina a écouté avec attention ma drôle de requête, avant de me répondre qu'elle n'était qu'interne en pédiatrie, pas médecin légiste, et que de ce fait elle n'avait pas les qualifications pour interpréter les résultats des tests. J'ai cru qu'elle préférait rester en dehors de tout ça, mais à la fin de notre conversation, elle m'a demandé de lui faxer le rapport. Deux jours plus tard, elle me rappelait pour me proposer d'aller boire un verre. Elle avait demandé à un pathologiste, ami d'un ami, d'examiner le document avec elle.

Quand j'ai dit à Todd que j'avais rendez-vous avec Christina, il s'est montré soulagé. Il devait penser que je reprenais une vie normale en revoyant d'anciens amis.

Je n'avais pas mis les pieds dans un lieu public depuis ta disparition et quand j'ai franchi le seuil du bistrot que Christina avait choisi, la vue de ce monde banal et bruyant m'a fait l'effet d'un coup de poing. Toutes ces voix, tous ces rires tonitruants me donnaient un sentiment de vulnérabilité. Puis j'ai aperçu Christina qui me faisait signe et cela m'a rassurée, en partie parce qu'elle n'avait pas du tout changé depuis le lycée – elle avait les mêmes jolis cheveux bruns et les mêmes lunettes épaisses peu flatteuses –, et en partie parce qu'elle nous avait déniché un coin tranquille, un peu à l'écart. (Elle a le chic pour tout s'arroger la première.) Je pensais qu'elle ne se souvenait pas très bien de toi vu que nous étions à la fin du cycle secondaire quand tu y étais entrée, mais elle m'a soutenu que si.

— Très bien, même. Déjà à onze ans, elle était trop décontracte pour notre école.

— Je ne suis pas sûre que j'emploierais le mot « décontracte » pour...

— Oh, je ne l'entendais pas de manière péjorative. Pas dans le sens de désinvolte ou détachée de tout. C'était un truc extraordinaire. Voilà pourquoi je me souviens si bien d'elle, je crois. Elle souriait tout le temps. C'était une fille décontracte qui riait et qui souriait tout le temps. Je n'avais jamais vu ça.

Elle a marqué une pause, puis a ajouté d'une voix un peu hésitante :

— Ce devait être dur de faire le poids à côté d'elle, non ?

J'ignorais si elle posait la question par curiosité ou parce qu'elle se souciait vraiment de moi, et j'ai décidé d'en venir au fait.

— Tu peux me déchiffrer les résultats du rapport ?

Elle l'a sorti de sa serviette, ainsi qu'un calepin. Au passage, j'ai entraperçu un sachet de paracétamol pour enfant et un livre en tissu. Ses lunettes et son écriture étaient peut-être restées les mêmes, mais pas sa vie, à l'évidence.

— James, la personne dont je t'ai parlé, est un pathologiste expérimenté qui maîtrise bien son sujet. Simplement, il tient à ne pas être mêlé à cette histoire. Les pathologistes sont sans arrêt attaqués en justice et conspués par les médias, alors il refuse d'être cité.

— D'accord.

— Tu avais pris anglais, chimie et biologie comme options au lycée, n'est-ce pas, Hemms ?

Ce vieux surnom, rendu poussiéreux par les années. Il m'a fallu un moment pour le rattacher à moi.

— Oui.

— Tu as fait de la biochimie depuis ?

— Non, j'ai suivi des études d'anglais.

— Alors je vais te traduire ça en langage profane. Pour dire les choses simplement, Tess avait trois substances dans le corps quand elle est morte.

Penchée sur ses notes, Christina n'a pas remarqué ma réaction, mais j'étais sonnée.

— Lesquelles ?

— La première était la cabergoline, qui stoppe la lactation.

Simon avait évoqué ce médicament devant moi et, une fois encore, j'ai entrevu une réalité si douloureuse que je n'ai pas pu m'attarder dessus.

— Et les autres ?

— Il y avait un sédatif aussi. Tess en avait pris une assez grosse quantité, mais, parce que ça remontait à quelques jours avant qu'elle ne soit retrouvée et qu'on ne prélève un échantillon de son sang…

Bouleversée, Christina s'est tue un instant avant de se ressaisir.

— Ce que je veux dire, c'est qu'à cause de ce délai il est difficile d'évaluer avec précision la quantité qu'elle a absorbée. James m'a expliqué qu'il ne pouvait offrir qu'une supposition bien informée.

— Et ?

— Tess avait pris bien plus qu'une dose normale. Selon lui, ce n'était pas assez pour la tuer, mais ça a dû la rendre bien groggy.

Cela expliquait l'absence de toute trace de lutte. Il t'avait d'abord droguée. T'en es-tu rendu compte trop tard ?

Christina a continué à lire ses notes griffonnées de son écriture penchée si parfaite.

— La troisième substance est la phencyclidine, ou PCP. C'est un hallucinogène puissant qui a été utilisé comme anesthésiant dans les années 1950 jusqu'à ce que les patients soient victimes de réactions psychotiques.

— Un hallucinogène ? ai-je répété, stupéfaite.

— Cette substance provoque des hallucinations, a dit Christina d'un ton patient en pensant que je ne comprenais pas. Des « trips », pour employer un terme plus familier. C'est comme du LSD, mais en plus dangereux. Là encore, il est difficile selon James de dire avec certitude quelle quantité elle a absorbée et combien de temps avant sa mort. Et puis le corps stocke la substance dans les muscles et les tissus adipeux au moment où son potentiel psychoactif est le plus fort, si bien qu'elle peut continuer à faire effet même après que la personne a arrêté d'en prendre.

Il m'a fallu quelques instants pour donner un sens à cette logorrhée scientifique.

— Le PCP a donc pu entraîner des hallucinations dans les jours précédant la mort de Tess ?

— Oui.

Le docteur Nichols avait vu juste, finalement. Sauf que tes hallucinations n'étaient pas dues à une psychose postnatale, mais à une drogue hallucinogène.

— Il a tout planifié. Il l'a d'abord rendue folle.

— Beatrice… ?

— Il l'a rendue folle et il a fait croire à tout le monde qu'elle l'était. Et ensuite il l'a droguée et assassinée.

Les yeux marron de Christina paraissaient énormes derrière le verre épais de ses lunettes, et la compassion qu'ils exprimaient n'en était que plus visible.

— Quand je pense à l'amour que je porte à mon bébé, je n'ose pas imaginer ce que j'aurais fait à la place de Tess.

— Le suicide n'était pas envisageable pour elle, même si elle l'avait voulu. Elle n'en aurait pas été capable, voilà tout. Pas après la mort de Leo. Et elle ne se droguait pas.

Il y a eu un silence entre nous. Le brouhaha inconvenant des clients du bar s'est immiscé à notre table.

— Tu la connaissais mieux que tout le monde, Hemms.

— Oui.

Elle m'a souri – signe de capitulation devant ma certitude.

— J'apprécie vraiment ton coup de main, Christina.

Elle était la première personne à m'avoir apporté une aide pratique. Sans elle, je n'aurais rien su du sédatif et de l'hallucinogène. Et je lui étais aussi reconnaissante de respecter assez mon point de vue pour ne pas exprimer le sien. Nous avions passé six ans dans la même classe à l'adolescence et je doute que nous nous soyons jamais touchées durant cette période, mais une fois à l'extérieur du bistrot nous nous sommes dit au revoir en nous serrant dans les bras l'une de l'autre.

— Elle vous en a dit davantage sur le PCP ? demande M. Wright.

— Non, mais il n'était pas très compliqué de faire des recherches sur Internet. J'ai découvert que cette drogue avait un effet neurotoxique. Elle rend les gens paranoïaques et provoque chez eux des visions effrayantes.

Avais-tu conscience d'être torturée mentalement ? Et dans le cas contraire, comment as-tu interprété ce qui t'arrivait ?

— Le PCP est particulièrement nocif chez les gens qui viennent de subir un traumatisme psychologique.

Il s'est servi de ta douleur contre toi, sachant que cela renforcerait les effets de la drogue.

— Certains sites Internet ont accusé l'armée américaine d'utiliser le PCP dans la prison d'Abou Ghraib et dans des affaires de transfèrements de prisonniers vers des pays où ils étaient ensuite torturés. Les trips induits par cette substance étaient visiblement terrifiants.

Qu'est-ce qui était le pire pour toi ? Les trips ? Ou penser que tu devenais folle ?

— Vous en avez parlé à la police ?

— Oui, j'ai laissé un message au lieutenant Finborough. Il était déjà tard, les bureaux étaient fermés depuis longtemps. Il m'a téléphoné le lendemain matin pour dire qu'il passerait chez moi.

— Je n'arrive pas à croire que tu obliges encore ce pauvre homme à se déplacer.

Todd préparait le thé et disposait des biscuits sur une assiette comme s'ils avaient pu dédommager le lieutenant pour ce dérangement.

— Il faut qu'il soit mis au courant de cette histoire de drogues.

— La police sait déjà tout ça, ma chérie.

— Impossible.

Todd a ajouté des biscuits au chocolat à côté de ceux fourrés à la crème à la vanille, en formant deux rangées parfaitement symétriques, jaune et marron. C'était sa manière à lui d'exprimer son agacement.

— Bien sûr que si. Et ils en auront tiré les mêmes conclusions que moi.

Il s'est retourné pour ôter la casserole d'eau bouillante de la plaque chauffante. La veille, il était resté silencieux quand je lui avais confié mes découvertes et, à la fin, m'avait juste demandé pourquoi je ne lui avais pas avoué le vrai but de mon rendez-vous avec Christina.

— Je n'en reviens pas, ta sœur n'avait même pas de bouilloire !

On a sonné à la porte.

Todd a accueilli le lieutenant Finborough, avant de partir chercher maman. Il était prévu qu'elle et moi rangions tes affaires. À mon avis, Todd espérait que cela me forcerait à tourner la page. Oui, encore une expression figée, mais je ne sais pas comment le formuler autrement. Maman aurait dit qu'il fallait voir les choses en face, elle.

Assis sur ton canapé, Finborough a mangé poliment un biscuit pendant que je lui rapportais ma conversation avec Christina.

— Nous étions déjà au courant pour le sédatif et le PCP.

Je ne m'attendais pas à ça. Todd avait raison, finalement.

— Pourquoi ne m'avez-vous rien dit ?

— La situation était déjà assez dure pour votre mère et vous et je ne voulais pas y ajouter une souffrance inutile. De toute façon, ces substances ne faisaient que confirmer notre opinion selon laquelle Tess s'est suicidée.

— Vous pensez qu'elle les a absorbées délibérément ?

— Rien n'indique le contraire. Et il est très fréquent que les personnes décidées à en finir avec la vie prennent un sédatif.

— Seulement la quantité n'était pas suffisante pour la tuer.

— Non, mais Tess l'ignorait peut-être. Après tout, elle n'avait jamais commis de tentative de suicide dans le passé, n'est-ce pas ?

— Non. Et cette fois-là pas davantage. On a dû la piéger pour qu'elle avale ce truc.

Je voulais effacer la calme compassion que je lisais sur le visage du lieutenant.

— Vous ne voyez donc pas ? ai-je continué. Il l'a droguée avec un sédatif pour pouvoir la tuer sans qu'elle se débatte. Voilà pourquoi son corps ne porte aucune trace de coups.

Peine perdue, je n'avais réussi à modifier ni son expression ni son opinion.

— À moins qu'elle n'ait simplement pris une forte dose qui n'a pas été suffisante.

J'étais comme une enfant attardée qu'un professeur bienveillant guidait fermement pour lui faire donner les bonnes réponses à un exercice.

— Et le PCP ? ai-je demandé en pensant que Finborough ne pouvait avoir d'explication à fournir à ce sujet.

— J'ai parlé à un inspecteur des Stups. Des dealers vendent cette drogue en la faisant passer pour du LSD depuis des années. Elle a toute une liste de surnoms : ozone, wack, poussière d'ange. Le dealer de Tess a probablement…

— Parce que Tess avait un « dealer », d'après vous ?

— Désolé. Je voulais dire la personne qui lui a donné ou vendu le PCP. Il ou elle ne lui a probablement pas expliqué ce dont il s'agissait au juste. J'ai aussi parlé au psychiatre de Tess, le docteur Nichols, et…

— Tess n'aurait jamais touché à la drogue, quelle qu'elle soit. Ça lui répugnait. Même au lycée, quand ses amis fumaient des joints, elle refusait de les imiter. Elle considérait sa santé comme un don du ciel dont Leo avait été privé et qu'elle n'avait pas le droit de détruire.

Finborough est resté un instant silencieux, avec l'air de prendre sincèrement en compte mon objection.

— Votre sœur n'était plus une lycéenne, avec les angoisses d'une lycéenne. Je ne prétends pas qu'elle voulait se droguer, ni qu'elle l'avait fait auparavant, mais il aurait été compréhensible qu'elle veuille fuir sa douleur.

Je me suis souvenue que, selon lui, tu avais vécu l'enfer après ton accouchement, et que c'était quelque chose que personne n'aurait pu partager avec toi. Pas même moi. Et je me suis souvenue aussi de mon envie de prendre un somnifère pour avoir quelques heures de répit et oublier ma propre douleur.

Mais j'avais résisté.

— Savez-vous que l'on peut fumer le PCP ? ai-je demandé. Ou le sniffer, ou se l'injecter, ou simplement l'avaler ? Quelqu'un a pu en glisser dans son verre sans qu'elle s'en aperçoive.

— Beatrice…

— Le docteur Nichols avait tort sur les causes de ses hallucinations. Elles n'étaient pas dues à une psychose postnatale au bout du compte.

— Non, mais comme je vous l'ai dit, je lui ai parlé du PCP. D'après lui, même si les causes de ces hallucinations n'étaient pas celles qu'il avait supposées, cela n'avait pas d'incidence sur l'état d'esprit de Tess. Ni sur la fin de l'histoire, hélas. Apparemment, il n'est pas inhabituel que les personnes droguées au PCP se mutilent ou se suicident. L'inspecteur des Stups me l'a confirmé.

J'ai tenté de l'interrompre, mais il a poursuivi jusqu'à sa conclusion logique :

— Tous les faits étayent la même hypothèse.

— Et le médecin légiste a accepté ça ? Que quelqu'un qui ne s'était jamais drogué puisse prendre volontairement un hallucinogène puissant ? Ça ne lui a pas paru bizarre ?

— Non. En fait, il m'a dit que…

Là, Finborough a jugé préférable de se taire.

— Quoi ? Que vous a-t-il dit ?

Il n'a pas répondu.

— Vous ne pensez pas que j'ai le droit de savoir ?

— Si, si. Très bien, alors. Il a dit que Tess était une étudiante, qui plus est une étudiante en art, vivant à Londres, et qu'il aurait été davantage surpris si elle avait été…

Il a laissé sa phrase en suspens et je l'ai complétée à sa place :

— *Clean* ?

— Quelque chose comme ça, oui.

Donc, tu n'étais pas « clean », ce qui au XXIe siècle restait lourd de sous-entendus. J'ai sorti la facture de téléphone de son enveloppe.

— Vous vous trompiez quand vous me faisiez valoir que Tess ne m'avait pas prévenue de la mort de son bébé. Elle a bien essayé de le faire. Elle a essayé sans relâche, mais elle n'y est pas arrivée. Même si vous n'y voyez que des « appels au secours », ils m'étaient destinés à moi. Parce que nous étions proches. Je connaissais bien ma sœur. Elle ne se serait jamais droguée. Et elle ne se serait jamais suicidée non plus.

Il n'a pas réagi.

— Elle s'est tournée vers moi et je l'ai laissée tomber. Mais elle s'est tournée vers moi.

— En effet.

Il m'a semblé voir sur son visage une pointe d'émotion qui n'était pas seulement de la compassion.

12

Une heure et demie après le départ du lieutenant, Todd a déposé maman à l'appartement. Le chauffage paraissait avoir définitivement rendu l'âme et elle n'a pas enlevé son manteau. Son souffle était visible dans le salon glacial.

— Bon, au travail. J'ai apporté du papier à bulles et de quoi emballer ses affaires.

Peut-être comptait-elle sur sa détermination et sa vivacité pour nous faire croire qu'il était possible de venir à bout du chaos engendré par ta mort. Encore que, pour être honnête, la mort laisse bien une série décourageante de tâches pratiques à accomplir. Toutes les possessions que tu as été obligée d'abandonner derrière toi devaient être triées, emballées et redistribuées dans le monde des vivants. Cela m'évoquait un aéroport vide où tes habits, tes peintures, tes livres, tes lentilles de contact et l'horloge de mamie auraient tourné et tourné sur un tapis roulant, dans la zone de récupération des bagages, sans que personne à part maman et moi ne veuille les reprendre.

Maman a commencé à découper des bandes de papier à bulles.

— Todd m'a raconté que tu avais demandé à revoir le lieutenant Finborough ? a-t-elle déclaré d'un ton accusateur.

— Oui.

J'ai hésité avant de poursuivre.

— Plusieurs substances ont été retrouvées dans le corps de Tess.

— Todd me l'a déjà dit. Nous savons tous qu'elle n'était plus elle-même, Beatrice. Et il y avait assez de choses qu'elle devait avoir envie d'oublier.

Sans me laisser le loisir de la contredire, elle est passée dans le salon pour « avancer un peu avant le déjeuner ».

J'ai sorti les nus qu'Emilio avait peints de toi et je me suis hâtée de les emballer – en partie pour les soustraire au regard de maman, mais aussi au mien. Oui, je suis prude, mais là n'était pas la raison. Je ne pouvais tout simplement pas supporter de contempler la couleur éclatante de vie de ton corps peint alors que ton visage à la morgue était d'une telle pâleur. Tout en m'affairant, j'ai songé qu'Emilio avait un mobile des plus évidents pour t'assassiner. Tu aurais pu ruiner sa carrière et son mariage. D'accord, sa femme était déjà au courant de votre liaison, mais il l'ignorait et aurait pu craindre une réaction différente de sa part. Pourtant, ta grossesse le trahissait, alors, si vraiment il t'avait tuée pour protéger son couple et sa carrière, je ne comprenais pas pourquoi il avait attendu la naissance de l'enfant.

Après avoir recouvert les nus, j'ai emballé l'un de tes tableaux – en détournant les yeux de l'image et de ses couleurs chantantes et en me rappelant à la place ton ravissement quand, à quatre ans, tu pressais le papier à bulles entre ton petit pouce et ton index. «Pop!» Maman est entrée dans la chambre à cet instant.

— Qu'est-ce qu'elle pouvait bien vouloir faire de tout ça? a-t-elle dit devant tes toiles.

— Je n'en suis pas sûre, mais son école aimerait organiser quelque chose de spécial autour de ses peintures lors d'une exposition consacrée au travail des étudiants. Ce sera dans trois semaines.

L'école m'avait appelée quelques jours plus tôt et j'avais accepté avec empressement.

— Ils ne paieront pas pour ces tableaux, j'imagine? Enfin quoi, qu'espérait-elle obtenir, au juste?

— Elle voulait être peintre.

— Tu veux dire une sorte de décoratrice? a demandé maman, étonnée.

— Non, c'est le mot qu'on emploie pour les artistes maintenant.

— C'est le terme politiquement correct, m'avais-tu expliqué en me taquinant pour mon vocabulaire démodé. Les pop stars sont des artistes, les artistes sont des peintres et les peintres sont des décorateurs.

— Peindre des images à longueur de journée, c'est ce que font les enfants à la maternelle, a répliqué maman. Ça ne me dérangeait pas qu'elle ait pris cette option au lycée – c'était une bonne idée pour se changer les idées en dehors des matières sérieuses –, mais considérer ce qu'elle faisait comme de vraies études supérieures, c'est ridicule.

— Elle exploitait son talent, c'est tout.

Oui, je sais. J'aurais pu trouver mieux.

— C'était infantile ! a décrété maman. Elle gâchait tous ses diplômes.

Elle t'en voulait tellement d'être morte.

Par peur de la confrontation, je ne lui avais pas parlé des dispositions que j'avais prises concernant Xavier, mais je ne pouvais pas repousser la discussion plus longtemps.

— Maman, je pense vraiment qu'elle aurait aimé que Xavier…

— Xavier ?

— Son bébé. Elle aurait aimé…

— Elle lui a donné le nom de Leo ? s'est-elle exclamée d'un ton horrifié.

Je suis désolée, Tess.

Elle est repartie dans le salon pour fourrer tes habits dans un sac-poubelle noir.

— Tess n'aurait pas voulu qu'on jette ses affaires, maman. Elle recyclait tout.

— Celles-là n'iront à personne.

— Elle a mentionné un jour un endroit qui recyclait les vêtements, j'irai voir…

Mais elle m'avait tourné le dos et ouvrait le tiroir au bas de l'armoire. Elle en a sorti un petit gilet en cachemire enveloppé dans du papier de soie.

— Il est superbe, a-t-elle dit d'une voix douce.

Je me rappelle mon propre étonnement quand j'avais découvert d'aussi jolies tenues de bébé dans ton appartement où tout trahissait la pauvreté.

— Qui les lui a offerts ?

— Aucune idée. Amias m'a juste dit qu'elle avait fait les boutiques.

— Mais comment ? C'est le père qui lui a donné de l'argent ?

Je me suis armée de courage. Elle avait le droit d'être informée.

— Il est marié.

— Je sais.

Elle a dû voir ma perplexité parce qu'elle a continué d'une voix peu amène, cette fois :

— Tu m'as demandé si je voulais mettre le A sur son cercueil pour faire bonne mesure. Tess n'était pas mariée, alors la « lettre écarlate », le badge de l'adultère, ne pouvait s'appliquer qu'au père.

Notant ma surprise, elle s'est raidie encore plus.

— Tu pensais que je n'avais pas saisi l'allusion, n'est-ce pas ?

— Je m'excuse. Ma remarque était cruelle.

— À partir du moment où vous avez quitté le lycée, Tess et toi avez cru que j'étais incapable de vous suivre. Que je ne me préoccupais que de choses comme le menu d'un repas barbant trois semaines à l'avance.

— Je ne t'ai jamais vue lire, c'est tout.

Elle tenait toujours le petit gilet de Xavier et le caressait en parlant.

— Je lisais, autrefois. Je veillais avec ma lampe de chevet allumée alors que votre père voulait dormir. Ça l'énervait, mais c'était plus fort que moi. On aurait dit une drogue. Et puis Leo est tombé malade et je n'ai plus eu le temps après. De toute façon, je me suis rendu compte que les livres étaient remplis de futilités et d'âneries. Qui peut avoir envie de lire page après page les histoires d'amour des autres ou la description d'un coucher de soleil ? Qui ?

Elle a reposé le gilet et s'est remise à fourrer tes habits dans un sac-poubelle. Elle ne les avait pas décrochés des cintres métalliques, si bien que le crochet de ces derniers déchirait le fin plastique noir. Devant ses gestes maladroits et désespérés, j'ai pensé au four de mon ancienne école et aux pots en terre cuite que nous mettions à l'intérieur. En cuisant, ils durcissaient jusqu'à ce que ceux qui avaient été mal façonnés éclatent en morceaux. Ta mort avait déstabilisé maman et je savais, en l'observant tandis qu'elle fermait le sac-poubelle, que lorsqu'elle affronterait enfin la réalité, la douleur serait comme un four qui la réduirait en miettes.

Une heure plus tard, je l'ai conduite à la gare. En rentrant, j'ai rangé dans ton armoire les vêtements dont elle avait rempli des sacs entiers avec frénésie et j'ai replacé l'horloge de mamie sur le manteau de la cheminée. Même tes affaires de toilette se trouvaient toujours dans la petite armoire à glace de la salle de bains, les miennes étant dans ma trousse, sur un tabouret. Qui sait, peut-être est-ce la vraie raison pour laquelle je me suis installée chez toi. Parce que cela signifiait que je ne t'évacuais pas de ma vie.

J'ai ensuite terminé d'emballer tes tableaux. C'était juste pour une exposition, donc ça ne me dérangeait pas. Il n'en est resté que quatre à la fin – ceux, cauchemardesques, et peints à la gouache, d'un homme masqué penché sur une femme qui hurlait, la bouche ensanglantée. J'avais compris que la forme dans ses bras, la seule touche blanche du tableau, était un bébé. De même, j'avais compris que tu avais peint ces scènes sous l'emprise du PCP et qu'elles étaient un témoignage visuel de tes descentes en enfer. J'ai vu les traces laissées par mes larmes la première fois que j'avais posé les yeux dessus et la peinture qui avait dégouliné sur la toile. Ces larmes étaient alors la seule réaction possible pour moi, mais je savais à présent que quelqu'un t'avait délibérément torturée et je n'éprouvais plus que de la haine. Je trouverais ton assassin.

Le bureau est surchauffé et le soleil qui brille par la fenêtre et fait grimper encore plus la température me donne envie de dormir. Je vide ma tasse de café et essaie de me réveiller.

— Et vous êtes allée ensuite chez Simon ? demande M. Wright.

J'imagine qu'il confronte mes déclarations avec celles d'autres témoins afin de s'assurer que tout concorde.

— Oui.

— Pour le questionner sur les drogues ?

— Oui.

J'ai sonné à la porte et, quand une femme de ménage m'a ouvert, je suis entrée comme si j'étais chez moi. Une fois encore, j'ai été frappée par l'opulence des lieux. J'habitais dans ton appartement depuis un moment et cela me rendait moins indifférente à la richesse matérielle. Simon était dans la cuisine, assis à la table du petit déjeuner. Il a sursauté en me voyant, puis a paru agacé. Son visage poupin n'était pas rasé mais, de même qu'avec ses piercings, j'ai vu là trop d'afféterie.

— As-tu donné de l'argent à Tess pour qu'elle achète des habits à son bébé ?

Je n'avais pas envisagé cette hypothèse avant d'arriver, mais elle me semblait soudain très probable.

— Qu'est-ce que tu fais ici ?

— La porte était ouverte. J'ai quelques questions à te poser.

— Je ne lui ai rien donné. J'ai essayé une fois, mais elle a refusé.

Il avait l'air acculé, et par conséquent crédible.

— Tu ignores d'où vient cet argent, alors ?

— Oui.

— Est-ce que tu l'as trouvée somnolente à Hyde Park ?

— Putain, pourquoi tu me demandes ça ?

— Je veux juste savoir si elle paraissait dormir à moitié quand tu l'as vue.

— Non. Elle était plutôt nerveuse.

Il t'a donc administré le sédatif plus tard, après que Simon t'a laissée.

— Est-ce qu'elle avait des hallucinations ?

— Je croyais que tu ne gobais pas la thèse de la psychose postnatale, a-t-il ironisé.

— Réponds-moi.

— Tu veux dire, est-ce qu'elle voyait autre chose dans les buissons qu'un homme qui n'existait pas ?

Je n'ai pas répliqué.

— Non, a-t-il enfin dit d'un ton railleur. À part ça, elle était tout à fait normale.

— On a retrouvé des sédatifs et du PCP dans son sang.

Il m'a répondu d'emblée et avec fermeté.

— Non. Impossible. Tess était coincée comme pas deux en matière de drogue.

— Mais pas toi, hein ?

— Et ?

— Peut-être que tu as voulu lui filer quelque chose pour qu'elle se sente mieux ? Un verre, par exemple. Avec un truc dedans dont tu pensais que ça l'apaiserait un peu ?

— Je n'ai rien versé dans son verre. Je ne lui ai pas donné d'argent. Et je veux que tu sortes tout de suite avant que la situation ne dégénère.

Il essayait d'imiter un homme à plus forte poigne que lui. Son père, peut-être.

En sortant, je suis passée devant une chambre et j'ai aperçu par la porte ouverte une photo de toi sur le mur, tes cheveux détachés. Je me suis approchée. C'était visiblement la chambre de Simon. Ses habits étaient pliés avec soin, ses vestes pendaient sur des portemanteaux en bois – autant de signes qui trahissaient une obsession de la propreté.

Une bannière était accrochée à un mur, avec cette inscription calligraphiée méticuleusement : *La Femelle de l'espèce*. Elle surmontait des photos de toi, des tas de photos, collées à la paroi avec de la pâte adhésive. Sur toutes, tu tournais le dos à l'objectif.

— J'étais amoureux d'elle, tu le sais, a dit Simon, surgi tout près de moi.

Mais ces clichés me faisaient penser aux habitants de l'île de Bequia, qui considèrent qu'un photographe est un voleur d'âmes.

— C'est mon projet de dernière année, a-t-il ajouté avec fierté. J'ai choisi de faire un reportage sur un seul et unique sujet. Mon tuteur trouve que c'est le plus original et le plus intéressant de ma promotion.

Pourquoi n'avait-il pas pris ton visage ?

Il a dû deviner mes pensées parce qu'il s'est expliqué :

— Je ne voulais pas que le projet concerne une personne en particulier, alors j'ai fait en sorte qu'elle n'ait pas d'identité. Je voulais qu'elle soit toutes les femmes à la fois.

Ou peut-être cherchait-il un prétexte pour te suivre et t'épier sans que tu t'en aperçoives ?

— *La Femelle de l'espèce*, a-t-il enchaîné d'un ton toujours aussi suffisant, est le titre d'un poème qui dit que la femme est « plus mortelle que le mâle ».

La bouche sèche, j'ai craché ma réponse avec colère :

— Le poème parle des mères qui protègent leurs petits. Voilà pourquoi elles sont plus mortelles que les mâles. Elles ont plus de courage. Ce sont les hommes que Kipling traite de lâches « en guerre contre la vie et la conscience ».

Simon ne s'attendait clairement pas à ce que je connaisse le poème, ni probablement aucun autre d'ailleurs, et peut-être que toi non plus. Mais j'ai fait des études de lettres à Cambridge, souviens-toi. J'ai été un jour quelqu'un d'un peu bohème. Même si, à vrai dire, c'était mon analyse scientifique de la forme des textes qui m'a permis de m'en sortir, plus que ma compréhension du fond.

J'ai détaché une photo de toi, puis une autre, puis encore une autre. Simon a tenté de m'en empêcher, mais j'ai continué jusqu'à ce que j'aie eu tout enlevé, jusqu'à ce qu'il ne puisse plus te regarder. Après cela, je suis partie avec mon butin. Simon a protesté avec fureur en disant qu'il avait besoin de ces clichés pour son évaluation de fin d'année et en me traitant de voleuse et de quelque chose d'autre – mais je n'ai pas entendu parce que j'avais claqué la porte derrière moi.

Tandis que je regagnais Chepstow Road en voiture, je me suis demandé combien de fois il t'avait suivie pour te mitrailler ainsi. Avait-il recommencé après que tu l'avais laissé au parc, le jour de ta mort ? Je me suis arrêtée pour examiner les photos. Elles te montraient toutes de dos, au milieu d'un décor estival, automnal ou hivernal, et dans des tenues qui allaient du T-shirt à la veste et à l'épais manteau. Il avait dû te suivre durant des mois. Mais il n'y avait aucune photo de toi dans un parc enneigé.

Je me suis souvenue que, pour les habitants de l'île de Bequia, il est possible de maudire quelqu'un en fixant sa photo sur une poupée vaudoue. Le procédé est à leurs yeux aussi efficace qu'en utilisant le sang ou les cheveux de la victime.

De retour à l'appartement, j'ai découvert une bouilloire toute neuve dans la cuisine. Todd était dans la chambre et, en le rejoignant, je l'ai surpris en train d'essayer de briser l'un de tes tableaux « psychotiques ». La toile était trop solide cependant et refusait de céder.

— Qu'est-ce que tu fabriques ?

— Ils ne rentreront pas dans un sac-poubelle et je ne pouvais pas les jeter aux ordures comme ça. (Il s'est tourné vers moi.) Ça ne rime à rien de les garder, leur vue te fait trop mal.

— Mais il faut que je les garde !

— Pourquoi ?

— Parce que…

— Parce que quoi ?

Parce qu'ils prouvaient que tu subissais une torture mentale, ai-je pensé. Mais je n'ai rien dit. Je savais que cela mènerait à une dispute sur les circonstances de ta mort et, inévitablement, à notre séparation. Or je ne voulais pas me retrouver encore plus seule que je ne l'étais.

— Vous avez parlé à la police des photos de Simon ?

— Non. Ils étaient déjà plus que sceptiques en ce qui concernait son assassinat et je ne voyais pas comment ces photos auraient pu les persuader du contraire.

Sans même mentionner les habitants de l'île de Bequia et les poupées vaudoues…

— Simon aurait prétendu qu'elles devaient servir à son projet de dernière année, de toute façon. Il avait un prétexte.

M. Wright consulte sa montre.

— Je dois assister à une réunion dans dix minutes. Arrêtons-nous là.

Il ne me précise pas avec qui il a rendez-vous, mais cette réunion doit être importante pour avoir lieu un samedi après-midi. Ou peut-être a-t-il remarqué ma fatigue. Je me sens épuisée la plupart du temps, mais comparé à ce que tu as subi, je sais que je n'ai pas le droit de me plaindre.

— Cela vous ennuierait-il de revenir demain ? Si vous en avez la force.

— Bien sûr.

Pourtant, je doute qu'il soit normal de travailler le dimanche.

— Votre témoignage est crucial pour obtenir une condamnation, explique-t-il comme s'il avait lu dans mes pensées. Et je veux avancer le plus possible tant que vous vous souvenez bien de tout.

À croire que ma mémoire est un frigo contenant des informations utiles qui menacent de pourrir dans le bac à légumes. Mais je suis injuste. En réalité, M. Wright a compris que j'étais plus mal en point qu'il ne l'imaginait au début. Et il est assez futé pour se demander si mes facultés mentales, et en particulier ma mémoire, ne vont pas s'affaiblir au même rythme que mon corps. Il a raison de vouloir avancer.

Je suis maintenant dans un bus bondé, pressée contre la vitre. Une zone transparente au milieu du verre embué me permet d'entrevoir les bâtiments de Londres qui bordent le trajet. Je ne t'ai jamais confié mon regret de n'avoir pas fait d'études d'architecture, n'est-ce pas ? Après trois semaines en fac de lettres, j'ai senti que je faisais une erreur. Mon cerveau mathématique et mon manque de confiance en moi avaient besoin de quelque chose de plus solide que la structure des comparaisons dans la poésie métaphysique, mais je n'avais pas osé demander à changer de filière. Je craignais d'être rayée de mes cours de littérature et de ne trouver aucune place en architecture. Le risque était trop grand. Pourtant, chaque fois que je passe devant un beau bâtiment, je regrette d'avoir manqué de courage.

13

Dimanche

Ce matin, il n'y a pas âme qui vive à la réception du CPS et le hall d'entrée est désert. Je prends l'ascenseur vide jusqu'au troisième étage. M. Wright et moi devons être les seules personnes présentes ici aujourd'hui.

Il m'a dit hier qu'il voulait aborder la partie de ma déclaration concernant Kasia Lewski. Ça va être bizarre parce que j'ai vu Kasia chez toi il y a tout juste une heure, vêtue de ta vieille robe de chambre.

J'entre directement dans le bureau, où m'attendent de nouveau un café et de l'eau. M. Wright me demande si je vais bien et je le rassure.

— J'aimerais d'abord récapituler ce que vous m'avez dit jusqu'à présent au sujet de Kasia Lewski, déclare-t-il en baissant les yeux sur une feuille imprimée – sans doute une transcription d'une partie antérieure de mon témoignage. « Kasia Lewski est passée le 27 janvier, vers 20 heures, afin de voir Tess. »

Je me souviens que j'avais couru en entendant sonner, que j'avais ton nom au bord des lèvres, que je l'avais presque articulé à voix haute en ouvrant, et qu'il m'avait laissé ensuite un goût dans la bouche. Je me souviens de ma rancune en découvrant Kasia debout sur le seuil, dans ses chaussures à talons bon marché, avec ses veines gonflées, ses jambes blanches et sa chair de poule. Je frissonne devant tant de snobisme, mais je suis heureuse que ma mémoire soit encore bonne.

— Elle vous a dit qu'elle était suivie dans le même dispensaire que Tess ?

— Oui.

— Elle a précisé lequel ?

Je secoue la tête et ne lui avoue pas que j'étais trop impatiente de me débarrasser d'elle pour m'intéresser à son sort, a fortiori pour lui poser la moindre question. M. Wright consulte de nouveau ses notes.

— Elle a déclaré qu'elle était célibataire elle aussi, mais que son petit ami était revenu ?

— Oui.

— Vous avez rencontré Michael Flanagan ?

— Non, il est resté dans la voiture. Je me rappelle qu'elle a paru nerveuse quand il a klaxonné.

— Vous avez vu Kasia pour la deuxième fois après être allée chez Simon Greenly ?

— Oui. Je voulais lui donner des habits de bébé.

Je mens un peu, en fait. Cette visite à Kasia me servait de prétexte pour fuir Todd et la dispute qui, je le savais, allait sceller notre rupture.

Malgré la neige et les trottoirs glissants, il ne m'a fallu que dix minutes de marche pour arriver chez Kasia. Elle m'a dit depuis que c'était toujours elle qui venait chez toi d'habitude – sans doute parce qu'elle voulait éviter Mitch. Elle avait un appartement à Trafalgar Crescent, dans un immeuble en béton immonde qui n'avait pas sa place au milieu des squares symétriques tout pimpants et des rues en parfait arc de cercle du quartier. Parallèle à la rue, la Westway faisait entendre le fracas de sa circulation, et des tagueurs (peut-être les appelle-t-on peintres maintenant) avaient couvert les escaliers de graffitis comme les chiens qui pissent contre les murs pour marquer leur territoire. Kasia a ouvert la porte en laissant la chaînette de sécurité.

— Oui ?

— Je suis la sœur de Tess Hemming.

Elle a ôté la chaînette et j'ai entendu le bruit du pêne. Même seule (et je ne parle pas du fait qu'il neigeait et qu'elle était enceinte), elle portait un haut coupé court et des bottines à talons aiguilles avec des strass incrustés sur les côtés. L'espace d'un instant, j'ai eu peur d'avoir affaire à une prostituée qui attendait un client. Ça te fait rire, hein ? Arrête.

— Beatrice ? Entrez, je vous prie !

J'étais surprise qu'elle n'ait pas oublié mon nom. Notre première rencontre remontait à un peu plus de deux semaines et son ventre avait bien grossi. J'ai supposé qu'elle devait en être à son septième mois de grossesse.

Je me suis avancée dans l'appartement, qui sentait le parfum bon marché et le désodorisant – sans que cela masque l'odeur naturelle des moisissures et des traces d'humidité sur les murs et la moquette. Une couverture indienne semblable à la tienne (la lui avais-tu donnée ?) était clouée à la fenêtre. Je pensais ne pas essayer de reproduire les paroles exactes et l'accent de la jeune femme, mais au cours de notre discussion, ses difficultés à s'exprimer ont rendu ses propos plus frappants.

— Je suis désolée. Vous devez être… Comment je peux dire ?

Elle a cherché le mot juste puis, renonçant, elle a haussé les épaules pour s'excuser.

— Triste, mais triste, c'est pas assez fort.

Sans que je sache pourquoi, son anglais imparfait m'a paru plus sincère qu'une lettre de condoléances parfaitement tournée.

— Vous l'aimez beaucoup, Beatrice.

Elle employait le verbe aimer au présent. Était-ce parce qu'elle n'avait pas encore appris le passé, ou parce qu'elle était plus sensible que quiconque à ma douleur ?

— Oui.

L'air doux et chaleureux avec lequel elle me regardait m'a déconcertée. Elle s'était défaite d'un seul coup de l'étiquette que je lui avais collée sur le front et se montrait gentille envers moi alors que ç'aurait dû être l'inverse. Je lui ai tendu la petite valise que j'avais apportée.

— Tenez, ce sont des affaires de bébé.

Elle n'a pas eu l'air aussi ravie que je l'espérais, pas du tout même. Peut-être parce que ces tenues, destinées à Xavier, étaient empreintes de tristesse.

— Tess… son enterrement ? a-t-elle dit.

— Oh, oui, bien sûr. Il aura lieu à Little Hadston, près de Cambridge, le jeudi 13 février à 11 heures.

— Vous pouvez écrire… ?

Je lui ai tout noté sur une feuille, avant de lui mettre presque de force la valise dans les mains.

— Tess aurait voulu vous les donner.

— Notre prêtre, il dit la messe pour elle dimanche dernier.

J'ai trouvé curieux qu'elle change de sujet. Elle n'avait pas même ouvert la valise.

— Ça vous ennuie pas ?

J'ai opiné de la tête, mais je ne sais pas trop ce que cela t'inspire.

— Le père John. C'est un homme très gentil. Il est très…

Elle a posé une main sur son ventre d'un air absent.

— Très chrétien ? ai-je ironisé.

— Pour un prêtre, oui, a-t-elle répondu en souriant.

Plaisantait-elle, elle aussi ? Oui, du tac au tac. Elle était bien plus fine que je ne le croyais.

— La messe. Ça gêne Tess ? s'est-elle enquise.

Une fois de plus, je me suis demandé si elle employait le présent de manière intentionnelle. Peut-être, oui. Si tout ce qu'on raconte à l'église est vrai, alors tu es là-haut, au ciel, ou dans l'antichambre du purgatoire. Tu es dans le temps présent, à défaut d'ici et maintenant, et peut-être que cette messe en ta mémoire t'a touchée et que tu te sens désormais un peu stupide d'avoir professé un athéisme si convaincu.

— Vous ne voulez pas regarder les affaires que je vous ai apportées pour choisir celles qui vous plaisent ?

J'ignore si j'agissais par gentillesse ou pour tenter de reprendre un rôle qui me donnait un sentiment de supériorité. En tout cas, recevoir des marques de bienveillance de quelqu'un comme Kasia me mettait mal à l'aise. Oui, j'étais encore assez snob pour penser « quelqu'un comme elle ».

— Je fais le thé d'abord ?

Je l'ai suivie dans sa cuisine miteuse, où le lino déchiré révélait le béton en dessous. En revanche, tout le reste était aussi propre que possible au vu des conditions. La vaisselle blanche écaillée brillait, de même que les vieilles casseroles – du moins aux endroits où elles n'étaient pas rouillées. Kasia a rempli la bouilloire et l'a posée sur son socle. Je doutais qu'elle eût quoi que ce soit d'utile à m'apprendre, mais j'ai quand même décidé de tenter ma chance.

— Savez-vous si quelqu'un a essayé de donner de la drogue à Tess ?

Elle a paru horrifiée.

— Tess ne prend jamais la drogue. Avec le bébé, rien de mauvais. Pas de thé, pas de café.

— Et savez-vous de qui elle avait peur ?

— Tess, pas peur, a-t-elle dit en secouant la tête.

— Mais après qu'elle a accouché ?

Ses yeux se sont remplis de larmes et elle s'est détournée de moi en luttant pour contenir son émotion. Elle était à Majorque avec Mitch quand tu as accouché et n'est rentrée qu'après ta mort. C'est là qu'elle est venue sonner chez toi et qu'elle m'a découverte, moi, à ta place. Je m'en suis voulu de la bouleverser et de l'interroger ainsi alors qu'elle n'était à l'évidence pas en mesure de m'aider. Elle préparait le thé, de sorte que je pouvais difficilement partir, mais je ne savais pas du tout quoi lui dire.

— Vous travaillez ? ai-je demandé – sorte de variante peu subtile du : « Que faites-vous dans la vie ? », la question habituelle que l'on pose dans les cocktails.

— Oui. Le ménage… parfois dans les supermarchés, mais la nuit. Horrible. Parfois aussi, je travaille pour les magazines.

J'ai tout de suite songé à des magazines porno. Mes préjugés, fondés sur ses choix vestimentaires, étaient trop ancrés pour disparaître sans effort. Encore que, pour me rendre un tout petit peu justice, je m'étais inquiétée pour elle au début à l'idée qu'elle ne soit une prostituée au lieu de simplement la condamner sans appel.

— Les gratuits, a-t-elle précisé, étant assez futée pour deviner mes réserves quant à son « travail pour des magazines ». Je les mets dans les boîtes aux lettres. La maison qui a « pas de prospectus », je mets aussi. Je ne sais pas lire anglais.

Je lui ai souri sincèrement pour la première fois, et cela a semblé lui faire plaisir.

— Toutes les portes dans les endroits riches disent « pas de prospectus ». Mais on ne va pas chez les pauvres. Bizarre, hein ?

— Oui, ai-je répondu en cherchant un autre sujet de conversation. Alors dites-moi, comment avez-vous connu Tess ?

— Oh. Je raconter pas encore ?

Bien sûr que si, elle me l'avait déjà raconté, mais j'avais oublié – ce qui n'est pas étonnant quand on pense au peu d'intérêt que je lui avais témoigné.

— Le dispensaire. Mon bébé, malade lui aussi.

— Votre enfant a la mucoviscidose ?

— Mucoviscidose, oui. Mais maintenant...

Elle a caressé son ventre.

— Bien, maintenant. Un miracle.

Elle a fait un signe de croix, un geste aussi naturel chez elle que lorsqu'elle repousse ses cheveux en arrière.

— Tess dit : « Le dispensaire des mamans catastrophes. » Quand je la vois, la première fois, elle me fait rire. Elle voulait que je viens chez elle.

La gorge nouée, elle n'a pas pu continuer et m'a tourné le dos. Je savais qu'elle essayait de ne pas pleurer. J'ai tendu la main pour la poser sur son épaule, mais je ne suis pas allée au bout de mon geste. Toucher les inconnus m'est aussi difficile que toucher une araignée pour un arachnophobe. Tu trouves peut-être ça drôle, mais ça ne l'est pas du tout. C'est presque un handicap.

Kasia a fini de préparer le thé et a tout servi sur un plateau. J'ai remarqué le soin qu'elle mettait à bien faire les choses, en sortant des tasses et des soucoupes, un pot à lait, une petite passoire pour les feuilles de thé, et en ébouillantant la théière avant de la remplir.

Lorsque nous sommes revenues dans le salon, j'ai aperçu sur le mur en face de moi un dessin que je n'avais pas remarqué jusque-là. C'était un portrait au fusain de Kasia – un beau portrait, qui m'a fait prendre conscience que la jeune femme était belle, elle aussi. J'ai deviné tout de suite qui l'avait réalisé.

— Tess ?

— Oui.

Nos regards se sont croisés et, durant un bref instant, quelque chose est passé entre nous qui ne requérait aucun mot et ne se heurtait de ce fait à aucune barrière linguistique. Si je devais traduire ce quelque chose, je dirais que Kasia et toi étiez clairement assez proches pour que tu veuilles la dessiner, et aussi que tu voyais chez les gens une beauté qui échappait aux autres. Mais ce n'était pas aussi verbeux que cela, et aucune langue ne résonnait entre nous. C'était plus subtil. Puis le claquement d'une porte m'a fait sursauter.

En me retournant, j'ai vu entrer dans le salon un homme d'une vingtaine d'années en salopette d'ouvrier. Grand, musclé, les bras tatoués de partout et les cheveux pleins de poussière de plâtre, il paraissait ridiculement imposant dans le petit appartement.

— Kash ? a-t-il dit d'une voix étonnamment calme pour un homme de cette stature, mais néanmoins menaçante. Pourquoi t'as pas fermé la porte ? Je t'ai déjà…

Il s'est interrompu en m'apercevant.

— C'est une auxiliaire médicale ?

— Non, ai-je répondu.

Il m'a ignorée et a continué à interroger Kasia.

— Qui c'est alors ?

— Mitch…, a-t-elle bafouillé avec agitation et embarras.

Il s'est assis, montrant ainsi qu'il était là chez lui, et que moi non par conséquent. Sa présence rendait

Kasia nerveuse. Elle avait la même expression que lorsqu'il avait klaxonné, le jour où elle était venue chez toi.

— C'est Beatrice, a-t-elle dit.

— Et qu'est-ce que « Beatrice » nous veut ? a-t-il demandé d'un ton railleur.

Je me suis soudain sentie gênée avec mon jean de marque et mon pull en cachemire gris – ma tenue de rigueur le week-end à New York, mais pas le genre de vêtements qui permettent de se fondre dans le paysage un lundi matin à Trafalgar Crescent.

— Mitch travaille la nuit, a expliqué Kasia. Très dur. Après, il est très...

Elle a cherché le bon mot, mais il aurait fallu avoir un dictionnaire des expressions dans la tête pour trouver un euphémisme qualifiant le comportement de Mitch. « Pas dans son assiette » est celui qui s'est imposé à moi le plus rapidement. J'ai presque eu envie de le lui noter.

— Putain, t'as pas à t'excuser pour moi.

— Ma sœur, Tess, était une amie de Kasia, ai-je dit.

Mais ma voix était devenue celle de ma mère. L'anxiété a toujours accentué mon intonation bourgeoise. Mitch a fixé Kasia d'un œil mauvais.

— Celle chez qui tu traînais tout le temps ?

J'ignorais si Kasia maîtrisait assez bien l'anglais pour saisir qu'il était infect avec elle. Allait-il jusqu'à se montrer violent, aussi ?

— Tess, mon amie, a-t-elle répliqué tranquillement.

C'était une phrase que je n'avais pas entendue depuis l'école primaire. Quelqu'un qui défendait une autre personne en disant « c'est mon amie ». J'ai été touchée par la force et la simplicité d'une telle déclaration. Puis je me suis levée. Je ne voulais pas rendre la situation plus difficile encore pour Kasia.

— Je ferais mieux d'y aller.

Mitch était vautré sur un fauteuil et j'ai dû enjamber ses pieds pour me diriger vers la porte.

— Merci pour les habits, a dit Kasia en m'accompagnant. Très gentil.

— Quels habits ? a demandé Mitch.

— J'ai apporté quelques tenues pour enfant, c'est tout.

— Vous aimez jouer les dames patronnesses, hein ?

J'ai vu que, si Kasia ne comprenait pas ses paroles, elle sentait en revanche parfaitement son hostilité.

— Ce sont juste de jolies affaires, ai-je dit en m'adressant à elle cette fois. Je ne voulais pas les jeter ni les donner à des œuvres caritatives qui les auraient vendues à n'importe qui.

Mitch a bondi de son fauteuil, tel un homme entêté qui cherche la bagarre et qui y prend plaisir.

— Alors c'est nous ou une œuvre de charité ?

— Ça vous arrive d'arrêter votre petit numéro de macho ?

La confrontation, qui m'était si étrangère autrefois, devenait un terrain familier pour moi.

— On a nos propres fringues de mioche, a-t-il dit en entrant dans une chambre.

Quelques instants plus tard, il en est ressorti avec une boîte qu'il a jetée à mes pieds. J'ai regardé à l'intérieur. Elle était remplie de vêtements pour bébé qui avaient dû coûter très cher.

— Tess et moi, shopping, a avoué Kasia avec gêne. Ensemble. Nous…

— Mais où avez-vous trouvé l'argent ?

Avant que Mitch ne puisse exploser de rage, je me suis empressée d'ajouter :

— Tess n'en avait pas, elle non plus. Je veux juste savoir qui le lui a donné.

— Les gens pour les tests, a dit Kasia. Trois cents livres.

— Quels tests ? Ceux sur la mucoviscidose ?

— Oui.

Avait-on essayé de la soudoyer ? J'avais pris l'habitude de soupçonner toutes les personnes ayant eu un lien avec toi, et ces tests, dont je m'étais méfiée dès le début, représentaient un terrain suffisamment anxiogène pour que les graines de la méfiance puissent y germer.

— Vous vous rappelez le nom de la personne ?

— L'argent, dans une enveloppe, a-t-elle dit en secouant la tête. Juste avec des brochures, pas de lettre. Une surprise.

— Et t'as tout claqué dans des tenues de bébé, l'a coupée Mitch. Des fringues qui ne serviront que quelques semaines. Merde, avec tout ce qu'on a à acheter !

Kasia a détourné le regard et j'ai senti qu'il s'agissait d'une vieille dispute entre eux, qui avait effacé toute la joie qu'elle avait pu éprouver en achetant ces affaires.

Elle m'a accompagnée à l'extérieur. Alors que nous descendions les marches bétonnées de la cage d'escalier, elle a deviné ce que je lui aurais dit si nous avions chacune maîtrisé la langue de l'autre.

— Il est le père, a-t-elle déclaré en réponse à ma question muette. Rien ne change ça maintenant.

— J'habite chez Tess. Vous passerez me voir ? ai-je lancé en retour, surprise moi-même par mon désir sincère qu'elle accepte.

Au même moment, la voix de Mitch a résonné en haut des escaliers :

— Vous avez oublié ça !

Et il a jeté ma valise. En heurtant le palier, elle s'est ouverte, répandant des petits gilets, un bonnet et une couverture sur le sol mouillé. Kasia m'a aidée à tout ramasser.

— Ne venez pas à l'enterrement, Kasia. S'il vous plaît.

Oui, à cause de Xavier. Ç'aurait été trop dur pour elle.

Je suis rentrée à pied, le vent glacial fouettant mon visage. J'avais relevé le col de mon manteau et mis un foulard sur ma tête pour me protéger du froid, si bien que je n'ai pas entendu sonner mon portable et que celui-ci a basculé l'appel sur ma messagerie. C'était maman. Papa voulait me parler et elle me donnait son numéro. Je savais toutefois que je ne lui téléphonerais pas. À la place, je suis redevenue l'adolescente peu sûre d'elle qui constatait que son corps en pleine croissance ne cadrait pas avec la nouvelle vie de son père. Et j'ai éprouvé le même sentiment étouffant de rejet que lorsqu'il m'avait rayée de son esprit. Oh, bien sûr, il s'était souvenu de nos anniversaires, mais il nous envoyait chaque fois des cadeaux hors de prix qui ne convenaient pas à des enfants de notre âge, comme s'il avait essayé de nous faire grandir plus vite pour ne plus avoir à assumer ses responsabilités envers nous. Et ces deux semaines que nous passions avec lui en été... Avec nos mines anglaises réprobatrices et le nuage de tristesse que nous apportions avec nous, nous ternissions le soleil de Provence. Après notre départ, on aurait pu croire que nous n'étions jamais venues. J'ai découvert un jour les malles où étaient rangées les affaires de «nos» chambres. Elles étaient remisées au grenier durant tout le reste de l'année. Même toi, avec ton optimisme et ta capacité à voir ce qu'il y a de meilleur chez les gens, tu ressentais la même chose que moi.

En pensant à papa, je comprends soudain pourquoi tu n'as pas demandé à Emilio d'assumer sa paternité. Ton bébé était trop précieux et tu l'aimais trop pour accepter que quiconque le traite comme une tache dans son existence. Il ne fallait pas que Xavier se sente méprisé ou non désiré. Ainsi, ce n'était pas Emilio que tu protégeais, mais ton enfant.

Je n'ai pas parlé de mon père à M. Wright, juste de l'argent que Kasia et toi aviez reçu pour participer aux essais thérapeutiques.

—Il ne s'agissait pas de grosses sommes, mais ça aurait pu suffire pour inciter Kasia et Tess à accepter.

—Votre sœur ne vous avait rien dit à ce sujet?

—Non. Elle ne s'intéressait qu'aux bons côtés des gens et elle savait que moi, j'étais plus sceptique. Elle a probablement voulu s'éviter un sermon.

Tu m'aurais vue venir avec mes avertissements : « Rien n'est jamais gratuit dans la vie », « Une entreprise altruiste, c'est une contradiction dans les termes ».

— Pensez-vous qu'elle s'est laissé persuader à cause de cet argent ?

— Non, elle croyait que cette thérapie était le seul espoir de guérison pour son bébé et elle aurait même payé pour participer à ces tests. Mais je me disais que la personne qui lui avait remis les trois cents livres l'ignorait, elle. Comme Kasia, Tess ne donnait pas l'impression de rouler sur l'or.

Je me suis tue le temps que M. Wright prenne quelques notes, puis j'ai poursuivi :

— J'avais fait des recherches sur l'aspect médical des essais quand Tess m'en a parlé au tout début, mais jamais sur l'aspect financier. Cette fois, je me suis penchée sur la question. Sur Internet, j'ai découvert que des gens sont payés légalement pour tester des médicaments. Il y a même des sites spécialisés qui font appel à des volontaires en leur promettant « l'argent de leurs prochaines vacances ».

— Et dans le cas des tests de Gene-Med ?

— Je n'ai pas trouvé mention de telles pratiques chez eux. Le site de la firme livre beaucoup de détails sur les essais, mais rien sur d'éventuels dédommagements financiers. J'avais beau savoir que la mise au point d'un traitement génétique avait dû coûter une fortune et que trois cents livres était une petite somme en comparaison, cela me semblait étrange. Comme le site indiquait les adresses mail de tous les employés du laboratoire – sans doute pour lui donner une image de transparence et d'accessibilité –, j'ai envoyé un message au professeur Rosen. J'étais quasi certaine de n'obtenir aucune réponse, mais cela valait la peine d'essayer.

M. Wright a une copie du mail en question devant lui.

> De : iPhone de Beatrice Hemming
> À : professor.rosen@gene-med.com
>
> Cher professeur Rosen,
> Pouvez-vous me dire pourquoi les mères qui participent à vos essais thérapeutiques sur la mucoviscidose sont payées 300 livres ? Ou peut-être préféreriez-vous que je m'exprime correctement en disant « dédommagées pour leur temps » ?
>
> Beatrice Hemming

Ainsi que je m'y attendais, je n'ai pas eu de réponse. Mais j'ai continué mes recherches sur Internet. Je n'avais pas enlevé mon manteau ni allumé la lumière en revenant de chez Kasia, et mon sac traînait par terre, là où je l'avais laissé tomber. Il faisait nuit à présent et j'ai à peine prêté attention à Todd quand il est rentré. Je ne me suis même pas demandé où il avait passé la journée et lui ai encore moins posé la question.

— Tess a été payée pour participer aux tests sur la mucoviscidose, et Kasia aussi, mais il n'y a aucune trace de ces versements nulle part, ai-je dit, les yeux rivés sur l'écran.

— Beatrice…

Il avait cessé de m'appeler « chérie ».

— L'essentiel n'est pas là, ai-je enchaîné. Je n'avais pas songé à l'aspect financier de ces expérimentations avant, mais plusieurs sites sérieux comme ceux du *Financial Times* et du *New York Times* disent que Gene-Med va entrer en Bourse d'ici quelques semaines.

Les journaux avaient dû en parler, mais j'avais arrêté de les lire après ta mort. Pourtant, si l'entrée en Bourse de Gene-Med représentait une information cruciale pour moi, elle a laissé Todd de marbre.

— Les dirigeants du laboratoire vont toucher une fortune, ai-je ajouté. Les estimations varient selon les sites, mais les sommes en jeu sont énormes. Et comme les employés détiennent tous des parts dans l'entreprise, eux aussi se rempliront les poches.

— Le laboratoire a dû investir des millions, si ce n'est des milliards dans la recherche, a dit Todd avec impatience. Leurs essais sont aujourd'hui couronnés de succès, ce qui est un juste retour des choses. Évidemment qu'ils vont entrer en Bourse. C'est une décision tout à fait logique.

— Mais payer ces femmes...

— Arrête ! Bon sang, Beatrice, arrête ! a-t-il crié.

Durant un moment, nous sommes restés tous deux interdits. Nous avions passé quatre ans à être polis l'un envers l'autre, et crier s'apparentait pour nous à un acte si intime qu'il en devenait embarrassant.

— D'abord, ça a été son professeur, a repris Todd en essayant de s'exprimer avec calme. Ensuite un étudiant cinglé et obsédé. Maintenant, tu ajoutes ces tests à ta liste. Des tests que tout le monde, y compris la presse et la communauté scientifique internationale, a validés sans la moindre réserve.

— Oui, je soupçonne des tas de gens différents, et même les responsables de ces essais. Parce que j'ignore encore qui a tué Tess et pourquoi. Je sais juste que quelqu'un l'a tuée et que je dois examiner toutes les possibilités.

— Non, c'est le boulot de la police et elle s'en est déjà chargée. Il n'y a plus rien d'autre à faire.

— Ma sœur a été assassinée.

— S'il te plaît, ma chérie, il faut que tu voies la réalité en face...

— Tess ne se serait jamais suicidée.

À ce stade de notre dispute, nous étions maladroits et un peu gênés. J'avais l'impression que nous agissions machinalement, tels des acteurs qui se débattaient avec un script mal écrit.

— Ce n'est pas parce que tu le crois, parce que tu veux le croire, que tu as raison.

— Qu'est-ce qui te permet d'affirmer que j'ai tort ? ai-je rétorqué. Tu n'as rencontré Tess que deux ou trois fois et tu lui as à peine adressé la parole. Elle n'était pas le genre de personne que tu as envie de connaître.

Je m'énervais avec une conviction apparente, en élevant la voix et en aiguisant mes attaques pour les rendre blessantes, mais en réalité j'étais toujours sur notre rocade relationnelle, celle qui contournait toute émotion vive, et, en moi-même, cette conversation m'indifférait. J'ai continué à jouer mon rôle en m'émerveillant de la facilité avec laquelle je le faisais, moi qui n'avais jamais eu de scène de ménage auparavant.

— Tu la traitais de quoi déjà ? De timbrée ? Je ne pense pas que tu aies jamais fait l'effort d'écouter ce qu'elle te disait les deux fois où nous avons dîné ensemble. Tu l'as jugée sans même avoir une conversation digne de ce nom avec elle.

— C'est vrai, je ne la connaissais pas bien. Et j'admets que je ne l'appréciais pas beaucoup non plus. Elle m'agaçait, en fait. Mais il ne s'agit pas ici de savoir à quel point…

— Tu ne t'intéressais pas à elle parce qu'elle était aux beaux-arts, et aussi à cause de son mode de vie et de ses tenues vestimentaires.

— Bon sang…

— Tu ne voyais pas la personne qu'il y avait derrière.

— Tu t'écartes du sujet. Écoute, je conçois que tu veuilles faire porter la responsabilité de sa mort à quelqu'un pour ne pas avoir à te la reprocher.

Son ton posé semblait forcé et cela m'a rappelé le mien quand je parlais à la police.

— Tu as peur d'avoir à vivre avec ce sentiment de culpabilité. Ça aussi, je peux le concevoir. Mais ce que j'essaie de te dire, c'est que, une fois que tu auras accepté ce qui s'est vraiment passé, tu verras que tu n'as rien à te reprocher. Nous savons tous que tu n'es pas responsable. Tess s'est suicidée pour des raisons qu'acceptent pleinement la police, le légiste, ta mère et les médecins. Personne d'autre n'est à blâmer, y compris toi. Si tu pouvais juste admettre ça, alors tu arriverais à tourner la page.

Il a posé gauchement une main sur mon épaule et l'a laissée là. Comme moi, il a du mal à toucher les gens.

— J'ai acheté nos billets de retour. On a un avion le soir de l'enterrement.

Je n'ai pas répondu. Comment aurais-je pu partir ?

— Je me doute que tu t'inquiètes pour ta mère et que tu aimerais rester pour la soutenir, mais elle a convenu que plus vite tu reprendrais ta vie normale, mieux ce serait.

Son poing s'est abattu sur la table. À l'écran, l'image a tressauté, et c'est ce que j'ai noté en premier lieu avant même de songer combien cette réaction était inhabituelle chez Todd.

— Je ne te reconnais plus, a-t-il repris. Je déballe tout ce que j'ai sur le cœur devant toi et tu ne lèves même pas les yeux de ce putain d'ordinateur.

Je me suis tournée vers lui. Alors seulement, j'ai vu son teint pâle et son corps que la souffrance semblait recroqueviller sur lui-même.

— Je suis désolée, mais je ne peux pas partir. Pas tant que j'ignorerai ce qui lui est arrivé.

— Nous savons ce qui lui est arrivé. Et il faut que tu l'acceptes. La vie doit continuer, Beatrice. Notre vie.

— Todd...

— Bien sûr, c'est difficile pour toi de l'avoir perdue. Je le comprends. Mais je suis là, moi. (Ses yeux se sont embués de larmes.) On se marie dans trois mois.

J'ai essayé de trouver quelque chose à lui répondre. Devant mon silence, il s'est dirigé vers la cuisine. Comment lui expliquer qu'il m'était désormais impossible de me marier, parce que le mariage est un engagement pour l'avenir et qu'un avenir sans toi était inenvisageable ? C'était pour cette raison, et non pas tant par manque de passion pour lui, que je ne pouvais plus l'épouser.

Je l'ai rejoint dans la cuisine. Devant son dos tourné, j'ai vu à quoi il ressemblerait lorsqu'il serait vieux.

— Todd, pardonne-moi, mais…

— Merde, je t'aime ! a-t-il crié en me faisant face.

C'était comme s'il avait crié à une étrangère dans sa propre langue en espérant que cela lui ferait ouvrir les yeux. Qu'il l'inciterait ainsi à l'aimer de nouveau.

— Tu ne me connais pas vraiment. Tu ne m'aimerais pas sinon.

Et, de fait, il ne me connaissait pas. Je ne lui en avais pas laissé l'occasion. Si j'avais une chanson, je ne la lui avais chantée à aucun moment. Je n'étais jamais restée au lit avec lui le dimanche matin parce que c'était toujours moi qui proposais de sortir. Et s'il m'avait un jour fixée droit dans les yeux, je n'avais pas croisé son regard.

— Tu mérites davantage, ai-je dit en tentant de prendre sa main – en vain, parce qu'il s'est dégagé. Je suis tellement désolée…

Il a cillé. J'étais pourtant sincèrement désolée, et je le suis toujours. Désolée de n'avoir pas remarqué qu'il n'y avait que moi sur ma rocade, bien à l'abri, alors que lui était au centre de notre couple, seul et vulnérable. Une fois de plus, je m'étais montrée cruelle et égoïste envers quelqu'un à qui j'étais censée tenir.

Avant ta mort, je jugeais ma relation avec Todd adulte et sensée. Mais en ce qui me concerne, ce n'était que de la lâcheté, une option passive davantage motivée par mon insécurité que par ce que Todd était en droit de réclamer – un choix volontaire inspiré par l'amour.

Quelques minutes plus tard, il a quitté l'appartement sans me dire où il allait.

M. Wright a décidé de travailler pendant l'heure du déjeuner et, après avoir acheté des sandwichs, il me guide à travers les couloirs vides jusqu'à une salle de réunion. C'est curieux, mais cette vaste pièce déserte me paraît accueillante.

Je ne lui ai pas dit que j'avais rompu mes fiançailles durant mes recherches ni que, faute d'avoir des amis à Londres, Todd a dû marcher dans la neige jusqu'à un hôtel ce soir-là. Je lui parle juste de l'introduction en Bourse de Gene-Med.

— Et vous avez téléphoné au lieutenant Finborough à 23 h 30 ? demande-t-il en examinant le relevé des appels reçus par la police.

— En effet. Je lui ai laissé un message pour le prier de me rappeler. Comme il ne l'avait toujours pas fait à 9 h 30 le lendemain matin, je suis allée à St Anne.

— Vous aviez déjà prévu d'y retourner ?

— Oui. La sage-femme en chef m'avait dit qu'elle aurait entre-temps retrouvé le dossier de Tess et elle m'avait donné rendez-vous ce jour-là.

Quand je suis arrivée, j'étais tendue comme un violon parce que je m'attendais à rencontrer bientôt la personne qui était avec toi quand tu as accouché de Xavier. Je savais qu'il fallait en passer par là, mais je n'étais pas très sûre de mes raisons. Peut-être par pénitence, pour affronter ma culpabilité en face. Ayant un quart d'heure d'avance, je suis allée boire un café à la cafétéria. C'est là que j'ai vu un nouveau mail sur ma messagerie.

De : Bureau du Professeur Rosen, Gene-Med
À : iPhone de Beatrice Hemming
Chère madame Hemming,
Je vous assure que nous n'offrons pas de récompense financière aux participantes à nos essais. Aucune ne se porte volontaire sous la contrainte ou en y étant incitée. Si vous le souhaitez, vous pouvez consulter les comités d'éthique des hôpitaux concernés. Vous constaterez que les principes les plus rigoureux y sont observés.
Avec mes sincères salutations,
Sarah Stonaker, assistante en communication du professeur Rosen

J'ai répondu aussitôt.

De : iPhone de Beatrice Hemming
À : professor.rosen@gene-med.com
L'une des « participantes » était ma sœur. Elle a été payée 300 livres pour prendre part aux essais. Elle s'appelait Tess Hemming (deuxième prénom : Annabel, en hommage à sa grand-mère). Elle avait 21 ans. Elle a été assassinée après avoir donné naissance à un enfant mort-né. Ses funérailles et celles de son fils auront lieu jeudi. Elle me manque plus que vous ne pouvez l'imaginer.

L'endroit me semblait se prêter assez bien à un tel mail. La maladie et la mort peuvent peut-être être enfermées dans les salles des étages, mais je me représentais leurs retombées invisibles souffler dans l'atrium et atterrir dans les cappuccinos et les thés de la cafétéria. Je n'étais sûrement pas la première à écrire un message chargé d'émotion à cette table. L'assistante en communication le transmettrait-elle au professeur Rosen ? J'en doutais.

En attendant, j'ai décidé d'interroger le personnel de l'hôpital pour savoir si quelqu'un était au courant du versement de ces trois cents livres.

Cinq minutes avant mon rendez-vous, j'ai pris l'ascenseur jusqu'au quatrième étage, comme convenu, et je me suis dirigée vers la maternité.

Cressida a paru stressée en me voyant, mais peut-être que les cheveux roux frisottés qui s'échappaient de sa coiffe lui donnaient cet air-là en permanence.

— Malheureusement, nous n'avons toujours pas mis la main sur le dossier de Tess, et sans lui je ne peux pas savoir qui était avec elle pendant son accouchement.

J'ai d'abord été soulagée, puis je me suis dit qu'il serait lâche d'abandonner.

— Personne ne s'en souvient ?

— J'ai peur que non. Nous avons été en sous-effectif ces trois derniers mois, si bien que nous avons fait appel à beaucoup de sages-femmes intérimaires et de médecins remplaçants. À mon avis, il devait s'agir de l'un d'eux.

Une jeune infirmière à l'allure punk avec un piercing au nez s'est jointe à la conversation :

— Les informations essentielles figurent dans notre ordinateur central, avec l'heure et la date d'admission, celles de la sortie d'hôpital, et aussi, dans le cas de votre sœur, le fait que son bébé est mort-né. Mais il n'y a aucun détail supplémentaire. Rien sur leur passé médical ni sur les personnes qui se sont occupées d'eux. J'ai vérifié auprès du service de psychiatrie hier. Le docteur Nichols a dit qu'il n'a jamais eu le dossier de votre sœur et que la maternité ferait bien de « se secouer les puces ». Venant de lui, la remarque est assez sévère.

Je me suis souvenue qu'il s'était plaint de n'avoir pas eu accès à tes antécédents psychiatriques, mais j'ignorais alors que c'était parce que ton dossier avait été perdu.

— L'ensemble des informations la concernant n'est pas enregistré quelque part dans vos fichiers informatiques ? Je veux dire, toutes les informations, pas seulement celles que vous m'avez citées.

Cressida a secoué la tête.

— Nous remplissons des fiches papier pour les femmes enceintes afin qu'elles puissent les avoir toujours avec elles. C'est au cas où elles ne se trouveraient pas à proximité de l'hôpital qui les suit au moment des premières contractions. Ensuite, nous y joignons les notes manuscrites concernant l'accouchement et le tout est censé être bien conservé.

Le téléphone a sonné, mais elle l'a ignoré.

— Je suis vraiment désolée, a-t-elle dit. Nous comprenons combien cela doit être important pour vous.

Puis elle a répondu à l'appel. Pendant ce temps, mon soulagement initial s'est teinté de méfiance. Ton dossier contenait-il un indice sur ton meurtre ? Était-ce pour cette raison qu'il avait été « perdu » ? J'ai attendu que Cressida raccroche.

— Ce n'est pas curieux que les notes relatives à une patiente disparaissent ?

— Hélas, non, pas du tout, a-t-elle avoué en grimaçant.

Un type en costume à rayures blanches qui passait par là s'est arrêté.

— Un chariot entier de dossiers a disparu de mon service de diabétologie mardi. Tout s'est évaporé dans un trou noir administratif.

J'ai remarqué que le docteur Saunders était arrivé au bureau des infirmières et qu'il consultait la fiche d'une patiente. Il n'a pas semblé me voir cependant.

— Vraiment ? ai-je dit sans me soucier de ce que racontait le costard à rayures blanches.

Celui-ci a continué sur sa lancée :

— Quand l'hôpital St John a été construit l'année dernière, personne n'a pensé à prévoir une morgue. Résultat, quand leur premier patient est mort, il n'y avait aucun endroit où le mettre.

Ses propos gênaient visiblement la sage-femme et je me suis demandé pourquoi il se montrait si prolixe sur les erreurs hospitalières.

— Autre exemple : on a déplacé des adolescentes atteintes de cancer, mais sans faire suivre leurs ovules congelés, si bien qu'elles n'ont plus aucune chance d'avoir un enfant quand elles seront guéries.

Le docteur Saunders m'a aperçue à ce moment-là et m'a adressé un sourire rassurant.

— Nous ne sommes pas totalement et en permanence incompétents, je vous le promets.

— Vous saviez que des femmes étaient payées pour prendre part aux tests thérapeutiques sur la mucoviscidose ?

Le costard à rayures n'a pas eu l'air d'apprécier que je change brusquement de sujet.

— Non, je l'ignorais.

— Moi aussi, a dit le docteur Saunders. Combien ont-elles touché ?

— Trois cents livres.

— Il s'agissait peut-être d'un médecin ou d'une infirmière.

Il m'a de nouveau fait penser à toi, cette fois par sa faculté à voir le meilleur chez les gens.

— Il y avait une infirmière au service oncologie l'année dernière, vous vous souvenez ? a-t-il lancé.

— En effet, a répliqué le costard à rayures. Elle a dépensé tout le budget transport du service pour acheter des habits à un vieil homme dont elle avait pitié.

— Et les sages-femmes essaient parfois d'aider les mères qui n'ont pas beaucoup d'argent en leur donnant des couches et du lait quand elles partent, a renchéri l'infirmière punk. Et il arrive aussi qu'un stérilisateur ou une baignoire pour enfant se volatilisent.

Le costard à rayures a souri.

— Vous voulez dire que nous sommes revenus au temps où les infirmières prenaient vraiment soin des malades ?

La jeune punk l'a fusillé du regard, ce qui l'a fait éclater de rire.

Deux signaux sonores ont soudain retenti et un téléphone a sonné dans le bureau des infirmières. Le costard à rayures s'est éloigné pour consulter son bipeur, l'infirmière a répondu au téléphone et la sage-femme à l'appel d'une patiente. Je suis restée seule avec le docteur Saunders. J'ai toujours été intimidée par les hommes séduisants, a fortiori par ceux qui sont très beaux. Je les associe non pas tant à un rejet inévitable qu'à une impression de devenir complètement invisible en leur présence.

— Ça vous dit d'aller prendre un café ? a-t-il proposé.

J'ai refusé d'un signe de tête, les joues sûrement rouges. Je ne voulais pas faire l'objet d'une charité émotionnelle.

J'avais beau être encore avec Todd, je dois avouer que j'ai nourri un fantasme autour du docteur Saunders – tout en sachant qu'il valait mieux ne pas chercher à le réaliser. Même si j'arrivais à inventer une fiction dans laquelle le médecin éprouvait de l'attirance pour moi, l'alliance qu'il portait à son cou m'empêchait d'imaginer en conclusion la relation sérieuse et à long terme que j'attendais.

— J'ai laissé mes coordonnées à la sage-femme au cas où elle retrouverait le dossier de Tess, mais elle m'a prévenue qu'il pouvait très bien être perdu à jamais.

— Vous dites que cette perte vous a paru suspecte ?

— Au début, oui. Mais plus je discutais avec les gens, plus j'avais du mal à croire que des faits sinistres se soient déroulés dans cet hôpital. Tout y est trop public, chacun travaille sans cesse sous le regard des autres. Je ne voyais pas comment quelqu'un aurait pu agir sans se faire remarquer – et quand je dis « agir », je ne sais pas dans quel sens au juste.

— Et les paiements ?

— Le personnel de l'hôpital n'était pas surpris, et encore moins soupçonneux.

M. Wright a consulté le relevé de mes coups de fil à la police.

— Le lieutenant Finborough n'a pas donné suite à votre appel et vous n'avez pas insisté ?

— Non. Qu'aurais-je pu lui dire ? Que des femmes avaient été payées, mais qu'aucune des personnes que j'avais interrogées à St Anne ne trouvait ça inquiétant, ou même bizarre ? Que Gene-Med allait faire son entrée en Bourse, mais que même mon fiancé y voyait une décision logique ? Que le dossier de Tess avait disparu, mais que l'équipe de la maternité jugeait ça tout à fait anodin ? Je n'avais pas de preuves concluantes à lui apporter.

La bouche sèche, je bois un peu d'eau avant de poursuivre.

— J'ai considéré que j'avais abouti à une impasse et que j'aurais dû m'en tenir à ma méfiance initiale envers Emilio Codi et Simon. Je savais que la plupart des meurtres sont domestiques – j'ai lu ça quelque part, je ne me rappelle plus où.

Je me souviens en revanche avoir pensé que l'expression « meurtre domestique » était un oxymore. Faire son repassage le dimanche soir et vider le lave-vaisselle, ça relève de la vie domestique. Pas le meurtre.

— Pour moi, Emilio et Simon étaient tous les deux capables d'avoir tué Tess. Le premier avait un mobile évident et le second était obsédé par elle – ses photos le prouvaient. Ils étaient liés à elle par l'école des beaux-arts, Simon en tant qu'étudiant, Emilio en tant que professeur. Après avoir quitté l'hôpital, je suis donc allée là-bas. Je voulais voir si quelqu'un avait quelque chose à m'apprendre.

M. Wright doit trouver que j'étais alors déterminée et pleine d'énergie – en quoi il aurait tort. Je repoussais en fait le moment de rentrer à la maison. En partie parce que je n'avais pas envie de revenir bredouille, et en partie parce que je voulais éviter Todd. Il avait téléphoné et proposé d'assister à ton enterrement, mais je lui avais dit que ce n'était pas nécessaire. Il projetait par conséquent de retourner aux États-Unis dès que possible et devait passer à l'appartement chercher ses affaires. Je ne tenais pas à être présente à ce moment-là.

Les trottoirs près de l'école des beaux-arts n'avaient pas été déneigés et presque tout l'établissement baignait dans l'obscurité. Une secrétaire à l'accent germanique m'a expliqué que les enseignants avaient trois jours de formation dans l'année et que celui-là était le dernier. Elle a accepté que je placarde deux petites annonces – l'une qui donnait la date et le lieu de ton enterrement, et l'autre qui demandait à tes amis de me retrouver deux semaines plus tard dans un café que j'avais repéré en face de l'école. J'avais rédigé la deuxième sans réfléchir, en choisissant la date au hasard. En l'épinglant à côté d'offres de colocation et de matériel à vendre, je me suis dit qu'elle était ridicule et que personne ne se déplacerait, mais je l'ai laissée quand même.

En rentrant, j'ai vu Todd qui attendait dans le noir, sa capuche relevée pour le protéger de la neige fondue qui tombait. J'étais persuadée qu'il avait un double des clés, mais en fait non.

— Désolée.

J'ai ouvert la porte et il s'est dirigé vers la chambre. Depuis le seuil, je l'ai regardé plier ses habits avec soin, jusqu'à ce qu'il se retourne soudain, me prenant au dépourvu. Pour la première fois, nous nous sommes regardés en face.

— Viens avec moi, a-t-il dit. S'il te plaît.

Ma résolution a vacillé à la vue de ses vêtements si impeccablement rangés, au souvenir de notre vie à New York, si nette, si organisée – un refuge face à celle, chaotique, que je menais à Londres. Mais cette existence bien réglée appartenait au passé. Je ne pourrais jamais la reprendre.

— Beatrice ?

J'ai secoué la tête et ce simple petit signe de dénégation m'a donné le vertige.

Todd a offert de ramener la voiture de location à l'agence de l'aéroport. Après tout, je n'avais pas la moindre idée du temps que je passerais à Londres et elle me coûtait si cher que c'en était ridicule. La banalité de nos propos et l'attention que nous prêtions aux détails pratiques m'apaisaient tant par leur familiarité que j'ai eu envie de lui demander de rester avec moi. De le supplier, même. Mais je ne pouvais pas exiger ça de lui.

— Tu es sûre de ne pas vouloir que j'assiste à l'enterrement ?

— Oui. Mais merci quand même.

Je lui ai donné les clés de la voiture et c'est seulement en entendant le moteur démarrer que j'ai songé à ma bague de fiançailles. J'aurais dû la lui rendre. Tout en la faisant tourner à mon doigt, j'ai regardé Todd s'éloigner, et j'ai continué à fixer la rue par la fenêtre bien après que la voiture a disparu de ma vue.

Je me sentais prisonnière d'une cage de solitude.

J'ai uniquement parlé à M. Wright des petites annonces que j'avais laissées à l'école des beaux-arts, pas de Todd.

— Si j'allais chercher des gâteaux ? lance-t-il.

Je suis complètement désarçonnée.

— Ce serait sympa.

Sympa. Il faudra que j'apporte un dictionnaire des synonymes demain. Je me demande s'il veut être gentil avec moi ou s'il a simplement faim. À moins que ce ne soit un geste romantique – un thé pris ensemble, à l'ancienne ? Je suis surprise par l'espoir que je place dans cette dernière hypothèse.

J'attends qu'il soit parti pour appeler Todd à son travail. Son assistante décroche et, bien qu'elle ne reconnaisse pas ma voix – j'ai dû retrouver mon accent britannique –, elle accepte tout de même de me le passer. Il y a toujours une gêne entre nous, mais pas autant qu'avant. Nous avons entamé les démarches pour vendre notre appartement et nous discutons un moment de la vente. Puis il change brusquement de sujet.

— Je t'ai vue aux infos, dit-il. Tu vas bien ?

— Oui, très bien. Merci.

— Je voulais te présenter mes excuses.

— Tu n'as pas à t'excuser de quoi que ce soit. Vraiment, c'est moi qui...

— Bien sûr que si. Tu avais raison depuis le début en ce qui concerne ta sœur.

Un silence s'ensuit, que je finis par rompre.

— Tu emménages avec Karen, alors ?

— Oui, répond-il après un léger blanc. Mais je continuerai à payer ma part des traites de l'appartement jusqu'à ce qu'il soit vendu.

Karen est sa petite amie. Quand il me l'a annoncé, j'ai éprouvé un soulagement coupable à l'idée qu'il ait noué si vite une nouvelle relation.

— J'ai pensé que ça ne t'ennuierait pas, dit-il.

À mon avis pourtant, il aimerait que si, parce qu'il a l'air faussement joyeux.

— Je crois que c'est un peu comme toi et moi, sauf que les rôles sont inversés. « Si une égale affection ne peut être... »

Je ne sais pas du tout quoi répondre, mais je ne me méprends pas sur son ton léger et je redoute qu'il ne cite le vers d'Auden jusqu'au bout : « ... que je sois celui qui aime le plus. »

Nous nous disons au revoir.

Je t'ai déjà rappelé que j'ai fait des études de lettres, n'est-ce pas ? J'avais des réserves inépuisables de citations à ma disposition, mais elles avaient toujours souligné l'incongruité de mon existence au lieu de lui apporter un cachet littéraire édifiant.

M. Wright revient avec des gâteaux et des tasses de thé. Nous avons cinq minutes devant nous et en profitons pour discuter de petites choses sans importance

– le temps chaud inhabituel à cette période de l'année, les fleurs à St James's Park, la pivoine qui pousse dans ton jardin. Ce thé partagé a un léger parfum romantique, à la mode sans danger du XIXe siècle – même si les héroïnes de Jane Austen ne prenaient certainement pas leur thé dans des gobelets ni ne mangeaient de gâteaux emballés dans des boîtes en plastique transparent.

J'espère que M. Wright n'est pas trop vexé que je me sente trop nauséeuse pour finir le mien.

Après notre pause, nous revenons sur quelques pages de ma déposition pour vérifier certains points. Puis M. Wright suggère que nous nous arrêtions là. Il doit rester pour finir de remplir quelques papiers, mais il m'accompagne jusqu'à l'ascenseur et, en longeant le couloir et ses bureaux vides éteints, j'ai l'impression qu'il m'escorte jusqu'à la porte de chez moi. Il attend ensuite que la cabine de l'ascenseur s'ouvre et que je sois rentrée à l'intérieur.

Je quitte les locaux du CPS pour retrouver Kasia. Je vais dépenser deux jours de salaire afin de tenir ma promesse de l'emmener au London Eye. Mais je suis épuisée, mes jambes me semblent trop lourdes pour m'appartenir et je n'ai qu'une envie : aller me coucher. Quand je vois la longueur de la file d'attente, j'en veux à la grande roue qui a transformé Londres en cyclope urbain.

Je repère Kasia qui me fait signe à l'avant de la queue. Elle doit attendre depuis des heures et les gens lui coulent des regards anxieux, craignant sans doute qu'elle n'accouche dans l'une des cabines.

Je la rejoins et, dix minutes plus tard, nous «embarquons».

À mesure que nous nous élevons, Londres nous apparaît peu à peu dans toute son étendue et je ne me sens plus du tout malade et fatiguée, mais au contraire euphorique. Et puis, même si je ne suis guère robuste, je n'ai au moins pas perdu connaissance aujourd'hui, ce qui est sûrement bon signe. Peut-être devrais-je m'autoriser à espérer que je me suis sortie sans dommage de toute cette histoire. Que tout ira bien peut-être.

Je montre les monuments à Kasia en demandant aux gens debout du côté sud de la cabine de s'écarter pour qu'elle puisse voir Big Ben, l'ancienne centrale électrique de Battersea, le Parlement, Westminster Bridge. Et tandis que j'agite les bras pour lui faire admirer Londres, je suis surprise par la fierté que j'éprouve, et aussi parce que je pense à cette ville comme étant «ma» ville. J'avais décidé de vivre à New York, de l'autre côté de l'océan, mais pour je ne sais quelle raison j'ai le sentiment d'être à ma place ici.

14

Lundi

Ce matin, je me suis réveillée absurdement tôt, avec Pudding roulé en boule sur mes jambes tel un doux coussin ronronnant (dire que je ne comprenais pas pourquoi tu avais adopté un chat de gouttière). M. Wright m'a dit que nous allions aujourd'hui « couvrir » ton enterrement, alors à 5 h 30 je renonce à dormir et je sors dans ton jardin. J'ai intérêt à tout me remémorer à l'avance pour être sûre de ne rien oublier d'important, mais mes pensées se cabrent quand j'essaie de me concentrer sur cette journée particulière. Je reporte mon attention sur les feuilles et les bourgeons qui percent sur les brindilles que je présumais mortes. Il y a tout de même une perte à déplorer, j'en ai bien peur. Le rosier Constance Spry a été tué par l'urine d'un renard. À la place, j'ai planté un Cardinal de Richelieu. Aucun renard n'osera jamais pisser sur Son Éminence.

Je sens un manteau se poser sur mes épaules et je vois Kasia retourner se coucher, l'air à moitié endormie. Ta garde-robe ne convient plus à son ventre tout rond. Plus que trois jours et sa grossesse sera arrivée à terme. Elle aimerait que je sois son accompagnatrice lors de la naissance de son bébé, sa «doula» (le terme me semble toutefois trop snob au vu de mes compétences rudimentaires en la matière). Tu ne m'as jamais parlé des doulas quand tu m'as demandé d'être avec toi au moment de ton accouchement. Tu voulais juste que je sois là. Peut-être pensais-tu que je trouverais tout cela un peu déstabilisant (et tu aurais eu raison). À moins que tu n'aies jugé inutile de m'attribuer un nom spécial. Je suis ta sœur. Et la tante de Xavier. C'est assez.

Tu dois croire que Kasia m'offre une seconde chance après que je t'ai abandonnée, n'est-ce pas? C'est faux. De même, elle n'est pas une boîte de Prozac ambulante douée de parole. Mais je reconnais qu'elle m'a forcée à regarder vers l'avenir. Tu te souviens de Todd me répétant que «la vie continue»? Parce que je ne pouvais remonter le cours du temps pour te revoir vivante, j'ai eu envie d'appuyer sur Pause. Aller de l'avant me semblait égoïste. Et puis le bébé de Kasia (une fille, a-t-elle appris) s'est imposé comme un rappel visuel que la vie continue bien, en effet – tout le contraire d'un *memento mori*. J'ignore s'il existe rien de tel qu'un *memento vitæ*.

Amias avait raison, le chant des oiseaux à l'aube est vraiment bruyant ici. Cela fait déjà une heure qu'ils pépient à n'en plus finir. J'essaie de me rappeler leur ordre d'apparition – ce doit être au tour de l'alouette à présent. Un peu étonnée et étrangement réconfortée, j'écoute ce qui ressemble à un prélude de Bach chanté par une alouette des bois tout en me remémorant tes funérailles.

La veille, j'ai dormi à Little Hadston, dans mon ancienne chambre. Je n'avais pas couché dans un lit une personne depuis des années, et l'étroitesse du matelas, les draps bordés serré et le lourd édredon m'ont procuré un agréable sentiment de sécurité. Je me suis levée à 5 h 30, mais quand je suis descendue à la cuisine, maman était déjà debout et il y avait deux grandes tasses de café sur la table.

— Je te l'aurais monté dans ta chambre si j'avais su, a-t-elle dit en m'en tendant une. Je ne voulais pas te réveiller.

J'ai su avant même d'en avaler une gorgée que le café serait froid. Dehors, dans l'obscurité, on entendait le tambourinement de la pluie. Maman a tiré les rideaux d'un air distrait, comme si on avait pu distinguer quelque chose à l'extérieur. Mais il faisait nuit et elle n'a vu que son propre reflet dans la vitre.

— Quand une personne meurt, elle peut avoir tous les âges auxquels on l'a connue, hein? a-t-elle demandé.

Je cherchais quoi lui répondre quand elle a poursuivi :

— Tu penses probablement à Tess quand elle était adulte parce que tu étais toujours proche d'elle ; mais quand j'ouvre les yeux le matin, je la revois à trois ans, avec une jupe de fée que je lui avais achetée chez Woolworth, un casque de policier sur la tête et une cuillère en bois à la main. Dans le bus, hier, je me suis imaginée en train de la serrer contre moi lorsqu'elle avait deux jours. J'ai senti sa chaleur, je me suis souvenue de tous ses doigts enroulés autour du mien, si petits qu'ils n'en faisaient même pas le tour. Je me suis souvenue de la forme de sa tête, de sa nuque que je caressais jusqu'à ce qu'elle s'endorme, de son odeur. Elle sentait l'innocence. À d'autres moments aussi : elle a treize ans et elle est si jolie que je m'inquiète pour elle chaque fois qu'un homme la regarde. Et toutes ces Tess sont ma fille.

À 10 h 55, nous sommes parties à l'église, à pied. Le vent et une pluie glaciale cinglaient nos visages et nos jambes, la jupe noire de maman collait froidement à ses collants mouillés et mes bottes noires étaient maculées de boue. Pourtant, j'étais contente qu'il fasse ce temps-là. « Soufflez, vents, jusqu'à crever vos joues[1] ! » Oui, je sais, nous n'étions pas sur une lande maudite, loin s'en faut, mais à Little Hadston, un jeudi matin, avec des voitures garées en double file le long de la rue menant à l'église.

Plus d'une centaine de personnes attendaient devant celle-ci, certaines protégées par un parapluie, d'autres avec leur capuche relevée. Pendant un moment, j'ai cru que l'église n'était pas encore ouverte, avant de comprendre qu'on ne pouvait plus y entrer parce qu'il y avait déjà trop de monde à l'intérieur. J'ai reconnu le lieutenant Finborough et l'agent Vernon au milieu de la foule, mais la pluie et l'émotion rendaient floue la majeure partie de l'assistance.

---

1. Shakespeare, *Macbeth* (I, 3). Trad. de J.-C. Sallé. *In* Shakespeare, *Œuvres complètes*, Robert Laffont, 1995.

En regardant tous ces gens et en songeant à ceux massés dans l'église, j'ai imaginé que chacun conservait ses propres souvenirs de toi – ta voix, ton visage, ton rire, ce que tu avais fait et ce que tu avais dit. Si tous ces fragments étaient réunis, nous arriverions peut-être à recréer une image complète de toi. Ensemble, nous pouvions te contenir tout entière.

Le père Peter nous a accueillies à l'entrée du cimetière et nous a abritées sous un parapluie. Il nous a expliqué qu'il avait rempli les stalles du chœur et obtenu des chaises supplémentaires, mais que, malgré cela, il n'y avait même plus assez de place pour ceux qui restaient debout.

Tandis que nous avancions vers l'église, j'ai vu la forme noire d'un homme seul dans le cimetière. La tête nue et les habits trempés, il se tenait penché sur le trou béant qui allait bientôt renfermer ton cercueil. C'était papa. Après toutes ces années passées à le guetter en vain, son tour était venu de t'attendre.

La cloche de l'église a sonné. Je ne connais pas de son plus lugubre : dépourvu de rythme et de vie, il n'est qu'un coup frappé de façon mécanique pour traduire une perte. Il fallait entrer à présent, mais cela me semblait aussi impossible et terrifiant que de sauter du haut d'un gratte-ciel. Je crois que maman éprouvait la même chose. Ce simple pas en avant nous mènerait inexorablement à l'inhumation de ton corps dans un sol détrempé. C'est alors que quelqu'un a enroulé un bras autour de moi. Papa. Son autre main serrait maman avec fermeté. Il nous a escortées dans l'église et, à travers lui, j'ai senti maman tressaillir lorsqu'elle a aperçu le cercueil. Nous avons remonté ensemble l'allée interminable pour gagner nos places au premier rang, puis papa s'est assis entre nous en nous tenant la main. Je n'avais jamais autant apprécié un contact humain.

À un moment, je me suis brièvement retournée pour examiner la foule compacte qui se déversait jusqu'à l'extérieur de l'édifice, sous la pluie, et je me suis demandé si le meurtrier était là, parmi nous.

Pour la messe, maman avait voulu la totale et j'étais contente parce que cela retardait l'instant de ton enterrement. Tu n'as jamais aimé les prêches, mais je crois que tu aurais été émue par celui du père Peter. La Saint-Valentin était tombée la veille et, pour cette raison peut-être, il a parlé de l'amour non partagé. Je me souviens à peu près de ses paroles : « Quand je parle d'amour non partagé, la plupart d'entre vous pensent probablement à l'amour romantique, mais il y a bien d'autres types d'amour qui ne sont pas payés de retour comme il faudrait – quand ils le sont. Un adolescent rebelle peut ne pas aimer sa mère autant qu'elle l'aime ; un père violent ne rend pas à son jeune enfant l'amour innocent que celui-ci lui porte. Mais la douleur représente le summum de l'amour non partagé. Quelles que soient la force et la longévité de notre amour pour une personne qui vient de mourir, celle-ci ne peut nous le retourner. Du moins est-ce le sentiment que nous avons… »

Après la messe, nous sommes sortis pour l'inhumation.

La pluie incessante avait transformé le sol blanc de neige du cimetière en terrain boueux. Le père Peter a entamé la formule rituelle :

— Nous avons recommandé notre sœur Tess et son enfant Xavier à Notre-Seigneur Dieu miséricordieux et nous allons maintenant porter leur corps en terre. Car l'homme est poussière et redeviendra poussière, dans l'espoir certain de sa résurrection et de son accès à la vie éternelle.

Je me suis rappelé l'enterrement de Leo. J'avais onze ans, toi six, et je tenais ta petite main douce dans la mienne. Lorsque le prêtre avait prononcé ces mêmes mots, « dans l'espoir certain de sa résurrection », tu t'étais tournée vers moi.

— Je ne veux pas d'un espoir certain, Bea. Je veux une certitude.

À ton enterrement, moi aussi j'ai voulu une certitude. Mais même l'Église ne peut qu'espérer, et non promettre, que la vie se conclut par un *happy end*.

Ton cercueil a été abaissé dans la fosse. Je l'ai vu frotter contre les racines mises à nu et sectionnées des herbes du cimetière. La mise en terre a continué. J'aurais fait n'importe quoi pour tenir de nouveau ta main, juste une fois, juste quelques secondes. Absolument n'importe quoi.

La pluie martelait ton cercueil.

— Il pleut, il mouille, c'est la fête à la grenouille...

J'avais cinq ans et je te chantais cette comptine, à toi qui venais de naître.

Tu as atteint le fond du trou monstrueux. Une partie de moi est descendue dans le sol boueux, s'est étendue à tes côtés et est morte avec toi.

Puis maman s'est avancée. Elle a sorti une cuillère en bois de la poche de son manteau et l'a laissée tomber sur ton cercueil. Ta baguette magique.

Moi, j'ai jeté les mails que je terminais par « Lol ». J'ai jeté mon titre de sœur aînée. Et aussi mon surnom, Bea. Ce lien entre nous n'était pas très conséquent aux yeux des autres. Il se composait de petites choses. D'infimes détails. Tu savais que je ne composais pas de mots avec mes pâtes en forme de lettres, mais que je te donnais mes voyelles pour que tu puisses en faire avec les tiennes. Je savais que ta couleur préférée avait été le violet, avant de devenir le jaune vif (*« ocre, c'est le mot qu'emploient ceux qui veulent faire "genre", Bea »*), et tu savais que la mienne avait été l'orange jusqu'à ce que je découvre que la couleur taupe était plus sophistiquée – ce qui m'avait valu quelques taquineries de ta part. Tu savais que mon premier animal en porcelaine avait été un chat (tu m'avais prêté cinquante pence prélevés sur ton argent de poche pour que je puisse l'acheter) et que j'avais un jour sorti tous mes uniformes d'école de la malle où ils étaient rangés pour les envoyer dinguer dans ma chambre – ce qui était la seule fois où j'avais piqué une crise de rage, ou du moins quelque chose qui s'en approchait. Je savais que, à l'âge de cinq ans, tu avais grimpé dans mon lit tous les soirs durant un an. J'ai jeté ainsi dans ta tombe tout ce que nous avions partagé, les racines solides, les tiges, les feuilles, et les douces et jolies fleurs de cette relation qui unit deux sœurs. Et je suis restée au bord, si affaiblie par ta perte que j'ai cru ne plus pouvoir vivre.

Tout ce que j'avais le droit de garder, c'était le manque que j'éprouvais. Mais qu'est-ce que cela représentait ? Les larmes qui me picotaient intérieurement, l'émotion qui me nouait la gorge, la cavité plus grosse que moi dans ma poitrine – n'avais-je vraiment plus rien d'autre, après vingt et un ans passés à t'aimer ? Le sentiment que tout était bien comme il faut dans le monde, dans mon monde, parce que tu en étais le socle, formé dans l'enfance et devenu adulte en même temps que moi, ce sentiment allait-il être remplacé par le vide ? L'atrocité du néant ? Je n'étais plus la sœur de personne à présent.

On avait donné une poignée de terre à papa, mais lorsqu'il a tendu le bras au-dessus de ton cercueil, il n'a pas pu la lâcher. À la place, il a fourré la main dans sa poche et laissé la terre tomber là, et pas sur toi. Puis il a regardé le père Peter jeter la première poignée, et il s'est effondré, brisé par la douleur. Je me suis approchée de lui et j'ai pris sa main dans la mienne. Les petits grains de terre collés à sa peau étaient rugueux entre nos paumes. Il m'a fixée avec amour. Un égoïste est quand même capable d'aimer, non ? Même s'il a blessé ou abandonné l'être qu'il chérissait. Moi, entre tous, je devais le comprendre.

Maman est demeurée silencieuse lorsque ton cercueil a été enseveli.

Une explosion dans l'espace ne fait aucun bruit.

Les cris silencieux de maman résonnent dans ma tête lorsque j'arrive dans les locaux du CPS. Nous sommes lundi et le bâtiment est noir de monde. En entrant dans l'ascenseur bondé, je m'angoisse comme d'habitude à l'idée qu'il reste bloqué et que mon portable ne capte aucun réseau, de sorte que Kasia serait incapable de me joindre si jamais elle ressentait les premières contractions. Sitôt parvenue au troisième étage, je consulte ma messagerie.

Rien. Je vérifie aussi mon pager, dont seule Kasia a le numéro. C'est excessif, oui, mais à l'image de quelqu'un qui se serait récemment converti au catholicisme, je veux que ma transformation en personne attentionnée s'effectue dans les règles de l'art, avec un chapelet et des bâtonnets d'encens, un pager et une sonnerie spéciale attribuée à Kasia. Je n'ai pas la certitude rassurante d'être née attentionnée, j'ai au moins appris ça. Je ne peux pas prendre ces choses-là à la légère, comme si elles faisaient partie de mon maquillage intrinsèque. Et, oui, j'avoue, peut-être que mon inquiétude pour Kasia est un moyen de rediriger mes pensées pendant un moment vers un être vivant. J'ai besoin d'un *memento vitæ*.

J'entre dans le bureau de M. Wright. Il ne me sourit pas ce matin, peut-être parce qu'il sait que nous devons commencer aujourd'hui par ton enterrement. Ou peut-être aussi que mon récit a éteint l'étincelle romantique que j'ai cru percevoir entre nous ce week-end. Il a pour sujet central un meurtre, après tout. Ça n'a rien à voir avec un sonnet célébrant l'amour. Je parie que les oiseaux d'Amias ne se chantent pas ce genre de choses, eux.

L'avocat a déroulé les stores vénitiens face au vif soleil printanier et cette lumière plus sombre semble appropriée à la thématique du jour. Aujourd'hui, j'essaierai de ne pas mentionner mes faiblesses physiques. Je n'ai pas le droit de me plaindre, pas quand ton corps à toi est brisé à jamais et enfoui dans le sol.

Je raconte tes funérailles en m'en tenant aux faits.

— Bien que je n'en aie pas eu conscience sur le moment, son enterrement m'a fourni deux nouvelles pistes importantes, dis-je sans parler de la torture qu'a été pour moi la vue de ton cercueil peu à peu recouvert de terre. Tout d'abord, j'ai compris pourquoi Emilio Codi, s'il avait assassiné Tess, aurait attendu que Xavier soit né pour passer à l'acte.

M. Wright ne voit pas du tout où je veux en venir, mais je pense que toi, si.

— Je savais depuis le début qu'Emilio avait un mobile. Sa liaison avec Tess mettait en danger son couple et sa carrière. Certes, sa femme ne l'avait pas quitté en apprenant qu'il la trompait, mais il ne pouvait deviner qu'elle réagirait ainsi. Mais si c'était lui le coupable, et s'il avait tué Tess pour se protéger, pourquoi ne pas l'avoir fait quand elle avait refusé d'avorter ?

M. Wright hoche la tête. J'ai l'impression qu'il est intrigué.

— Je me suis souvenue aussi que c'était Emilio qui avait appelé la police après la reconstitution des derniers faits et gestes de Tess pour les prévenir qu'elle avait déjà accouché. Cela voulait dire qu'il l'avait vue, ou au moins qu'il lui avait parlé après la naissance de Xavier. Comme il avait déjà déposé plainte contre moi, j'étais obligée de me montrer prudente et de faire en sorte qu'il ne puisse pas m'accuser de le harceler. Je lui ai donc téléphoné pour lui demander s'il voulait toujours récupérer ses tableaux. Il était furieux contre moi, mais il a quand même répondu oui.

Emilio paraissait trop grand pour ton appartement, qu'il noyait sous sa testostérone et sa colère. Il avait déballé chacun de ses tableaux – pour vérifier que je ne les avais pas abîmés ? Que je n'y avais pas ajouté des feuilles de figuier ? Ou bien juste pour revoir ton corps ?

— Ma femme n'avait pas besoin d'être au courant pour Tess, la mucoviscidose et tout le reste, a-t-il craché d'une voix mauvaise. Elle veut passer des tests pour savoir si elle est porteuse du gène et je dois les subir aussi.

— C'est une décision raisonnable. Mais vous êtes forcément porteur, sinon Xavier n'aurait pas pu être atteint de la mucoviscidose. Il faut que les deux parents le soient pour que le bébé ait la maladie.

— Je sais. Les médecins nous ont bien fait rentrer ça dans le crâne. Mais je ne suis peut-être pas le père.

Sa remarque m'a laissée bouche bée. Il a haussé les épaules.

— Tess était une fille très libérée. Elle aurait pu avoir d'autres amants.

— Elle vous l'aurait dit. Et à moi aussi. Elle ne mentait jamais.

Il n'a pas répondu. Il devait bien avoir conscience que j'avais raison.

— C'est vous qui avez appelé la police pour les prévenir qu'elle avait accouché, n'est-ce pas ?

— Je pensais faire mon devoir.

J'ai eu envie de l'attaquer sur ce sujet. Il n'avait jamais « fait son devoir ». Mais ce n'était pas dans ce but que je l'interrogeais.

— Elle vous a donc appris que Xavier était mort ?

Il a gardé le silence.

— Elle vous l'a dit par téléphone ou en face ?

Il a ramassé ses tableaux et s'est retourné pour partir, mais je lui bloquais le passage.

— Elle voulait que vous reconnaissiez votre paternité, je me trompe ?

— Que les choses soient claires. Quand elle m'a annoncé qu'elle était enceinte, je lui ai bien fait comprendre comment je me situais par rapport à cet enfant. Je l'ai avertie que je ne l'aiderais en aucune façon que ce soit, et que cela valait aussi pour le bébé. Je refusais d'être son père. Ça n'a pas eu l'air de la déranger. En fait, elle a même dit que l'enfant se porterait mieux sans moi.

— Sûrement. Mais après qu'il est mort ?

Il a reposé les tableaux. J'ai cru pendant un moment qu'il allait me pousser pour pouvoir partir, mais il a eu un geste de reddition ridiculement théâtral et d'une puérilité répugnante.

— D'accord, je capitule. Elle a menacé de tout dévoiler.

— C'est-à-dire qu'elle vous a demandé de reconnaître Xavier comme votre fils ?

— C'est pareil.

— Son enfant était mort. Elle voulait juste que son père n'ait pas honte de lui.

Il avait toujours les mains levées en l'air et j'ai eu peur qu'il ne me frappe, mais il les a finalement laissées retomber.

— C'est l'étudiant que vous devriez interroger. Il la suivait partout avec son appareil photo. Il était obsédé par Tess. Et jaloux au possible.

— Tess n'aurait rien exigé de la part d'Emilio si Xavier avait vécu, dis-je. Mais quand il est mort, il aurait été insupportable pour elle que son père le renie.

Devant ta tombe, papa s'était racheté. Au moment où cela comptait vraiment – celui où ton corps a été enseveli dans la terre froide et boueuse –, il s'était présenté publiquement comme ton père. On ne peut pas renier un enfant mort.

M. Wright attend un peu avant de poser sa question suivante.

— Vous l'avez cru au sujet de Simon ?

— Je les soupçonnais autant l'un que l'autre, mais je n'avais rien de tangible contre eux. Rien qui aurait pu ébranler les certitudes de la police.

En racontant à M. Wright ma rencontre avec Emilio, j'ai donné l'impression d'avoir agi en véritable détective, seulement pour moi c'était avant tout en tant que sœur. Et je dois le lui expliquer aussi, au cas où cela serait pertinent. La scène suivante me met à nu de manière embarrassante, mais l'heure n'est plus à la pudeur et à la timidité. Je dois prendre le risque qu'il ait une mauvaise opinion de moi. Je continue donc.

Debout près de la porte ouverte, ses tableaux à la main, Emilio exsudait la colère par tous les pores.

— Vous ne pigez rien à rien ! Tess et moi, c'était juste une histoire de cul. On s'éclatait bien, mais il n'y avait rien de plus. Elle le savait.

— Vous ne pensez pas qu'une fille aussi jeune qu'elle pouvait voir en vous une figure paternelle ?

Personnellement, j'en étais persuadée, même si tu l'avais souvent nié.

— Non, pas du tout.

— Vous ne pensez pas non plus que, dans la mesure où son propre père l'avait abandonnée et où vous étiez son professeur principal, elle pouvait chercher auprès de vous un peu plus qu'une simple « histoire de cul » ?

— Non.

— J'espère bien. Elle se serait sentie tellement trahie sinon.

J'étais heureuse de le lui avoir enfin dit en face.

— Ou peut-être qu'elle aimait enfreindre les règles, a-t-il rétorqué. Je représentais un tabou et ça pouvait lui plaire.

Sa voix a pris une inflexion charmeuse.

— Un fruit défendu est toujours plus érotique.

Devant mon silence, il s'est rapproché de moi. Un peu trop.

— Mais vous, vous n'aimez pas le sexe, hein ? a-t-il ajouté en guettant ma réaction. Tess disait que pour vous, ce n'était qu'une monnaie d'échange pour obtenir une relation sécurisante.

Ses yeux me scrutaient, me sondaient. Il essayait de détruire notre relation.

— Elle disait que vous aviez choisi un boulot ennuyeux mais sûr, et que ça valait aussi pour votre fiancé. Elle disait que vous préfériez être en sécurité plutôt qu'heureuse.

Voyant qu'il avait touché un point sensible, il a appuyé dessus :

— Elle disait que vous aviez peur de la vie.

Tu avais raison. Tu le sais très bien. Certains mènent des existences semblables à des mers bleues, avec juste un grain de temps à autre, mais pour moi, la vie a toujours été une montagne abrupte et périlleuse. Et comme je crois te l'avoir expliqué, je m'y étais accrochée avec les prises, les crampons et les cordes de sécurité qu'offrent un emploi stable, un appartement et une relation solide.

Emilio me dévisageait toujours en s'attendant à ce que j'affiche une mine trahie et blessée. Mais en réalité, j'étais profondément émue et je me sentais encore plus proche de toi. Tu me connaissais bien mieux que je ne l'avais cru, et ça ne t'avait pas empêchée de m'aimer. Tu étais assez gentille pour ne pas me dire que tu avais deviné mes peurs et pour me laisser garder mon amour-propre de sœur aînée. Je regrette maintenant de ne pas m'être confiée à toi. Si j'avais osé poser les yeux ailleurs que sur ma montagne perfide, je t'aurais vue voler dans le ciel, libre de toute angoisse, sans corde de sécurité pour t'entraver.

Sans corde de sécurité non plus pour te sauver.

J'espère que tu me trouves un peu plus courageuse maintenant.

15

M. Wright a écouté le récit de ma rencontre avec Emilio. Alors que je tente de voir si j'ai baissé dans son estime, la secrétaire énamourée entre d'un pas affairé pour lui apporter une tasse de café avec, sur la soucoupe, des cookies dont les pépites de chocolat fondent contre la porcelaine blanche. Moi, j'ai droit à un gobelet en plastique sans gâteaux. Après son départ, M. Wright, un peu gêné par ce favoritisme, pose l'un de ses cookies devant moi.

— Vous disiez que l'enterrement vous avait orientée vers deux nouvelles pistes ?

Pistes ? Ai-je vraiment employé ce mot ? Parfois, quand j'entends mon nouveau vocabulaire, je crains que tant d'absurdité ne fasse de ma vie une énorme farce.

— C'est le colonel Moutarde, dans la cuisine, avec le chandelier.

— Bea, tu dis n'importe quoi ! C'est le professeur Violet, dans la bibliothèque, avec la corde !

M. Wright attend.

—Oui. La deuxième piste menait au professeur Rosen.

Bien que la douleur et la pluie aient rendu flous la plupart des gens venus assister à ton enterrement, j'ai remarqué la présence du professeur Rosen parmi eux, peut-être parce que c'était un visage connu à la télévision. Il se tenait au milieu de la foule qui n'avait pu entrer dans l'église, un parapluie à la main – un parapluie de scientifique, avec des fentes pour laisser passer le vent, contrairement à ceux des autres qui ne cessaient de se retourner. À la fin, il s'est approché de moi et m'a tendu gauchement la main, avant de la laisser retomber comme s'il était trop timide pour oser un tel geste.

—Alfred Rosen. Je voulais m'excuser auprès de vous pour le mail de ma chargée de communication. Il était odieux.

Il a essuyé le verre embué de ses lunettes avec un mouchoir.

—Je vous ai envoyé mes coordonnées personnelles au cas où vous souhaiteriez éclaircir d'autres points avec moi. Je serais ravi de répondre à toute question que vous vous poseriez.

Il s'exprimait de manière guindée, en adoptant une posture raide, mais c'est tout ce que j'ai noté sur le moment parce que mes pensées étaient avec toi.

— J'ai appelé le professeur Rosen au numéro qu'il m'avait donné environ une semaine après l'enterrement.

Je passe sous silence cette semaine de chaos émotionnel durant laquelle j'ai été incapable de réfléchir, de manger et presque de parler, et je continue vivement en essayant d'effacer le souvenir de cette période :

— Il m'a dit qu'il allait quitter Londres pour donner une série de conférences et a suggéré qu'on se voie avant son départ.

— Vous le soupçonniez ?

— Non. Je n'avais aucune raison de croire que les tests ou lui-même étaient impliqués dans la mort de Tess. Je supposais alors que les sommes versées aux participantes l'avaient été en toute innocence, comme me l'avait assuré le personnel de l'hôpital, mais je ne l'avais pas interrogé directement et je voulais le faire.

J'estimais que je devais douter de tout et de tous. Je ne pouvais pas me permettre de ne suivre qu'une piste, il fallait que je les étudie toutes jusqu'à ce que l'une d'elles me mène au centre du labyrinthe, là où se trouvait ton assassin.

— J'avais rendez-vous avec lui à 10 heures, mais Gene-Med organise des séminaires d'information à partir de 9 h 30 le matin et j'ai réservé une place.

M. Wright paraît surpris.

— L'industrie nucléaire avait une démarche similaire à une époque, dis-je. Les entreprises veulent se présenter sous un jour ouvert et innocent. « Visitez la centrale de Sellafield et apportez votre pique-nique ! » Enfin, vous voyez le genre.

Il sourit, mais quelque chose de très étrange vient de se produire. L'espace d'un instant, je me suis entendue parler comme toi.

On était en pleine heure de pointe et le métro était bondé. Écrasée contre d'autres passagers, je me suis souvenue, atterrée, de l'annonce que j'avais accrochée au tableau d'information de l'école des beaux-arts pour demander à tes amis de me rejoindre dans un café. Dans la confusion qui a suivi ton enterrement, cela m'était sorti de l'esprit. Le rendez-vous était à midi ce jour-là et je l'appréhendais beaucoup plus que celui avec le professeur Rosen.

Je suis arrivée chez Gene-Med juste avant 9 h 30. À l'extérieur de la façade tout en verre, haute de dix étages, des ascenseurs transparents montaient comme des bulles dans une bouteille d'eau gazeuse. Des tubes au néon encerclaient le bâtiment et laissaient passer par intervalles des éclairs lumineux violets et bleus. « La science-fiction devient un fait scientifique », semblait vouloir dire la firme.

Cette vision pétillante était ternie par une dizaine de manifestants armés de pancartes. NON AUX BÉBÉS SUR MESURE ! déclarait l'une d'elles. N'ESSAYEZ PAS DE JOUER À DIEU ! clamait une autre. Aucun cri n'accompagnait ces messages. Les manifestants bâillaient et manquaient d'énergie, comme s'il était trop tôt pour s'activer ainsi. Je me suis demandé s'ils étaient venus là pour passer à la télévision – encore que le battage médiatique se fût estompé au cours des semaines précédentes. La télé utilisait des images d'archives maintenant. Peut-être que ces gens s'étaient déplacés parce que c'était la première fois depuis des semaines qu'il ne neigeait ni ne pleuvait.

En m'approchant, j'ai entendu l'une des manifestantes, une femme qui arborait plusieurs piercings et des cheveux hérissés en pointes, s'adresser à un journaliste.

— … et seuls les riches auront les moyens d'offrir à leurs enfants des gènes qui les rendront plus intelligents, plus beaux et plus athlétiques. Seuls les riches auront les moyens d'offrir à leurs enfants des gènes qui les empêcheront d'avoir un cancer ou une maladie cardiaque.

Le journaliste se contentait de tenir son dictaphone devant elle avec l'air de s'ennuyer, mais la femme ne s'est pas laissé démonter.

— On finira par créer une superclasse génétique, a-t-elle continué avec véhémence. Et il n'y aura pas de brassage grâce aux mariages. Épouser quelqu'un de plus laid, de plus faible, de plus stupide et de plus maladif que soi ? Mais qui ira faire ça ? Au bout de quelques générations, on aura engendré deux espèces d'individus. Les génétiquement riches et les génétiquement pauvres.

Je me suis dirigée vers elle.

— Vous avez déjà rencontré une personne atteinte de la mucoviscidose ? Ou de la sclérose en plaques ? Ou de la maladie de Huntington ?

Elle m'a fixée avec colère, contrariée que j'aie interrompu le flot de ses paroles.

— Vous ignorez ce que c'est de vivre avec la mucoviscidose, en sachant qu'elle vous tue petit à petit, qu'elle vous noie dans votre propre mucus. Vous n'y connaissez rien, pas vrai ?

Elle s'est écartée de moi.

—Vous avez de la chance ! ai-je crié. La nature a fait de vous quelqu'un de génétiquement riche !

Puis je suis entrée dans le bâtiment.

J'ai décliné mon identité près d'une grille de sécurité dont l'ouverture a été déclenchée à distance. Parvenue à la réception, j'ai dû signer un registre et présenter mon passeport, comme cela m'avait été demandé à l'avance, pendant qu'une caméra derrière le comptoir prenait automatiquement ma photo pour établir une carte nominative. Ces formalités remplies, j'ai enfin été autorisée à avancer. Je n'ai pas très bien compris l'utilité du processus, mais la technologie employée était en tout cas bien plus sophistiquée que tout ce que j'avais pu voir dans les zones de contrôle des aéroports. Comme moi, quatorze autres visiteurs ont été guidés vers une salle de conférence dominée par un écran géant, où nous a accueillis une jeune femme joviale prénommée Nancy – notre « guide ».

Après une introduction à la génétique, celle-ci nous a passé un petit film sur des souris auxquelles on avait injecté un gène de méduse alors qu'elles n'étaient que des embryons. À l'écran, la lumière s'est éteinte et – abracadabra ! – les souris sont devenues phosphorescentes. Des « Oh » et des « Ah » ont fusé, et j'ai remarqué que la seule personne à part moi à ne pas être amusée était un homme d'une cinquantaine d'années avec une queue-de-cheval grise.

Nancy la joviale nous a montré ensuite un deuxième film, cette fois sur des souris dans un labyrinthe.

—Voici Einstein et ses amis, a-t-elle pépié. Ces petites bêtes ont un exemplaire supplémentaire du gène de la mémoire, ce qui les rend plus intelligentes.

Dans le film, « Einstein et ses amis » parvenaient à sortir du labyrinthe à une vitesse sidérante par rapport à leurs congénères plus demeurés qui ne bénéficiaient pas de ce moteur génétique.

— Ce gène de l'intelligence se retrouve-t-il dans la lignée germinale ? a demandé l'homme à la queue-de-cheval d'un ton agressif.

— En d'autres termes, ce gène est-il transmis aux petits de ces souris ? a traduit Nancy la joviale en souriant au reste du groupe, avant de se tourner vers son interlocuteur. Oui. Cette amélioration génétique a été effectuée pour la première fois il y a près de dix ans sur des souris qui étaient les arrière-arrière-arrière... – ma foi, je suis à court d'arrière – arrière-grands-parents de celles-ci. Plus sérieusement, ce gène s'est transmis sur de nombreuses générations.

— Quand allez-vous le tester sur les humains ?

Tout comme sa voix, la posture de l'homme à la queue-de-cheval était belliqueuse, mais Nancy la joviale n'a pas cillé.

— La loi n'autorise pas l'amélioration génétique sur les personnes. Seulement le traitement des maladies.

— Mais, dès que ce sera légal, vous serez sur les starting-blocks, n'est-ce pas ?

— Les travaux scientifiques ne peuvent servir qu'à approfondir nos connaissances, a répondu Nancy la joviale. Ils n'ont pas de visée plus sinistre ou commerciale que ça.

Peut-être avait-elle des réponses toutes prêtes pour ce genre de question.

— Vous allez entrer en Bourse, je crois ?
— Mon rôle n'est pas de discuter d'un tel sujet.
— Mais vous avez des parts dans la société ? Comme tous les employés ?
— Ainsi que je vous l'ai dit…
— Vous allez donc cacher tout ce qui a mal tourné, hein ? Vous ne voudrez pas le rendre public ?
— Je peux vous assurer que nous ne cachons rien ici, a rétorqué Nancy la joviale d'une voix douce, mais sous laquelle on sentait une réelle fermeté. Et rien n'a jamais « mal tourné », pour reprendre votre expression.

Elle a appuyé sur un bouton pour nous passer le film suivant, qui montrait des souris dans une cage. Un chercheur introduisait un décimètre à l'intérieur, permettant ainsi de prendre conscience de leur taille – non pas tant en les mesurant qu'en offrant un élément de comparaison avec sa main. Les bêtes étaient énormes.

— Nous avons injecté à ces souris un gène pour booster leur croissance musculaire, a expliqué Nancy la joviale avec animation. Mais le gène en question a eu un effet secondaire inattendu. Non seulement il rendait les souris plus grosses, mais aussi plus dociles. Nous pensions obtenir des Arnold Schwarzenegger et nous nous sommes retrouvés avec des Bambi très musclés.

Des rires se sont élevés dans le groupe. Une fois encore, l'homme à la queue-de-cheval et moi avons été les seuls à ne pas imiter les autres. Notre guide a repris son exposé avec l'air de réprimer son propre amusement.

— Toute plaisanterie mise à part, cette expérience présente un réel intérêt. Elle nous révèle qu'un même gène peut influer sur deux choses totalement différentes, sans aucun rapport l'une avec l'autre.

C'était bien ce que je craignais dans ton cas. J'avais eu raison d'en faire tout un plat, au bout du compte.

Lorsque Nancy la joviale nous a entraînés hors de la salle de conférence, j'ai vu un vigile parler à l'homme à la queue-de-cheval. Tous deux avaient une conversation animée, mais je n'ai pas entendu quel était le sujet de leur dispute. Puis l'homme à la queue-de-cheval a été fermement poussé vers la sortie.

Nous nous sommes dirigés dans la direction opposée jusqu'à une grande salle entièrement dédiée aux expérimentations sur la mucoviscidose. Y étaient exposées des photos de bébés guéris et des manchettes de journaux du monde entier. Nancy la joviale a rapidement expédié son laïus sur « la mucoviscidose pour les nuls » pendant qu'un énorme écran derrière elle montrait un enfant atteint de la maladie. J'ai remarqué que les autres personnes du groupe fixaient ce dernier, mais je me suis concentrée sur notre guide, sur ses joues roses et sa voix débordante d'enthousiasme.

— L'histoire du traitement de la mucoviscidose a débuté en 1989, quand une équipe internationale de scientifiques a identifié le gène responsable de cette maladie. Présenté ainsi, ça paraît facile, mais rappelez-vous que chaque cellule du corps humain comporte quarante-six chromosomes et que chacun d'eux contient trente mille gènes. Trouver celui-là était une prouesse incroyable. La recherche d'un traitement pouvait dès lors commencer !

À l'entendre, on se serait cru devant le générique de début de *Star Wars*.

— Les scientifiques ont découvert que le gène défectueux entraînait une sécrétion excessive de sel et une production insuffisante d'eau dans les cellules qui bordent les poumons et les intestins, d'où l'apparition d'un mucus visqueux.

Elle s'est tournée vers l'écran, où l'enfant peinait à respirer, et sa voix a légèrement chevroté. Mais peut-être le faisait-elle à chaque fois.

— Le défi était d'introduire un gène sain dans le corps du malade. La méthode déjà existante, qui consistait à utiliser un virus, était loin d'être la solution idéale. Elle comportait des risques et ses effets disparaissaient trop rapidement. C'est alors que le professeur Rosen, soutenu par Gene-Med, a créé un chromosome artificiel. C'était une façon nouvelle et sans danger de parvenir au but recherché.

Un jeune homme à la mine anxieuse, vêtu d'un sweat-shirt de l'université d'Oxford, l'a interrompue :

— Vous dites qu'on ajoute un chromosome supplémentaire dans toutes les cellules du corps ?

— Oui ! a répondu Nancy la joviale avec des étoiles dans les yeux. Chez tous les patients traités, chaque cellule aura désormais quarante-sept chromosomes au lieu de quarante-six. Mais il ne s'agit que d'un microchromosome, et…

Le jeune homme lui a de nouveau coupé la parole. Le groupe s'est tendu. Allait-il succéder à l'homme à la queue-de-cheval dans le rôle du malotru de service ?

— Ce chromosome supplémentaire est-il transmis à la génération suivante ?

— Oui.

— Et ça ne vous inquiète pas ?

— Pas vraiment, non.

Sa réponse, faite sur un ton apaisant, a semblé balayer l'hostilité de l'étudiant. Ou peut-être ne la voyais-je plus parce que Nancy avait baissé la lumière.

À l'écran, un nouveau film a commencé, montrant la double hélice de l'ADN grossie des millions de fois. Les treize autres personnes du groupe et moi avons vu les deux gènes responsables de la mucoviscidose s'éclairer, puis être remplacés par des gènes sains.

Le miracle d'une découverte scientifique qui repousse des frontières réelles est quelque chose d'étonnant à contempler. C'est comme si on avait aperçu le Nouveau Monde avec les yeux de Christophe Colomb ou regardé dans le télescope de Herschel lorsqu'il a découvert une nouvelle planète. Tu trouves que j'exagère ? J'ai VU comment on guérit la mucoviscidose, Tess. Là, juste devant moi. J'ai vu comment la mort de Leo aurait pu être évitée. Il serait vivant, aujourd'hui. Voilà ce à quoi je n'arrêtais pas de penser tandis que Nancy nous parlait de télomères, de fragments d'ADN et de cellules usines. Il serait vivant, aujourd'hui.

Pendant que le film enchaînait sur des images de nouveau-nés débarrassés de la mucoviscidose et embrassés par des mères pleines de gratitude et des pères émus et gênés de l'être, j'ai songé à un garçon qui avait un jour grandi, qui ne recevait plus de cartes de superhéros pour son anniversaire et qui aurait été plus grand que moi à présent s'il avait vécu.

Le film s'est terminé et je me suis aperçue que, durant un court moment, j'avais oublié mes préoccupations, ou du moins que je les avais temporairement mises de côté. Puis je me suis souvenue. Bien sûr que je me suis souvenue. Et j'ai été heureuse qu'il n'y ait aucune raison pour que ce traitement soit impliqué dans ta mort ou celle de Xavier. Je voulais que le traitement génétique de la mucoviscidose soit notre Nouveau Monde à nous, dénué de tout coût, de tout sacrifice, de toute mauvaise intention.

Alors que je pensais le film fini, le professeur Rosen est apparu à l'écran pour prononcer quelques mots. J'avais déjà entendu son discours sur Internet et je l'avais aussi lu dans les journaux, mais il prenait dorénavant une résonance particulière.

« La plupart des gens ne croient pas que les scientifiques font leur travail avec passion. Si nous jouions d'un instrument, si nous peignions des tableaux ou écrivions des poèmes, ils ne seraient pas surpris. Mais nous, les scientifiques, sommes perçus comme des êtres impassibles, détachés et dotés d'un esprit purement analytique. Pour beaucoup, l'adjectif "clinique" signifie froid et indifférent, mais son véritable sens renvoie au traitement médical, donc à ce qui œuvre pour le bien. Et nous devrions le faire à la manière des artistes, des musiciens et des poètes : avec énergie, sérieux et passion. »

Dix minutes plus tard, sa secrétaire m'a escortée de la réception jusqu'au dernier étage, où il m'a accueillie en personne. Il n'était pas différent de l'image qu'il m'avait renvoyée à la télévision et le jour de ton enterrement. Fluet, gauche, le nez chaussé des mêmes lunettes caricaturales à montures métalliques, il incarnait un chercheur rassurant. Je l'ai remercié d'être venu à tes funérailles et il a eu un hochement de tête un peu sec. Puis nous avons longé ensemble un couloir.

— Mon frère avait la mucoviscidose, ai-je dit pour rompre le silence. J'aurais aimé que vous soyez là quelques années plus tôt.

Il s'est à demi détourné de moi et je me suis rappelé combien il semblait mal à l'aise chaque fois qu'il recevait des compliments lors de ses interviews télévisées.

— Vous avez trouvé le séminaire intéressant ? s'est-il enquis en changeant de sujet – signe de modestie que j'ai apprécié.

— Oui. C'était extraordinaire...

J'allais continuer, mais il m'a interrompue sans même en avoir conscience.

— L'expérimentation sur le QI des souris est la plus perturbante, selon moi. On m'avait demandé de participer aux tests initiaux, à l'époque. Un jeune chercheur qui travaillait avec moi chez Imperial voulait découvrir la différence entre les gens superintelligents et les normaux, ou une ânerie du genre. Enfin, c'était il y a des années.

— Mais ces souris sont présentées dans le film de Gene-Med... ?

— Oui, le laboratoire a acheté le résultat des travaux, et donc le gène concerné. Pour ce que ça leur a apporté... Heureusement que les manipulations génétiques sur l'être humain ne sont pas autorisées, sinon on aurait sans doute déjà produit des gens phosphorescents dans le noir ou des géants chanteurs de berceuses.

J'ai eu le sentiment que cette réplique n'était pas de lui, ou du moins qu'il l'avait répétée. Il ne me faisait pas l'effet d'un homme capable d'oser un trait d'esprit.

— Le traitement de la mucoviscidose n'a cependant rien à voir avec ces pratiques, ai-je dit.

Il s'est arrêté pour me faire face.

— En effet. Mettre au point une thérapie génique pour soigner une maladie aussi terrible que la mucoviscidose et faire du bricolage dans le but de parvenir à une amélioration génétique ou de créer des monstres de foire, ce n'est pas du tout comparable. Absolument pas !

La vigueur de sa réponse m'a surprise et je me suis aperçue pour la première fois qu'il n'était pas dénué de force physique.

Nous sommes entrés dans une vaste pièce dont les trois parois vitrées offraient un panorama sur toute la ville – ce qui n'avait rien d'étonnant dans un bâtiment aussi prétentieux. Le bureau du professeur était cependant petit et en piètre état, et je l'ai imaginé transporté au fil des ans de chambres d'étudiant en pièces de plus en plus grandes jusqu'à ce qu'il atterrisse là. Le professeur Rosen a fermé la porte derrière nous.

— Vous vouliez me poser quelques questions ?

Mes soupçons me sont revenus à la mémoire et il m'a semblé ridicule de l'interroger sur les paiements (comme je l'ai déjà dit, trois cents livres représentait une somme misérable par rapport à celles, colossales, qu'avaient dû nécessiter les recherches sur la mucoviscidose). À la lumière de ce que je venais de voir, je trouvais ça grossier aussi. Mais je ne me souciais plus de respecter les convenances et les bonnes manières.

— Savez-vous pourquoi les participantes aux tests ont été rémunérées ?

La question n'a pas paru l'émouvoir.

— Le mail de ma chargée de communication était très mal tourné, mais elle ne mentait pas. J'ignore qui a dédommagé votre sœur. Simplement, je peux vous assurer que ce n'était pas nous ni aucune des personnes qui ont dirigé ces tests. J'ai les noms et les rapports des comités d'éthique des hôpitaux concernés, si vous voulez. Vous constaterez par vous-même qu'aucune compensation financière n'est proposée. Ce serait contraire à toutes les règles.

Il m'a tendu une liasse de documents et a continué :

— En fait, s'il avait dû y avoir un transfert d'argent, il se serait effectué dans l'autre sens. Certains parents nous supplient pour qu'on les fasse bénéficier de ce traitement.

Un silence gêné s'est ensuivi. Il avait répondu à mes interrogations et cela faisait à peine trois minutes que nous étions dans son bureau.

— Vous travaillez toujours pour Imperial ? ai-je dit afin de temporiser un peu.

Mais je devais aborder un sujet sensible parce qu'il s'est mis sur la défensive.

— Non, a-t-il répondu. Je suis employé à plein temps ici. Je dispose d'un meilleur équipement chez Gene-Med et on me laisse donner des conférences.

J'ai perçu l'amertume dans sa voix et me suis demandé quelle en était la cause.

— Vous devez être très sollicité, ai-je commenté, toujours polie.

— Oui, c'est un fait. Cet engouement a d'ailleurs été quelque peu déstabilisant. J'ai reçu des invitations des universités européennes les plus prestigieuses et les huit plus grandes universités américaines m'ont convié à venir prononcer un discours liminaire devant leurs étudiants. Quatre d'entre elles m'ont même offert un poste de professeur honoraire. Je commence demain une série de conférences aux États-Unis. Ce sera un soulagement de parler plusieurs heures d'affilée à des gens qui comprennent au moins une petite partie de ce que je raconte sans que j'aie à utiliser des raccourcis percutants.

Ses paroles, semblables à un génie sorti de sa lampe, me montraient que je m'étais complètement trompée à son sujet. Il voulait bel et bien être sous les feux de la rampe, mais seulement lors de conférences données dans de prestigieuses universités, pas à la télévision. Et il aspirait à être reconnu – juste par ses pairs, voilà tout.

J'étais assise à quelques pas de lui, et pourtant il s'est reculé comme si la pièce était trop petite.

— Dans votre deuxième mail, vous paraissiez suggérer l'existence d'un lien entre la mort de votre sœur et mes essais thérapeutiques.

J'ai noté qu'il disait « mes » essais et je me suis rappelé que, à la télévision déjà, il avait évoqué « son » chromosome. Je n'avais pas saisi avant à quel point il s'identifiait à ces tests cliniques sur la mucoviscidose.

Il s'est absorbé dans la contemplation de son reflet dans les parois vitrées de son bureau.

— Trouver ce traitement, ça a été le but de toute ma vie. J'y ai sacrifié tout ce que j'ai de précieux – mon temps, mon énergie, et même l'amour. Je ne l'ai pas fait pour que quelqu'un en pâtisse.

— Qu'est-ce qui vous a poussé dans cette voie ?

— Je veux pouvoir me dire au moment de mourir que j'ai contribué à rendre le monde meilleur.

Il m'a fixée en face et a poursuivi avec une ferveur qui m'a surprise.

— Je pense que ma réussite sera vue comme un tournant historique par les générations futures et qu'elle permettra d'aboutir à une population débarrassée de toute maladie. Fini la mucoviscidose, la maladie d'Alzheimer, les affections neuromusculaires et le cancer. Non seulement nous les éradiquerons, mais nous ferons en sorte que cela soit définitif. Des millions d'années d'évolution n'ont pas aboli les petits rhumes, et encore moins les maladies graves, mais nous, nous pouvons le faire, et dans quelques générations nous y parviendrons probablement.

Pourquoi, alors qu'il me parlait de guérir la maladie, le trouvais-je aussi inquiétant ? Peut-être parce que tout zélateur, quelle que soit sa cause, nous inspire un mouvement de recul. Je me suis souvenue de la partie de son discours où il comparait un scientifique à un peintre, à un musicien et à un écrivain. Ce rapprochement m'alarmait à présent, car un généticien ne joue pas avec des notes, des mots ou des couleurs, mais avec des gènes.

— Vous pensez que j'exagère, mademoiselle Hemming ? a-t-il ajouté, sentant peut-être mon malaise et se méprenant sur sa cause. Mon chromosome fait maintenant partie de notre bagage génétique. J'ai réussi en l'espace d'une vie ce que l'évolution des espèces aurait mis un million d'années à accomplir.

J'ai rendu ma carte nominative à l'accueil et suis sortie du bâtiment. Toujours présents, les manifestants donnaient davantage de la voix maintenant qu'ils avaient bu un peu du café de leur Thermos. L'homme à la queue-de-cheval s'était joint à eux. Allait-il souvent provoquer Nancy la joviale durant ses séminaires? Peut-être ne pouvait-on l'en empêcher, pour des motifs juridiques et pour des questions d'image.

M'apercevant, il s'est dirigé vers moi.

— Vous savez comment on mesure le QI de ces souris?

J'ai secoué la tête et me suis éloignée, mais il m'a suivie.

— On ne le fait pas seulement en les lâchant dans un labyrinthe. On les enferme dans une cage et on les soumet à des décharges électriques. Plus tard, on renouvelle l'expérience, et cette fois les souris au QI génétiquement amélioré ont peur. C'est avec la peur qu'on mesure le QI!

J'ai pressé le pas – en vain. Il s'est obstiné.

— Ou alors, on les balance dans une cuve d'eau contenant une plateforme cachée. Les plus intelligentes apprennent à la trouver.

J'ai filé vers la station de métro en essayant d'éprouver de nouveau l'euphorie qui m'avait envahie à l'idée que la mucoviscidose pouvait être guérie, mais j'étais déstabilisée par ma rencontre avec le professeur Rosen et par cette histoire de souris. «C'est avec la peur qu'on mesure le QI ! » Cette phrase restait gravée dans mon cerveau malgré mes efforts pour l'effacer.

— Je voulais croire que les tests sur la mucoviscidose étaient totalement légaux. Je ne voulais pas qu'ils aient le moindre rapport avec l'assassinat de Tess ou la mort de Xavier. Mais ma visite à Gene-Med m'a perturbée.

— À cause du professeur Rosen ? demande M. Wright.

— En partie, oui. Parce qu'il avait l'air si gêné à la télévision, j'en avais déduit que la célébrité lui répugnait. Mais il s'est vanté de la série de conférences qu'il allait donner, en insistant bien sur le fait qu'il avait été invité par les universités « les plus prestigieuses » du monde. J'ai compris que je m'étais complètement trompée à son sujet.

— Vous l'avez soupçonné ?

— Disons que j'étais méfiante. J'avais supposé qu'il avait assisté à l'enterrement de Tess et offert de répondre à mes questions par compassion, mais je n'en ai plus été certaine après ça. Durant presque toute sa vie, il a dû être perçu comme un scientifique un peu toqué. Certainement à l'école en tout cas, et peut-être même durant ses études supérieures. Mais là, il était devenu l'homme dont tout le monde parle, et, grâce à son chromosome, celui dont les générations futures se souviendraient. Je me suis dit que s'il y avait eu un souci avec ses tests, il aurait tout fait pour que cela ne mette pas en péril son tout nouveau statut.

Mais c'était le pouvoir de n'importe quel généticien, pas seulement celui du professeur Rosen, qui me troublait le plus. En m'éloignant du bâtiment de GeneMed ce jour-là, j'ai pensé aux trois Parques – l'une qui déroulait le fil de la vie humaine, l'autre qui le mesurait, et la dernière qui le coupait. J'ai pensé aux deux brins hélicoïdaux de notre ADN, présents dans toutes les cellules de notre corps et déterminant notre destinée. Et j'ai pensé que la science n'avait jamais été si intimement liée à ce qui nous rend humains – à ce qui nous rend mortels.

16

Absorbée dans mes réflexions, j'ai effectué à pied presque tout le trajet jusqu'au café situé en face de ton école. Tes amis étaient venus nombreux à ton enterrement, mais j'ignorais combien se déplaceraient pour me voir.

En entrant, j'ai découvert le café bondé d'étudiants. Tous m'attendaient, et je me suis retrouvée perdue, incapable d'articuler un mot. Je n'ai jamais aimé organiser quoi que ce soit, même un dîner pour des amis, alors une rencontre avec des inconnus... Et puis je me sentais si collet monté comparée à eux qui arboraient tous des tenues bohèmes, des coiffures très étudiées et des piercings. Un jeune homme avec des dreadlocks et des yeux en amande s'est présenté comme étant Benjamin. Il a passé un bras autour de mes épaules et m'a entraînée vers une table.

Croyant que je voulais entendre parler de ta vie, ils m'ont raconté des histoires sur ton talent, ta gentillesse, ton humour. Pendant ce temps, j'ai étudié leur visage en me demandant si l'un d'entre eux avait pu te tuer. La dénommée Annette, avec ses cheveux brillants couleur cuivre et ses bras fins, était-elle assez forte et cruelle pour ça ? Et quand des larmes ont roulé des jolis yeux en amande de Benjamin, étaient-elles réelles ou avait-il juste conscience de la belle image qu'il renvoyait ainsi ?

— Les amis de Tess l'ont tous décrite de façon différente, dis-je à M. Wright, mais il y avait une expression qui revenait sans arrêt. Chacun d'eux a évoqué sa « joie de vivre ».

La joie et la vie réunies – quelle description ironiquement parfaite de toi.

— Elle avait beaucoup d'amis ?

La question de M. Wright me touche parce qu'elle n'est pas utile pour son rapport.

— Oui. Elle accordait une très grande importance à l'amitié.

C'est vrai, n'est-ce pas ? Tu n'as jamais eu aucun mal à te faire des amis et tu ne te séparais pas d'eux facilement. Pour ton vingt et unième anniversaire, ceux que tu avais à l'école primaire étaient là. Peut-on être écolo en amitié ? Celle-ci est trop précieuse pour être jetée à la poubelle lorsqu'elle cesse de présenter un intérêt immédiat.

— Vous les avez interrogés au sujet de la drogue ? demande M. Wright, m'obligeant ainsi à me concentrer sur mon témoignage.

— Oui. Comme Simon, ils ont juré qu'elle n'en prenait jamais. Je les ai questionnés aussi sur Emilio Codi, mais je n'ai rien appris d'utile. Juste que c'était un « tas de merde arrogant », trop soucieux de son art pour être un professeur digne de ce nom. Tous étaient au courant de la liaison de Tess et de sa grossesse. Puis j'ai voulu me renseigner sur Simon et sa relation avec elle.

L'atmosphère dans le café a changé. Elle est devenue plus pesante, chargée de quelque chose que je ne comprenais pas.

— Vous saviez tous que Simon voulait sortir avec elle ? ai-je dit.

Ils ont hoché la tête, mais personne n'a fait le moindre commentaire.

— Emilio Codi prétend qu'il était jaloux, ai-je ajouté dans l'espoir de provoquer une réaction.

— Simon était jaloux de tous ceux que Tess aimait, a enfin déclaré une fille aux cheveux noir de jais et aux lèvres rouge vif, comme les sorcières dans les livres pour enfants.

Je me suis demandé si cela m'incluait également.

— Mais elle n'était pas amoureuse d'Emilio Codi, si ?

— Non. Emilio était plutôt un concurrent pour Simon, a répliqué la jolie sorcière. C'était le bébé de Tess qui le rendait jaloux. Il n'acceptait pas qu'elle s'apprête à aimer quelqu'un qui n'était pas encore né, alors que lui n'avait droit à rien.

Je me suis souvenue de la prison qu'il avait représentée à partir de photos de bébés.

— Il était à l'enterrement ?

La jolie sorcière a hésité avant de répondre.

— On l'a attendu au métro, mais il ne s'est jamais pointé. Quand je lui ai téléphoné pour savoir à quoi il jouait, il m'a expliqué qu'il avait changé d'avis et qu'il ne viendrait pas parce qu'il n'aurait pas de « place à part » et que ses sentiments pour Tess seraient… laissez-moi me rappeler… « ignorés » et qu'il ne « pouvait pas le supporter ».

Était-ce pour cette raison que l'atmosphère s'était tendue lorsque j'avais prononcé le nom de Simon ?

— D'après Emilio Codi, il était obsédé par elle. C'est vrai ?

— Et comment, a dit la jolie sorcière. Quand il a eu son idée de projet de fin d'année, *La Femelle de l'espèce* ou une connerie du genre, il l'a suivie partout comme son ombre.

J'ai vu Benjamin lui décocher un regard de mise en garde, mais elle l'a ignoré.

— Enfin merde, il rôdait toujours derrière elle !

— Avec un appareil photo pour se justifier ? ai-je dit en me remémorant les photos de toi sur le mur de sa chambre.

— Ouais. Il n'avait pas le courage de la regarder en face, il fallait qu'il utilise un objectif. Certains étaient si gros qu'on l'aurait presque pris pour un paparazzi.

— Pourquoi Tess le tolérait-elle ?

— Parce qu'elle était gentille et aussi parce qu'elle avait pitié de lui, à mon avis, a répondu un garçon à l'air timide qui était resté silencieux jusqu'alors. Simon n'avait pas d'autres amis.

Je me suis tournée vers la jolie sorcière.

— Simon a-t-il dû renoncer à son projet ? Vous sembliez laisser entendre…

— Oui. Mme Barden, son professeur, lui a dit d'arrêter en menaçant de l'expulser s'il continuait. Elle avait compris que ce n'était qu'un prétexte pour suivre Tess partout.

— Ça remonte à quand ?

— Au début de l'année universitaire, a dit Annette. En septembre dernier, donc. La première semaine. Ça a été un soulagement pour Tess.

Mais il y avait des photos de toi prises en automne et en hiver.

— Il n'a pas tenu compte de l'avertissement. Vous le saviez ?

— Il a dû se montrer plus discret alors, a supposé Benjamin.

— Ça n'a sans doute pas été difficile, a ajouté la jolie sorcière. Mais nous n'avons pas beaucoup vu Tess après qu'elle a pris son « congé sabbatique ».

Je me suis rappelé les paroles d'Emilio. « C'est l'étudiant que vous devriez interroger. Il la suivait partout avec son appareil photo. »

— Emilio Codi savait, lui. Et il est professeur à l'école. Pourquoi n'a-t-il pas fait renvoyer Simon ?

— Parce que Simon était au courant de sa liaison avec Tess, a répliqué la jolie sorcière. Chacun obligeait l'autre à garder le silence.

Je ne pouvais repousser ma question plus longtemps.

— Pensez-vous que l'un d'eux ait pu la tuer ?

Le groupe est resté silencieux, mais j'ai senti de la gêne plus que de la surprise. Même la jolie sorcière a évité de me regarder. C'est finalement Benjamin qui a pris la parole – par gentillesse, sans doute.

— Simon nous a dit qu'elle a souffert de psychose postnatale et que c'est à cause de ça qu'elle s'est suicidée. Toujours selon lui, c'est l'opinion du médecin légiste et aussi celle de la police.

— On ne savait pas s'il fallait le croire, a ajouté le garçon à l'air timide. Et puis le journal local en a parlé aussi.

— Vous n'étiez apparemment pas là au moment où tout est arrivé, a hasardé Annette. Simon, lui, a vu Tess et elle était…

Elle n'a pas fini sa phrase, mais j'imaginais très bien ce que Simon avait pu leur raconter sur ton état mental.

La presse et lui avaient donc persuadé tes amis que tu t'étais suicidée. La fille qu'ils connaissaient et qu'ils m'avaient décrite ne se serait jamais tuée, mais tu avais été possédée par ce Satan moderne qu'est la psychose postnatale – un Satan qui poussait une fille pleine de joie de vivre à détester assez l'existence pour en finir avec. Tu avais été tuée par quelque chose qui portait un nom scientifique, pas par un être à visage humain.

— Oui, la police est persuadée qu'elle s'est suicidée, ai-je dit. Parce qu'ils pensent qu'elle souffrait de psychose. Mais je suis certaine qu'ils se trompent.

J'ai vu de la compassion sur certains visages, et aussi son parent pauvre – la pitié – sur d'autres. Puis ça a été : « Il est déjà plus de 13 h 30 ! » et « les cours commencent dans dix minutes ». Ils sont partis.

Je me suis dit que Simon les avait dressés contre moi avant même qu'ils ne m'aient rencontrée. Il leur avait sans doute parlé de la sœur aînée instable et de ses théories folles, ce qui expliquait pourquoi ils avaient été plus gênés que surpris quand j'avais évoqué l'hypothèse d'un meurtre. Mais je ne leur en voulais pas de le croire, lui, plutôt que moi, et de préférer pour toi une fin sans rapport avec un crime.

Benjamin et la jolie sorcière ont été les derniers à partir. Avec une insistance touchante, ils m'ont invitée à venir à l'exposition organisée par leur école une semaine plus tard. J'ai accepté. Ça me donnerait une nouvelle occasion d'interroger Simon et Emilio.

Après cela, seule dans le café, j'ai songé que Simon n'avait pas seulement menti au sujet de son «projet», il l'avait aussi embelli. «C'est mon projet de dernière année… Mon tuteur trouve que c'est le plus original et le plus intéressant de ma promotion.» Sur quoi d'autre avait-il menti? Lui avais-tu vraiment fixé rendez-vous par téléphone le jour où tu étais morte? Ou bien t'avait-il suivie une fois de plus, avant d'affabuler sur le reste afin que je ne le soupçonne pas? Ce type était à l'évidence un manipulateur. Peut-être qu'il n'y avait eu aucun homme dans les buissons ce jour-là et qu'il avait inventé ce détail – ou, plus habile encore, ta paranoïa – pour détourner l'attention de lui. Combien de fois était-il resté assis devant ta porte avec un énorme bouquet dans l'espoir d'être surpris et de donner l'impression d'attendre innocemment ton retour, alors même que tu étais morte?

En même temps que je pensais à Simon et Emilio, je me suis demandé, comme je le fais encore aujourd'hui, si toutes les très belles jeunes femmes ont dans leur vie des personnages sinistres. Si, moi, j'avais été retrouvée morte, il n'y aurait eu personne à suspecter dans mon entourage et l'enquête aurait dû sortir du cercle de mes amis et de mon ancien fiancé. Je ne crois pas que les femmes particulièrement belles et charismatiques fassent naître une obsession chez des hommes « normaux ». Elles attirent plutôt les tordus et les harceleurs, ces gens inquiétants qui, dans l'obscurité où ils vivent, voient en elles des flammes vers lesquelles ils s'avancent et qu'ils finissent par éteindre.

— Et ensuite, vous êtes retournée à l'appartement ?

— Oui.

Mais je suis trop fatiguée pour raconter cette partie-là et pour me remémorer en détail ce que j'ai entendu une fois rentrée chez moi. Je m'exprime plus lentement. Mon corps s'affaisse.

— Arrêtons-nous là, dit M. Wright en me fixant avec inquiétude.

Il propose de m'appeler un taxi et, lorsque je l'assure que marcher me fera du bien, il se lève pour m'accompagner jusqu'à l'ascenseur. Je mesure combien j'aime sa courtoisie désuète et je me dis qu'Amias devait lui ressembler étant plus jeune. Au moment de nous séparer, il me salue d'un sourire. Les petites étincelles entre nous n'ont peut-être pas été étouffées finalement. Ces rêveries romantiques me redonnent la pêche plus doucement que ne l'aurait fait un café – et quel mal à cela ? Je vais donc m'autoriser le luxe de penser à M. Wright et traverser St James's Park à pied au lieu de monter dans un métro bondé.

J'avais raison, l'air frais printanier m'aide à me sentir mieux et mes idées joyeuses et sans conséquence m'insufflent un peu de courage. Je parviens ainsi à Hyde Park, où j'hésite d'abord à continuer à pied. Puis je songe qu'il est temps pour moi d'affronter mes démons et d'enterrer mes fantômes.

Le cœur battant, je franchis les grilles. Comme son voisin, Hyde Park est un chaos de couleurs, de bruits et d'odeurs. Je ne distingue aucun démon dans toute cette verdure et aucun fantôme ne murmure à mon oreille au milieu des enfants qui jouent.

Je traverse la roseraie et passe devant le kiosque à musique, qui a l'air tout droit sorti d'un conte de fées avec sa bordure rose pastel et son toit blanc soutenu par des piliers semblables à des bâtons de réglisse. C'est alors que je me rappelle les deux bombes que l'IRA avait fait sauter en 1982, l'une sous le kiosque à musique de Regent's Park, et l'autre dans l'une des rues bordant Hyde Park. Je revois les clous contenus dans les explosifs, le carnage. Et j'ai soudain l'impression que quelqu'un m'observe.

Je sens son souffle derrière moi, froid dans l'air doux, et je presse le pas sans me retourner. Il me suit en respirant plus vite. Mes muscles se tendent, tressautent. Au loin, j'aperçois le Lido et des gens. Je cours dans cette direction, les jambes tremblantes sous l'effet de l'adrénaline et de la peur.

Je flageole et ressens une douleur dans la poitrine lorsque j'arrive au niveau du Lido. Des enfants s'aspergent dans un bassin où deux hommes d'affaires d'une cinquantaine d'années aux pantalons retroussés se trempent également les pieds. Je m'assois pour les observer un moment, avant de me risquer à jeter un œil derrière moi. Il me semble distinguer une ombre parmi les arbres. J'attends qu'elle se confonde avec celle des branches, puis je contourne le bosquet en veillant à rester près des gens et du bruit. Parvenue de l'autre côté, je découvre une étendue de gazon parsemée de crocus. Une fille profite de l'herbe réchauffée par le soleil en marchant pieds nus, ses chaussures à la main. Elle me fait penser à toi. Je la regarde jusqu'à ce qu'elle parvienne au bout de la pelouse et, alors seulement, je remarque les toilettes, telle une sombre plaie parmi les douces couleurs du printemps.

Je m'élance après la fille. Quand j'atteins le bâtiment délabré, elle est déjà loin et un garçon a passé un bras autour d'elle. Riant, ils sortent du parc. Je les imite, les jambes encore tremblantes, le souffle court. J'essaie de me persuader que je suis ridicule. *Tu n'as pas à avoir peur, Beatrice. Voilà ce qui arrive quand on a trop d'imagination. Ton esprit te joue des tours*. J'empruntais ces paroles de réconfort au monde plein de certitudes de l'enfance. *Il n'y a pas de monstre dans l'armoire*. Mais toi et moi savons qu'il est bien réel.

17

Mardi

En arrivant au CPS, je me fais une petite place dans un ascenseur où flotte l'odeur âcre de la sueur. Dans la lumière vive du matin, entourée de tous ces gens pressés les uns contre les autres, je sais que je ne dirai pas un mot de l'homme dans le parc. M. Wright me répondrait à juste titre qu'il est derrière les barreaux, qu'on lui a refusé une mise en liberté sous caution, et qu'après le procès il sera condamné à la prison à vie sans possibilité d'en sortir. En toute logique, je devrais avoir en tête qu'il ne pourra plus jamais me faire de mal. Lorsque l'ascenseur atteint le troisième étage, je me répète avec sévérité qu'il n'est pas là et qu'il ne sera jamais là. Il n'est qu'une absence et je ne dois pas lui permettre de devenir le contraire, même dans mon imagination.

L'heure est aux bonnes résolutions. Je ne me laisserai pas intimider par le spectre d'un diable fictif. Il n'est pas question qu'il exerce la moindre emprise sur mon esprit comme il l'a fait un jour sur mon corps. À la place, je puiserai du réconfort à la vue de M. Wright, de sa secrétaire énamourée et de toutes les personnes qui m'entourent dans ce bâtiment. Je sais que j'ai de plus en plus souvent des vertiges et que je faiblis, mais je ne céderai ni à une terreur irrationnelle ni à ma fragilité. Au lieu d'imaginer ce qu'il y a de plus effrayant et de plus laid, j'essaierai de suivre ton exemple et de voir la beauté dans les choses du quotidien. Mais surtout, je penserai à ce que tu as subi, et cela me rappellera une fois de plus que, en comparaison, je n'ai pas le droit de m'apitoyer sur moi-même et de me laisser aller à rêver d'une menace fantôme.

Je décide que c'est moi qui serai préposée au café aujourd'hui. Il est ridicule de croire que mes bras tremblent. Regarde. J'ai réussi à préparer deux cafés et à les porter dans le bureau de M. Wright, le tout sans problème.

Un peu surpris, il me remercie, puis insère une nouvelle cassette dans le magnétophone.

— Nous en étions au moment où vous avez parlé de Simon et d'Emilio Codi avec les amis de Tess, c'est ça ?

— Oui. Ensuite, je suis rentrée à la maison. Tess avait un vieux répondeur qu'elle avait déniché dans un vide-grenier, je crois, mais qu'elle trouvait très bien.

Je tourne autour du pot. Il faut que j'arrête.

— Quand j'ai ouvert la porte, il y avait une lumière qui clignotait. Le répondeur était saturé.

Sans ôter mon manteau, j'ai appuyé sur *Play*. Le message émanait de la compagnie du gaz. Rien d'important. J'avais déjà écouté les précédents, toutes ces conversations à sens unique que d'autres avaient eues avec toi.

Je m'apprêtais à rembobiner la bande quand je me suis aperçue qu'il y avait une face A et une face B. N'ayant jamais écouté celle-ci, j'ai retourné la cassette. Une voix électronique annonçait l'heure et la date avant chaque message.

Le dernier remontait au mardi 21 janvier, à 20 h 20. Juste quelques heures après que tu as accouché de Xavier.

Une berceuse a résonné dans la pièce, doucement assassine.

Je parle d'un ton brusque, un peu trop fort, pour étouffer avec mes mots le souvenir vocal dans ma tête.

— C'était un enregistrement professionnel. L'auteur du coup de fil devait avoir appuyé son téléphone contre un lecteur CD.

M. Wright hoche la tête. Il a déjà entendu la comptine, mais, contrairement à moi, il ne la connaît sans doute pas par cœur.

— Amias m'avait dit que Tess se sentait menacée par ces appels. Qu'elle avait peur de la personne qui les lui passait. J'en ai déduit qu'elle en avait reçu beaucoup, mais qu'un seul avait été enregistré.

Pas étonnant que j'aie trouvé ton téléphone débranché en arrivant chez toi le premier jour. Tu ne supportais plus d'entendre ça.

— Vous avez prévenu tout de suite la police ?

— Oui. J'ai laissé un message sur la boîte vocale du lieutenant Finborough. Je lui ai parlé du faux projet de Simon, je lui ai expliqué que j'avais découvert une raison pour laquelle Emilio avait peut-être attendu la naissance du bébé pour tuer Tess. Je lui ai dit qu'il y avait selon moi un problème avec les tests sur la mucoviscidose parce que les participantes étaient payées et que le dossier médical de Tess avait disparu – même si je doutais qu'il y ait un rapport avec sa mort. J'ai dit aussi que les berceuses étaient la clé de l'énigme. Que s'ils pouvaient mettre la main sur la personne qui avait fait ça, ils tiendraient l'assassin. Ce n'était pas le message le plus pondéré ni le plus calme qui soit, mais je venais juste d'écouter cette berceuse. Et je me sentais tout sauf calme et pondérée.

Après mon appel à Finborough, je me suis rendue au service de psychiatrie de l'hôpital St Anne, là où le docteur Nichols donnait ses consultations. En proie à une agitation et à une colère viscérales, j'avais besoin de me défouler physiquement. J'ai trouvé le nom du médecin écrit sur une carte accrochée à une porte et je suis passée devant un patient qui s'apprêtait à entrer. Derrière moi, la réceptionniste a protesté, mais je l'ai ignorée.

Le docteur Nichols m'a dévisagée avec étonnement.

— Il y avait une berceuse enregistrée sur son répondeur, ai-je dit, avant de la lui chanter : « Fais dodo, Colas mon p'tit frère / Fais dodo, t'auras du lolo / Maman est en haut / Qui fait des gâteaux / Papa est en bas / Qui fait du chocolat / Fais dodo, Colas mon p'tit frère / Fais dodo, t'auras du lolo. »

— Beatrice, je vous en prie…

— Elle l'a entendue le soir où elle est rentrée de l'hôpital. Seulement quelques heures après que son enfant est mort. Dieu sait combien de fois il la lui a fait écouter. Ces coups de fil n'étaient pas des « hallucinations auditives ». Quelqu'un la torturait mentalement.

Choqué, le docteur Nichols est resté silencieux.

— Elle n'était pas folle, ai-je continué. Quelqu'un voulait qu'elle le devienne ou qu'elle soit perçue comme telle aux yeux de tous.

— La pauvre, a-t-il dit d'une voix étranglée. Ces berceuses ont dû l'anéantir. Mais êtes-vous sûre qu'elles étaient volontairement cruelles ? Ne pourrait-il pas s'agir d'une horrible bourde commise par une de ses amies qui ignorait la mort de son bébé ?

Cela l'aurait bien arrangé…

— Non, je ne pense pas.

Il s'est écarté. Il portait ce jour-là une blouse blanche sale et froissée, ce qui le faisait paraître encore plus dépenaillé et incompétent.

— Pourquoi ne l'avez-vous pas écoutée ? Pourquoi ne l'avez-vous pas interrogée davantage ?

— Je ne l'ai vue qu'une fois, et à un moment où j'étais débordé, comme d'habitude. Je croulais sous les rendez-vous, des urgences venaient de m'être confiées et il a fallu que je m'en occupe tout en essayant de limiter l'attente des autres patients.

Sans croiser mon regard, il a continué :

— J'aurais dû lui consacrer plus de temps. Je suis désolé.

— Vous étiez au courant pour le PCP ?

— Oui. La police m'en a informé, mais seulement après votre visite. Je leur ai expliqué que cette substance provoquait des hallucinations, probablement terrifiantes, et que son effet avait dû être décuplé par l'état dans lequel se trouvait Tess. Les études sur le sujet indiquent que les consommateurs de PCP s'automutilent souvent. La berceuse a dû être le coup de grâce pour votre sœur.

Il n'y avait pas de chien dans sa salle de consultation, mais je sentais combien il avait envie de tendre la main pour caresser une oreille soyeuse et rassurante.

— Ça expliquerait pourquoi elle est devenue suicidaire après que je l'ai vue… Je suppose qu'elle a entendu la berceuse, pris peut-être du PCP, et le mélange…

Il s'est interrompu en notant l'expression sur mon visage.

— Vous pensez que je me cherche des excuses ?

C'était la première fois qu'il faisait preuve d'intuition et j'en fus surprise.

— Mais il n'y a pas d'excuse qui tienne, a-t-il dit. Tess avait vraiment des hallucinations visuelles. La question n'est pas de savoir si elles étaient imputables à une psychose ou au PCP. Je n'ai pas su poser le bon diagnostic. Votre sœur était un danger pour elle-même et je ne l'ai pas protégée alors que c'était mon devoir.

Comme lors de notre première rencontre, la honte suintait de ses paroles. J'étais venue donner libre cours à ma colère, mais je n'en voyais plus l'intérêt à présent. Le docteur Nichols paraissait déjà se reprocher ta mort et il n'allait pas changer d'avis. Puis la réceptionniste a fait intrusion dans la pièce avec un infirmier. Tous deux ont eu l'air surpris par le silence qui y régnait.

J'ai refermé la porte derrière moi. Je n'avais plus rien à dire au docteur Nichols.

J'ai pris un couloir d'un pas rapide, comme si j'avais pu semer ainsi les visions qui m'assaillaient. Je n'avais plus de but précis en tête pour me distraire et je ne pensais qu'à toi lorsque tu avais écouté la berceuse.

— Beatrice ?

J'avais manqué heurter de plein fouet le docteur Saunders. Je me suis rendu compte à cet instant seulement que je pleurais. Les larmes roulaient sur mes joues, mon nez coulait et j'avais un mouchoir trempé à la main.

— Elle a été torturée mentalement avant d'être assassinée ! Elle a été piégée de telle sorte que tout le monde conclue à un suicide !

Sans poser de questions, il m'a serrée contre lui. Ses bras autour de moi dégageaient une impression de force, mais je ne m'y sentais pas en sécurité. J'ai toujours trouvé l'intimité physique déstabilisante – y compris avec ma famille, a fortiori avec un quasi-inconnu –, si bien que j'étais plus angoissée que rassurée. Le docteur Saunders semblait toutefois avoir l'habitude de soutenir les femmes en détresse et se montrait parfaitement à l'aise.

— Je peux vous proposer un café ?

J'ai accepté parce que je voulais l'interroger sur le docteur Nichols. Il me fallait des preuves de l'incompétence du psychiatre pour que la police examine de nouveau toutes ses affirmations. Mais je l'ai aussi fait parce que, lorsque j'avais déclaré tout de go que tu avais été torturée, il n'avait pas émis d'objections ni affiché la moindre incrédulité. De ce fait, il avait rejoint Amias et Christina dans le tout petit groupe de personnes qui ne refusaient pas d'emblée de me prendre au sérieux.

Nous nous sommes assis à une table au milieu de la cafétéria pleine de monde et il m'a fixée en m'accordant toute son attention. Cela m'a rappelé quand on était petites et qu'on jouait à se regarder bien en face jusqu'à ce que l'une de nous deux cligne des yeux.

—*Fixe bien les pupilles, Bea. C'est ça le truc.*

Mais je n'y arrivais toujours pas. Pas quand les yeux en question appartenaient à un bel homme. Pas même dans de telles circonstances.

—Docteur Saunders…

—Appelez-moi William, je vous en prie. Je n'ai jamais été doué pour les formules guindées – la faute à mes parents qui m'ont envoyé dans une école progressiste. La première fois que j'ai enfilé un uniforme, ça a été ma blouse blanche de médecin. (Il a souri.) J'ai aussi l'habitude de trop parler. Je vous ai interrompue, désolé. Vous vouliez me demander quelque chose ?

—Oui. Vous connaissez bien le docteur Nichols ?

—Autrefois, oui. Nous avons suivi le même programme de formation des internes il y a des années de cela et nous sommes restés amis, même si je ne le vois plus beaucoup aujourd'hui. Pourquoi ?

—Il était le psychiatre de Tess. Je veux savoir s'il est incompétent.

—La réponse est simple : non. Vous n'êtes peut-être pas d'accord ?

Il a attendu ma réponse, mais je voulais obtenir des informations, pas en donner, et il a paru le comprendre.

— Hugo a peut-être l'air un peu désordonné, et ses habits en tweed et son vieux chien n'arrangent rien, mais il est bon dans son travail. Si une erreur a été commise avec votre sœur, il faut probablement l'imputer davantage aux moyens déplorables attribués à la psychiatrie dans le système de santé public qu'à Hugo.

Une fois encore, il m'a fait penser à toi par sa capacité à voir ce qu'il y a de meilleur chez les gens. Mais comme souvent avec toi aussi, je n'ai pu cacher mon scepticisme.

— Il a fait de la recherche avant d'être médecin, a poursuivi William. C'était l'étoile montante de l'université, d'après ce que j'ai entendu dire. La rumeur veut qu'il ait été brillant, destiné à accomplir de grandes choses, etc., etc.

Sa description du docteur Nichols m'a laissée perplexe tant elle ne collait pas avec l'homme que j'avais rencontré. Rien chez le psychiatre ne m'avait permis d'entrevoir de telles qualités.

Pendant que William allait chercher du lait au comptoir, je me suis demandé si le docteur Nichols s'était joué de moi. Son chien et son style dépenaillé lors de notre premier entretien avaient-ils eu pour but de renvoyer de lui une certaine image à laquelle j'avais involontairement adhéré ? Mais pourquoi se serait-il donné toute cette peine ? Pourquoi aurait-il été si sournois, si manipulateur ? La méfiance m'était familière maintenant que j'avais pris l'habitude de suspecter tout le monde, mais rien n'étayait mes soupçons à son égard. Il était trop digne et trop désespérant à la fois pour que je l'associe à toute forme de violence. La rumeur de sa grande intelligence était sûrement fausse. Dans tous les cas, il ne t'avait rencontrée qu'après ton accouchement, et seulement une fois. À moins d'être un psychopathe, quelle raison aurait-il pu avoir de t'assassiner ?

William est revenu avec du lait. J'avais envie de me confier à lui – cela aurait été un soulagement de partager ce que je savais –, mais à la place j'ai remué mon café. Ma bague de fiançailles a attiré mon regard. J'aurais dû la rendre à Todd.

— Joli diamant, a dit William, qui l'avait aussi remarquée.

— Oui. Mais je ne suis plus fiancée.

— Alors pourquoi la portez-vous ?

— J'ai oublié de l'enlever.

Il a éclaté d'un rire qui m'a fait penser au tien quand tu te moquais de moi avec gentillesse. Personne à part toi ne me taquine de la sorte.

Le bipeur de William s'est mis à sonner et il a grimacé.

— En général, j'ai vingt minutes pour répondre à une urgence, mais les internes de service aujourd'hui ont davantage besoin d'être pris en main.

Lorsqu'il s'est levé, la chaîne à laquelle était accrochée son alliance en or est sortie de son encolure. Peut-être ma mine a-t-elle été plus éloquente que je ne le souhaitais parce qu'il s'est expliqué :

— Ma femme est chef de clinique à Portsmouth. Il est difficile de trouver du boulot dans la même ville, et encore plus dans le même hôpital.

Il a rentré la bague dans son col.

— On n'est pas autorisé à porter une alliance. Trop de germes peuvent s'accumuler en dessous. Plutôt symbolique, non ?

J'ai opiné, surprise, avec le sentiment qu'il ne se comportait pas envers moi comme j'avais coutume qu'on le fasse. J'ai alors pris conscience de mes vêtements un peu fripés, de mes cheveux privés de brushing, de mon visage non maquillé. Aucune de mes relations new-yorkaises ne m'aurait reconnue lorsque j'ai craché la berceuse à la tête du docteur Nichols dans sa salle de consultation. Je n'étais plus la personne soignée et maîtresse d'elle-même que j'avais été aux États-Unis et je me suis demandé si cela incitait les gens à montrer en retour les aspects moins engageants de leur personnalité et de leur existence.

En regardant William quitter la cafétéria, je me suis demandé aussi – et je continue à le faire –, si je n'espérais pas rencontrer quelqu'un qui me ferait penser à toi, ne serait-ce qu'un tout petit peu. Était-ce l'espoir qui me faisait voir en lui une ressemblance avec toi, ou existait-elle réellement ?

J'ai raconté à M. Wright ma visite au docteur Nichols, suivie de ma conversation avec William.

— Qui selon vous était derrière ces berceuses ?

— Je n'en avais aucune idée. Ç'aurait très bien pu être Simon. Ou Emilio. Je n'imaginais pas que le professeur Rosen connaisse assez Tess pour la torturer comme ça, mais je m'étais déjà trompée à son sujet auparavant.

— Et le docteur Nichols ?

—De par sa profession, il savait sans doute comment faire souffrir mentalement quelqu'un, mais il ne me paraissait pas du tout cruel ou sadique. Et il n'avait aucune raison de le faire.

—Vous doutiez de votre opinion sur le professeur Rosen, mais vous étiez sûre de vous en ce qui concerne le docteur Nichols ?

—Oui.

Sur le point de poser une autre question, M. Wright se ravise. À la place, il griffonne quelques mots.

—Et plus tard, ce jour-là, le capitaine Haines vous a appelée ?

—Oui. Il s'est présenté comme le supérieur du lieutenant Finborough. Qu'une personne plus haut placée me téléphone m'a d'abord paru de bon augure.

La voix du capitaine Haines a tonné au bout du fil, révélant un homme habitué à se faire entendre dans une salle bruyante.

—J'ai de la peine pour vous, mademoiselle Hemming, mais pas au point d'accepter que vous vous promeniez en accusant tout le monde à tout bout de champ. J'ai compati et je vous ai accordé le bénéfice du doute quand M. Codi a porté plainte, seulement là, vous avez usé ma patience. Que les choses soient claires : vous ne pouvez pas continuer à crier au loup.

—Je ne crie pas au loup, je…

—Si, vous criez au loup, et pas qu'un peu. Et, chaque fois, vous ne savez pas si c'est justifié ou pas. Le médecin légiste a rendu un rapport qui repose sur des éléments concrets. Même si la vérité est difficile à accepter pour vous – et je comprends qu'elle le soit –, le fait est que votre sœur s'est suicidée et que personne d'autre n'est responsable de sa mort.

Je ne pense pas que la police recrute encore des officiers comme le capitaine Haines. Des hommes conscients de leur supériorité, paternalistes, condescendants envers les autres et incapables de se remettre en cause.

J'ai pris sur moi pour donner l'impression d'une femme calme, très éloignée de la folle à qui il croyait avoir affaire.

— Mais ces berceuses prouvent bien que quelqu'un essayait de…

— Nous étions au courant pour la berceuse, mademoiselle Hemming.

Je suis restée interloquée.

— Quand votre sœur a été portée disparue, son voisin du dessus, un vieux monsieur, nous a ouvert son appartement. L'un de mes hommes a consulté son répondeur au cas où cela aurait pu nous aider à la localiser. Il a écouté tous les messages et cette comptine ne nous a absolument pas paru sinistre.

— Mais il a dû y en avoir plusieurs, même si une seule a été enregistrée. Voilà pourquoi elle avait peur de recevoir des coups de fil. Voilà pourquoi aussi elle a débranché son téléphone. Amias a bien dit qu'il y avait eu «des» appels.

— C'est un vieux monsieur, qui reconnaît volontiers que sa mémoire n'est plus ce qu'elle était.

— Et à supposer qu'il n'y ait eu qu'une berceuse, ça ne vous semble pas étrange? ai-je dit en essayant toujours de m'exprimer calmement.

— Pas plus étrange que de placer une armoire dans le salon ou bien de posséder des tubes de peinture hors de prix mais pas de bouilloire.

— C'est pour cette raison que vous ne m'avez rien dit avant ? Parce que vous pensiez que cette berceuse n'était ni sinistre ni même bizarre ?

— Exactement.

J'ai branché le haut-parleur et reposé le combiné pour qu'il ne s'aperçoive pas que mes mains tremblaient.

— Si on ajoute le PCP découvert dans son organisme, les berceuses montrent pourtant que quelqu'un la torturait mentalement.

La voix tonitruante du capitaine a résonné dans l'appartement :

— Ne serait-il pas plus probable qu'une amie ait voulu faire une surprise à votre sœur en ignorant qu'elle avait déjà accouché et que cet appel tombait malheureusement très mal ?

— C'est le docteur Nichols qui vous a suggéré ça ?

— Il n'a pas eu à le faire, la conclusion s'imposait d'elle-même – surtout quand on sait que le bébé n'aurait dû naître que trois semaines plus tard.

— Alors pourquoi me téléphonez-vous si vous étiez déjà au courant pour les berceuses et que vous n'y accordiez aucune importance ? ai-je demandé sans pouvoir empêcher ma voix de trembler.

— C'est vous qui nous avez contactés, mademoiselle Hemming. Je vous réponds par courtoisie.

— La lumière est meilleure dans sa chambre. C'est pour ça qu'elle a déplacé son armoire. Pour pouvoir utiliser la pièce comme studio.

Mais il avait déjà raccroché.
Depuis que je vis chez toi, j'ai compris.

— Une semaine plus tard, il y a eu l'exposition de l'école des beaux-arts, c'est ça ?

— Oui. Les amis de Tess m'avaient invitée et Simon et Emilio devaient être présents. Il fallait que j'y aille.

Il m'apparaît très bienvenu que ce soit à cette occasion, devant tes merveilleux tableaux où s'exprimaient ton esprit et ton amour de la vie, que j'aie enfin trouvé la voie qui allait me mener à ton assassin.

18

Accompagné d'un jeune homme que je n'ai pas reconnu, ton ami Benjamin est venu chercher tes tableaux le matin du jour dit au volant d'une camionnette blanche cabossée, l'air très sérieux avec ses dreadlocks attachés en arrière. Il m'a expliqué que l'exposition ne marquait pas la fin de la première année d'études – c'était une manifestation officielle plus importante qui avait lieu dans ce cas –, mais qu'elle n'était pas non plus anodine. Des acheteurs potentiels pouvaient faire le déplacement et les familles des élèves seraient présentes. Tous deux se montraient aussi attentionnés envers moi que si j'avais été fragile et susceptible d'être brisée par un bruit trop fort ou un éclat de rire.

En repartant, ils étaient au bord des larmes. Quelque chose les avait émus, mais c'était une partie de ta vie que je ne connaissais pas. Peut-être qu'ils se rappelaient simplement leur dernière visite ici et que le contraste avec la réalité présente – c'était moi l'occupante de l'appartement, et non plus toi – se révélait douloureux.

J'avais emballé moi-même tes toiles mais, en entrant dans la salle d'exposition, je crois que j'ai littéralement poussé un cri d'exclamation. Je ne les avais vues jusqu'alors que posées par terre, jamais fixées à un mur. Elles formaient une fois réunies une explosion de couleurs vibrantes qui accrochait le regard. Certains de tes amis que j'avais rencontrés au café sont venus me parler les uns après les autres, comme s'ils avaient décidé de se relayer pour prendre soin de moi en permanence.

À défaut d'apercevoir Simon, j'ai repéré Emilio à l'autre bout de la salle bondée. La jolie sorcière se tenait près de lui et j'ai compris à sa tête que quelque chose n'allait pas – et pour cause : en m'approchant, j'ai constaté qu'Emilio avait exposé les nus qu'il avait peints de toi.

Livide, je me suis avancée vers lui, mais je me suis gardée d'élever la voix pour ne pas qu'on nous entende et pour ne pas lui offrir un public.

— Maintenant qu'elle est morte, votre liaison avec elle ne vous fait plus courir aucun risque, c'est ça ?

Il a tendu la main vers les tableaux avec l'air d'apprécier cette dispute.

— Ces toiles ne signifient pas que nous avons eu une liaison. Vous croyez donc que tous les artistes couchent avec leur modèle, Beatrice ? a-t-il ajouté en voyant ma mine incrédule.

À vrai dire, oui, j'en étais convaincue. Et je trouvais aussi impudique de m'appeler par mon prénom que d'exposer ces toiles.

— Il n'est pas nécessaire d'être l'amant d'une femme pour la peindre nue.

— Mais vous étiez son amant. Et vous aimeriez que tout le monde le sache, n'est-ce pas ? Après tout, c'est assez flatteur pour vous qu'une belle femme de vingt ans votre cadette soit disposée à coucher avec vous. Que vous ayez été son professeur et que vous soyez déjà marié ne pèse probablement pas lourd face à votre machisme.

La jolie sorcière m'a adressé un signe de tête approbateur et un peu surpris aussi, avant de s'éloigner en haussant les épaules quand Emilio l'a fusillée du regard.

— Mes tableaux reflètent un comportement machiste ?

— En utilisant le corps de Tess, oui.

J'ai voulu le planter là pour retourner près de tes toiles, mais il m'a suivie.

— Beatrice.

Je l'ai ignoré.

— J'ai une nouvelle qui va vous intéresser. Nous avons eu les résultats des tests sur la mucoviscidose. Ma femme n'est pas porteuse du gène.

— Tant mieux.

Il n'en avait pas fini cependant.

— Et je ne le suis pas non plus.

C'était impossible. Cela n'avait aucun sens. Xavier avait la mucoviscidose, donc son père était forcément porteur du gène.

— Un simple test ne suffit pas toujours, ai-je dit en m'accrochant à la première explication qui me venait à l'esprit. Il existe des milliers de mutations du gène en question, et…

— Nous avons subi tous les tests qui existent, absolument tous, et les médecins ont été formels : ni elle ni moi ne sommes porteurs du gène.

— Un enfant peut parfois développer la mucoviscidose de façon spontanée, même lorsque aucun de ses parents n'est porteur.

— Et quelles sont les probabilités pour que cela arrive ? Une sur un million ? Je n'ai aucun lien de parenté avec Xavier, c'est tout.

C'était la première fois que je l'entendais prononcer le nom de ton enfant, et il ne le faisait que pour le renier.

L'explication la plus évidente était qu'Emilio n'était pas le père de Xavier, mais tu me l'aurais dit. Tu ne mentais jamais.

Je sens que M. Wright m'écoute avec une attention accrue.

— J'ai compris alors que Xavier n'avait jamais eu la mucoviscidose.

— Parce qu'il fallait que les deux parents soient porteurs du gène ?

— Exactement.

— Qu'en avez-vous déduit ?

Je me tais un instant au souvenir de mon émotion lorsque la vérité s'était fait jour en moi.

— Que Gene-Med avait utilisé sa thérapie génique sur un enfant qui n'en avait pas du tout besoin.

— Pour quelle raison ?

— J'ai supposé qu'il devait s'agir d'une fraude.

— Vous pouvez développer ?

— Il n'était pas étonnant que le traitement de la mucoviscidose mis au point par Gene-Med soit efficace si les bébés soignés n'avaient jamais été malades. Et c'était grâce à cette thérapie soi-disant miraculeuse que la valeur du laboratoire avait atteint des sommets – à quelques semaines seulement de son entrée en Bourse.

— Que faisiez-vous des organismes réglementaires qui avaient contrôlé les tests ?

— Je ne voyais pas comment ils avaient pu être induits en erreur, mais je me suis dit qu'ils l'avaient été d'une façon ou d'une autre. Et je savais que les patientes comme Tess n'auraient jamais douté du diagnostic. Quand vous avez un membre de votre famille atteint de la mucoviscidose, vous avez conscience de pouvoir être porteur du gène.

— Vous avez soupçonné le professeur Rosen ?

— J'ai pensé qu'il était forcément impliqué. Même si ce n'était pas son idée, il devait l'avoir approuvée. Et il comptait parmi les dirigeants de Gene-Med, ce qui signifiait qu'il allait toucher une fortune lors de l'introduction en Bourse du laboratoire.

Quand je l'avais rencontré, j'avais vu en lui un scientifique zélé qui n'aspirait qu'à gagner l'admiration de ses pairs. Il m'était difficile de concilier cette image avec celle d'un escroc avide et d'imaginer que, au lieu d'être mû par des rêves de gloire vieux comme le monde, il ne l'était que par ce moteur encore plus vieux qu'est la cupidité. Comment concevoir qu'il puisse être si bon acteur et que son discours sur l'éradication des maladies et le tournant historique qu'il allait incarner n'était que du vent destiné à m'aveugler, moi, et tous les autres ? Mais si tel était le cas, je trouvais inquiétante une telle force de persuasion.

— Vous avez repris contact avec lui à ce stade ?

— J'ai essayé. Il était parti donner une série de conférences aux États-Unis et ne devait pas rentrer avant le 16 mars, soit douze jours plus tard. J'ai laissé un message sur son téléphone, mais il ne s'est pas manifesté.

— Vous avez prévenu le lieutenant Finborough ?

— Oui. Je l'ai appelé pour lui dire qu'il fallait que je le voie. Il m'a fixé rendez-vous au commissariat en début d'après-midi le même jour.

M. Wright jette un œil à ses notes.

— Et durant cet entretien, le capitaine Haines était aussi présent ?

— C'est un euphémisme de dire ça.

Il était là tel un homme qui violait les frontières subtiles d'un espace personnel, comme si cela relevait de ses prérogatives.

— Avant de continuer, j'aimerais juste éclaircir un point, dit M. Wright. Quel lien avez-vous établi à ce moment-là entre la fraude de Gene-Med et la mort de Tess ?

— J'ai pensé qu'elle avait découvert la vérité.

Assis à côté du lieutenant Finborough, le capitaine Haines braquait sur moi son visage aux joues tombantes. Il avait un physique parfaitement assorti à sa voix autoritaire.

— Qu'est-ce qui est le plus probable selon vous, mademoiselle Hemming ? Qu'une firme bien établie, connue dans le monde entier et respectueuse d'une foule de contrôles, teste une thérapie génique sur des bébés en parfaite santé, ou bien qu'une étudiante se trompe sur l'identité du père de son enfant ?

— Tess n'aurait jamais menti à ce sujet.

— La dernière fois que je vous ai parlé au téléphone, je vous ai demandé poliment d'arrêter de porter des accusations à tout bout de champ.

— Oui, mais…

— Dans le message que vous nous avez laissé il y a une semaine, vous placiez M. Codi et Simon Greenly en haut de votre liste de suspects.

J'ai maudit ce message. Il me faisait passer pour quelqu'un d'émotif et de peu fiable, nuisant ainsi à la crédibilité dont j'aurais pu jouir.

— Et maintenant, vous avez changé d'avis ? a dit Haines.

— Oui.

— Eh bien pas nous, mademoiselle Hemming. Aucun élément nouveau ne permet de douter de la conclusion du médecin légiste. Je vais vous exposer les faits simplement. Vous n'avez peut-être pas envie de les entendre, mais ça ne signifie pas qu'ils ne se sont pas déroulés ainsi.

Il me gratifiait de trois négations dans une même phrase, rien de moins. Ses talents d'orateur n'étaient pas aussi impressionnants qu'il le pensait.

— Une jeune femme non mariée, étudiante en art à Londres, a un enfant illégitime atteint de la mucoviscidose. Le bébé est soigné avec succès grâce à une nouvelle thérapie génique pratiquée *in utero*.

Comme il devait être fier de ce petit bout de savoir, ce vernis de culture latine jeté dans son monologue.

— Hélas, le gosse meurt des suites d'une pathologie sans aucun rapport avec sa maladie. (Oui, il a dit « le gosse »). L'une des amies de votre sœur – l'une de ses nombreuses amies, devrais-je d'ailleurs préciser – lui laisse un message maladroit sur son répondeur qui la conduit encore plus loin sur la voie du suicide.

J'ai essayé de l'interrompre, mais il a poursuivi son discours condescendant en s'arrêtant à peine pour reprendre son souffle.

— Souffrant d'hallucinations en raison des substances illégales qu'elle avait absorbées, elle part dans le parc en emportant un couteau de cuisine.

Le lieutenant Finborough et lui ont échangé un regard.

— Peut-être l'avait-elle acheté dans ce but, a craché Haines. Peut-être qu'elle voulait quelque chose de coûteux qui sortait de l'ordinaire. Ou juste un instrument bien tranchant. Je ne suis pas psychiatre, je ne sais pas lire dans l'esprit d'une jeune femme suicidaire.

Finborough a eu un haut-le-corps à ces mots. Visiblement, son supérieur le dégoûtait.

— Elle est entrée dans des toilettes abandonnées, a continué Haines. Soit pour ne pas être découverte, soit parce qu'elle voulait s'abriter de la neige. Là encore, je ne peux pas deviner précisément ses raisons. Mais que ce soit en plein air dans le parc ou enfermée dans les toilettes, elle a pris une dose massive de sédatifs.

J'ai été surprise qu'il se retienne de dire : « Elle a vraiment mis toutes les chances de son côté. » C'était le genre de remarque qui devait le démanger.

—Ensuite, elle s'est tailladé les bras avec son couteau. Et il s'avère maintenant que le père de son enfant illégitime n'était pas son professeur, comme elle l'avait cru, mais quelqu'un d'autre qui est porteur du gène de la mucoviscidose.

J'ai voulu le contredire, mais j'aurais tout aussi bien pu jouer du triangle sur la bande d'arrêt d'urgence de l'autoroute. C'est l'une de tes expressions préférées, je sais, et elle m'a un peu réconfortée pendant qu'il me sermonnait. Dans le même temps, je me suis rendu compte que j'étais mal fagotée, que mes cheveux avaient besoin d'une coupe, que je ne me montrais ni polie ni respectueuse de son autorité, et qu'il n'était donc pas surprenant qu'il ne me prête aucune attention. Moi aussi, j'ignorais les gens comme moi, avant.

Lorsque le lieutenant Finborough m'a escortée jusqu'à la porte du commissariat, je me suis tournée vers lui.

—Il n'a pas écouté un mot de ce que je lui ai dit.

—C'est à cause de l'accusation que vous avez lancée contre Emilio Codi, a-t-il expliqué, gêné. Et aussi celle contre Simon Greenly.

—J'ai vraiment crié au loup trop souvent, alors?

—Et avec trop de conviction, a-t-il répondu en souriant. Qu'Emilio Codi ait porté plainte contre vous et que Simon Greenly soit le fils d'un parlementaire n'arrange rien.

—Il doit quand même bien voir que quelque chose cloche dans cette histoire?

—Une fois qu'il est parvenu à une conclusion étayée par les faits et la logique, il ne change pas facilement d'avis. Sauf si des faits contradictoires plus importants lui sont opposés.

J'ai songé que le lieutenant était trop correct et trop professionnel pour critiquer ouvertement son supérieur.

— Et vous ?

Il a marqué une hésitation.

— Nous avons reçu le rapport de la police scientifique sur le couteau. Il était flambant neuf et n'avait jamais servi avant.

— Elle n'aurait jamais pu s'offrir un tel couteau.

— Je suis d'accord. Quand on voit qu'elle n'avait même pas de bouilloire et de grille-pain, ça ne colle pas.

Ainsi, ce détail ne lui avait pas échappé lorsqu'il était venu chez toi me parler du rapport d'autopsie. Il ne s'était pas simplement déplacé par compassion, comme je l'avais pensé. Je lui ai été reconnaissante de s'être comporté avant tout en policier et j'ai pris mon courage à deux mains pour lui poser ma question suivante.

— Vous croyez donc qu'elle a été assassinée ?

Mes mots sont restés en suspens entre nous.

— Il me semble que le doute est permis, a-t-il enfin répondu.

— Et vous allez chercher à en savoir plus ?

— J'essaierai. C'est tout ce que je peux vous promettre.

Penché vers moi, le regard vif, M. Wright ne perd pas une miette de mon récit et je me fais la réflexion que les gens bénéficient trop rarement d'une telle qualité d'écoute.

— Quand j'ai quitté le commissariat, je suis allée directement chez Kasia. Je voulais que Mitch et elle vérifient qu'ils étaient bien porteurs du gène de la mucoviscidose. Si l'un d'eux ne l'était pas, la police serait cette fois obligée d'agir.

Le salon miteux de Kasia était encore plus humide que lors de ma précédente visite. Son petit convecteur électrique ne faisait pas le poids face aux murs de béton glacés et suintants d'humidité, et la fenêtre fermée laissait passer un courant d'air qui agitait la fine couverture indienne clouée dessus. Trois semaines s'étaient écoulées depuis que j'avais vu la jeune femme. Elle en était presque à son neuvième mois de grossesse à présent.

— Mais je comprends pas, Beatrice, a-t-elle dit, désemparée.

J'ai de nouveau regretté cet emploi intime de mon prénom – mais cette fois parce que, lâche comme je l'étais, je ne voulais pas que nous devenions trop proches. J'étais une source d'angoisse pour elle.

— Les deux parents doivent être porteurs du gène pour que le bébé ait la mucoviscidose, ai-je expliqué en adoptant un ton professionnel et distancié.

— Oui. Ils le disent au dispensaire.

— Le père de Xavier n'était pas porteur. Par conséquent, Xavier ne pouvait pas avoir la mucoviscidose.

— Pas malade, Xavier ?

— Non.

Mitch est sorti de la salle de bains. Sans doute avait-il suivi notre conversation.

— Putain, elle a menti sur l'identité du type avec qui elle a couché, c'est tout !

Il avait un beau visage, une fois débarrassé de toute poussière de plâtre, mais le contraste entre ses traits fins et son corps musclé et tatoué était étrangement menaçant.

— Tess n'avait aucune fausse pudeur, ai-je répliqué. Si elle avait couché avec quelqu'un d'autre, elle me l'aurait dit. Elle n'avait aucune raison de mentir. Je pense vraiment que vous devriez passer ces tests, Mitch.

L'appeler par son prénom était une erreur. Au lieu de paraître amicale, je me suis donné l'air d'une institutrice.

— J'ai le gène, est intervenue Kasia, toujours déconcertée. Le test est positif.

— Oui, mais peut-être que Mitch n'est pas porteur, lui, et que...

— Ben voyons, m'a-t-il coupée d'un ton sarcastique. Les médecins ont tort et vous vous y connaissez mieux qu'eux, c'est ça ?

Il m'a jeté un regard haineux – et sans doute le mot n'était-il pas trop fort.

— Votre sœur a menti sur le père de son enfant. Normal, avec une snob et une salope comme vous qui devait sans arrêt la prendre de haut.

J'espérais qu'il se montrait agressif par égard pour Kasia, qu'il essayait de prouver que Xavier avait bien eu la mucoviscidose, de même que leur bébé, et que le traitement n'était pas une arnaque. Et pour que cela soit vrai, il fallait que tu sois une menteuse et moi une snob coincée doublée d'une salope. Mais il prenait trop de plaisir à cette attaque verbale pour être motivé par de bons sentiments.

— La vérité, c'est qu'elle a dû baiser avec tellement de mecs qu'elle ne savait pas qui était le père.

— Non. Tess, pas comme ça, a protesté Kasia d'une voix douce, mais assurée.

Je me suis souvenue de la simplicité de sa loyauté lorsqu'elle avait dit que tu étais son amie. Mitch était furieux, mais elle a continué :

— Beatrice a raison.

Elle s'est levée en même temps qu'elle prononçait ces mots, et j'ai compris en observant ce mouvement instinctif qu'il l'avait déjà frappée par le passé. Elle avait voulu parer le coup.

Le silence dans la pièce s'est mêlé au froid humide des murs. À mesure qu'il se prolongeait, j'ai eu envie de la chaleur d'une dispute et de mots qui s'affrontent pour conjurer ma peur que la brutalité physique ne l'emporte plus tard. Kasia a fait un signe en direction de la porte. Je l'ai suivie et nous avons descendu les marches en béton souillées. Aucune de nous n'a rien dit, mais lorsqu'elle a fait demi-tour, je l'ai attrapée par le bras.

— Venez habiter chez moi.

Elle a posé une main sur son ventre, sans croiser mon regard.

— Je peux pas.

— S'il vous plaît, Kasia.

Je n'en revenais pas. Moi qui n'avais jamais offert plus que ma signature sur un chèque pour une noble cause, je la suppliais de venir s'installer avec moi et j'espérais réellement qu'elle accepterait. C'est cet espoir qui m'a le plus surprise. Mais Kasia s'est détournée de moi et a remonté les marches vers son appartement froid et humide, et vers le sort inconnu qui l'attendait là.

En rentrant, je me suis demandé si elle t'avait expliqué pourquoi elle avait un jour aimé Mitch. J'étais sûre qu'elle l'avait aimé et qu'elle n'était pas le genre de personne à coucher avec un homme sans nourrir des sentiments pour lui. L'alliance de William indiquait qu'il était déjà pris, déjà engagé, mais le petit crucifix en or que Kasia portait autour du cou n'était pas synonyme de possession ou de promesse. C'est un panneau « interdit à quiconque n'éprouve pas de l'amour et de la bonté envers la jeune femme portant cette croix ». Et j'étais furieuse que Mitch n'en tienne aucun compte. Parce qu'il l'ignorait bel et bien, et brutalement qui plus est.

Juste après minuit, on a sonné à la porte. J'ai couru ouvrir en priant pour que ce soit Kasia. Quand je l'ai vue sur le seuil, ce ne sont pas ses habits vulgaires et sa coloration ratée qui ont attiré d'emblée mon attention, mais les bleus sur son visage et les zébrures sur ses bras.

Ce premier soir, nous avons dormi ensemble dans ton lit. Elle a ronflé comme un sonneur – conséquence possible de la grossesse, ainsi que tu me l'avais expliqué un jour –, mais cela ne m'a pas dérangée, au contraire. J'avais passé des nuits entières éveillée, à écouter ma douleur pendant que mes sanglots déchiraient le silence et que mon cœur hurlait en cognant contre le matelas. En comparaison, ses ronflements m'apparaissaient familiers, innocents, et si apaisants que c'en était agaçant. Cette nuit-là, j'ai dormi d'un profond sommeil pour la première fois depuis que tu étais morte.

M. Wright ayant dû partir en réunion, je rentre tôt aujourd'hui. Il pleut des cordes quand je sors du métro et, le temps d'arriver à l'appartement, je suis trempée. Kasia, qui me guettait par la fenêtre, m'accueille en souriant.

— Beata !

C'est la version polonaise de Beatrice. Comme je crois te l'avoir dit, elle a le lit pour elle maintenant et je dors sur un futon dans le salon, qui du coup est devenu ridiculement encombré. Allongée, j'ai les pieds contre l'armoire et ma tête touche la porte.

En enfilant des vêtements secs, je me dis qu'aujourd'hui a été une bonne journée. J'ai réussi à tenir mes résolutions de ce matin et je ne me suis sentie à aucun moment effrayée ou intimidée. J'ai essayé aussi d'ignorer les vertiges, les tremblements et les nausées qui me prenaient parfois et de ne pas laisser mon corps dominer mon esprit. J'y suis assez bien arrivée, il me semble. Certes, je ne suis pas allée jusqu'à voir la beauté des petites choses du quotidien, mais peut-être est-ce juste un peu trop demander pour l'instant.

Une fois changée, je donne comme tous les jours sa leçon d'anglais à Kasia. J'ai un manuel d'apprentissage à destination des Polonais qui classe les mots par thème et Kasia doit en mémoriser un avant chaque « leçon ».

—*Piękn*, dis-je en suivant les conseils sur la prononciation.

—Beau, admirable, magnifique.

—Bravo.

—Merci, Beata, répond-elle, faussement sérieuse.

J'essaie de ne pas lui montrer combien j'aime qu'elle m'appelle ainsi et je continue :

—*Ukochanie?*

—Aimer, adorer, être fou de.

—Bien. *Nienawiść*?

Silence. Je suis passée à la page suivante, celle des antonymes, et je viens de lui lire un mot qui dans sa langue signifie la haine. Elle hausse les épaules. Je tente l'équivalent polonais de malheureux, mais n'obtiens qu'un regard vide en retour.

Au début, je m'énervais devant les lacunes de son vocabulaire et je trouvais puéril son refus d'apprendre les mots connotés négativement. C'était la politique de l'autruche appliquée à la linguistique. Mais sur les notions positives, en revanche, je dois reconnaître qu'elle avance vite et qu'elle retient même des expressions familières.

—*Comment vas-tu, Kasia?*

—*Ça va nickel, Beata*.

Je lui ai proposé de rester après son accouchement. Amias est aussi ravi qu'elle et il nous a même offert de ne pas payer de loyer « tant qu'on n'aurait pas sorti la tête de l'eau ». Comme ça, j'aurai juste à m'occuper d'elle et du bébé. Parce que je vais m'en tirer. Tout ira bien.

Après notre leçon, je jette un œil par la fenêtre et remarque alors seulement les pots sur les marches, devant ton entrée. Toutes les jonquilles plantées dedans sont en fleur (d'accord, il n'y en a pas beaucoup, mais quand même).

Je vais sonner chez Amias, qui paraît sincèrement enchanté de me voir.

— Vos jonquilles sont en fleur, dis-je en l'embrassant.

Il y a huit semaines, quand je l'ai regardé planter des bulbes dans une terre recouverte de neige, j'étais persuadée, malgré mon ignorance en matière de jardinage, qu'ils ne survivraient pas. Amias me sourit en savourant ma confusion.

— Inutile de prendre cet air étonné, répond-il.

Comme toi, je lui rends régulièrement visite, parfois pour dîner, parfois juste pour un whisky. Dire que je pensais avant que tu le faisais par charité.

— Vous avez mis de nouvelles jonquilles prêtes à fleurir pendant que j'avais le dos tourné, avouez.

Il éclate de rire à ces mots. Il a un rire très sonore pour une personne âgée, tu ne trouves pas ? Un rire robuste et fort.

— J'ai versé de l'eau chaude pour commencer et je l'ai bien mélangée à la terre avant de planter les bulbes. Tout pousse mieux quand on réchauffe d'abord le sol.

Je trouve cette image réconfortante.

19

Mercredi

En arrivant dans les locaux du CPS ce matin, je découvre que d'autres personnes font aussi pousser des jonquilles chez elles parce que la secrétaire de M. Wright en sort justement quelques-unes de leur emballage humide. Comme les madeleines de Proust, l'essuie-tout mouillé enroulé autour des tiges me fait remonter sensuellement le temps jusqu'à ce que je me revoie dans une salle de classe ensoleillée, avec, sur le bureau de Mme Potter, un bouquet de jonquilles que j'ai cueillies moi-même. L'espace d'un instant, je tiens un fil qui me relie à un passé où Leo était encore en vie, où papa habitait avec nous et où la perspective de l'internat ne ternissait pas le baiser de maman le soir au coucher. Mais le fil s'effiloche ensuite et cède la place à un souvenir plus dur, plus cruel, qui remonte à cinq ans plus tard – quand toi, tu as apporté un bouquet à Mme Potter. J'étais contrariée parce que je n'avais plus de professeur à qui j'aurais eu envie d'offrir des fleurs et parce que j'étais en pension, là où on ne m'aurait sans doute pas laissée en cueillir même s'il y en avait eu. Tout avait changé.

M. Wright arrive à son tour, les yeux rouges et larmoyants.

—Ne vous inquiétez pas, j'ai le rhume des foins. Ce n'est pas contagieux.

Lorsque nous entrons dans son bureau, j'ai une pensée navrée pour sa secrétaire qui, par amour pour lui, doit être en train de jeter à la poubelle ses jolies jonquilles.

—Cela vous ennuie si je ferme? demande M. Wright en s'approchant de la fenêtre.

—Non, pas du tout.

Il est clairement mal en point et je suis contente de pouvoir me concentrer sur les maux de quelqu'un d'autre que moi. Cela me permet de me sentir moins égocentrique.

—Nous en étions au moment où Kasia est venue vivre chez vous?

—En effet.

—Et je vois qu'elle y est toujours, dit-il en me souriant.

Il a dû le lire dans la presse. J'avais raison de croire que tous les journaux publieraient une photo de moi, un bras enroulé autour de Kasia.

—Oui. Le lendemain matin, je lui ai fait écouter la berceuse enregistrée sur le répondeur, mais elle a juste supposé que c'était une amie de Tess qui avait fait preuve d'un manque de tact monstrueux sans le savoir.

—Vous lui avez exposé votre théorie?

— Non, je ne voulais pas la bouleverser sans raison. Elle m'avait déjà dit lors de notre première rencontre qu'elle ignorait tout des peurs de Tess, a fortiori de la personne qui en était à l'origine. J'ai été stupide de lui passer cette berceuse.

Mais si je l'avais vraiment considérée comme mon égale, lui aurais-je avoué le fond de ma pensée ? Aurais-je voulu une compagnie, quelqu'un avec qui partager ce que je savais ? Impossible de l'affirmer. Le temps que s'achève cette nuit où je l'ai l'écoutée ronfler, le temps que je la réveille avec une tasse de thé et un petit déjeuner digne de ce nom, j'avais décidé que mon rôle était de veiller sur elle. De la protéger.

— Le répondeur a continué à tourner. Après la berceuse, il y avait un message d'une certaine Hattie, dont le nom ne me disait rien et à qui je n'avais pas accordé d'importance jusque-là. Kasia l'a reconnue, cependant. Hattie était suivie au « dispensaire des mamans catastrophes », elle aussi, et devait normalement avoir déjà accouché. Kasia n'avait jamais été proche d'elle et ne s'attendait pas à un coup de fil de sa part – c'était Tess qui organisait leurs réunions ensemble –, mais, à défaut d'avoir son numéro de téléphone, elle se souvenait de l'endroit où elle habitait.

Je me suis rendue à l'adresse que Kasia m'avait donnée. Cela peut paraître facile comme ça, mais, sans voiture et sans grande expérience des transports publics, je trouvais le moindre déplacement stressant et chronophage. Kasia était restée à l'appartement, trop gênée par les bleus sur son visage pour sortir. Elle a cru que j'allais voir l'une de tes anciennes amies en souvenir de toi et je ne l'ai pas détrompée.

L'adresse était celle d'une jolie maison de Chiswick et je me suis sentie mal à l'aise en sonnant. N'ayant pas pu téléphoner pour prévenir de mon arrivée, je n'étais même pas sûre que Hattie soit là. Une nounou philippine avec un bébé blond dans les bras a ouvert la porte. Timide, elle évitait de croiser mon regard.

— Beatrice ?

Qu'elle sache qui j'étais m'a décontenancée.

— Je suis Hattie, a-t-elle dit en réponse à ma perplexité. Une amie de Tess. On s'est parlé à son enterrement. Brièvement. Juste le temps d'échanger une poignée de main.

Ce jour-là, une longue file de personnes s'était formée devant maman et moi. On aurait dit une cruelle parodie de celle qu'on voit dans les mariages, quand les invités sont accueillis un à un par les mariés et leurs parents. Tous ces gens attendaient leur tour de me présenter leurs condoléances – des condoléances si nombreuses qu'on aurait pu croire que c'était eux les responsables de ta mort. Moi, je voulais juste qu'on en finisse et je n'étais pas en état de retenir de nouveaux noms et de nouveaux visages.

Kasia ne m'avait pas dit que Hattie était philippine – sans doute parce qu'elle n'avait aucune raison de le faire. Mais il n'y avait pas que sa nationalité qui m'étonnait. Son âge aussi. Alors que Kasia et toi, vous étiez jeunes, avec un pied encore dans l'enfance, Hattie était proche de la quarantaine. Et elle portait une alliance.

— Je vous en prie, entrez, a-t-elle dit en me tenant la porte d'un air réservé, presque révérencieux.

Je l'ai suivie dans la maison en tendant l'oreille, mais je n'ai distingué aucun cri de bébé, juste le bruit de la télévision dans le salon. Puis Hattie a installé le petit blondinet devant une série pour enfants, et je me suis rappelé à ce moment-là que tu m'avais parlé d'une de tes amies, une Philippine qui travaillait comme nourrice. Je n'avais pas prêté attention à son nom à l'époque, tant j'étais agacée par cette nouvelle manifestation de tes tendances libérales en amitié (une nounou philippine, bon sang !).

— J'ai quelques questions à vous poser, si vous n'y voyez pas d'inconvénient.

— Non, mais il faut que j'aille chercher le frère du petit à midi. Ça vous ennuie…

Elle a fait un geste vers la table à repasser et le panier de linge qui se trouvaient dans la cuisine.

— Pas du tout.

Intriguée qu'elle accepte si passivement de me voir débarquer sans prévenir, je lui ai emboîté le pas dans la cuisine, notant au passage sa robe légère et bon marché et ses vieilles tongs en plastique. Il faisait pourtant froid dehors.

— Kasia Lewski m'a dit que votre bébé avait participé aux essais du nouveau traitement contre la mucoviscidose…

— Oui.

— Votre mari et vous, vous êtes tous les deux porteurs du gène ?

— Évidemment.

Derrière la façade docile, le ton était tranchant, mais, parce qu'elle refusait toujours de croiser mon regard, j'ai cru que j'avais mal entendu.

— Vous aviez déjà passé des tests de dépistage avant ça ?

— J'ai un enfant atteint de la mucoviscidose.

— Je suis désolée.

— Il vit avec son père et sa grand-mère. Ma fille aussi vit avec eux, mais elle n'a pas la maladie, elle.

Hattie et son mari étaient clairement porteurs du gène et n'allaient donc pas conforter ma théorie selon laquelle Gene-Med traitait des bébés sains. À moins que…

— Votre mari est aux Philippines ?

— Oui.

J'ai commencé à imaginer différents scénarios pouvant mener une femme très pauvre et très timide à tomber enceinte alors même que son mari résidait à l'étranger.

— Vous habitez ici ? ai-je demandé.

À ce jour, j'ignore s'il s'agissait d'une tentative grossière pour discuter de choses et d'autres avec elle ou si je laissais entendre que le chef de cette maisonnée était aussi le père de son enfant.

— Oui. Georgina aime bien que je sois là quand M. Bevan est en déplacement.

Intéressant. Elle appelait sa patronne « Georgina », mais son patron « M. Bevan ».

— Ce serait plus sympa pour vous d'avoir votre propre toit, non ?

J'en revenais à mon scénario dans lequel M. Bevan était le père de son bébé. Je ne sais pas vraiment ce que j'espérais. Peut-être une confession soudaine, du genre « Oh oui, comme ça Monsieur ne pourrait plus jouer les maîtres et seigneurs avec moi le soir » ?

— Je suis heureuse ici. Georgina est quelqu'un de très gentil. C'est mon amie.

J'ai d'emblée refusé d'y croire. L'amitié implique une sorte d'égalité entre deux personnes.

— Et M. Bevan ?

— Je ne le connais pas très bien. Il est souvent en voyage d'affaires.

Comprenant que je n'obtiendrais pas davantage de renseignements sur le sujet, je l'ai regardée faire son repassage avec le plus grand soin. Georgina devait être enviée par ses amies.

— Vous êtes absolument certaine que le père de votre enfant est porteur du gène de la mucoviscidose ?

— Je vous l'ai dit. Mon fils a la maladie.

La sécheresse de sa réplique était cette fois indiscutable.

— Je vous ai fait entrer parce que vous êtes la sœur de Tess, a-t-elle continué. Par politesse. Pas pour que vous me questionniez comme ça. En quoi est-ce que ça vous concerne ?

À l'évidence, je m'étais trompée sur elle. J'avais supposé qu'elle évitait de croiser mon regard par timidité, alors qu'elle protégeait en réalité son territoire intime. Elle n'était pas passive mais farouchement réservée.

— Je suis désolée. Le fait est que je ne suis pas sûre que les tests thérapeutiques soient légitimes. Voilà pourquoi je veux savoir si vous et le père de votre enfant, vous êtes bien porteurs du gène.

— Vous croyez que je comprends un mot comme « légitime » ?

— Oui. Je vous ai assez prise de haut pour aujourd'hui.

Elle s'est tournée en souriant presque, et j'ai eu l'impression d'avoir une femme totalement différente en face de moi. Même sans la connaître, je concevais à présent que Georgina puisse être vraiment amie avec elle.

— Les essais sont légitimes. Ils ont guéri mon bébé. Mais mon fils, aux Philippines, il ne peut pas être soigné. C'est trop tard pour lui.

Cela ne me disait toujours pas qui était le père de son enfant. Il faudrait que je revienne lui rendre visite, en espérant qu'elle me ferait assez confiance ce jour-là pour se confier à moi.

— Puis-je vous poser une autre question ? Avez-vous été payée pour participer aux tests ?

— Oui. Trois cents livres. Il faut que j'aille chercher Barnaby à la maternelle maintenant.

J'avais encore tant de choses à lui demander et j'ai paniqué à l'idée de ne pas avoir d'autres occasions de le faire.

— Puis-je vous revoir ? ai-je dit lorsqu'elle est allée dans le salon pour essayer d'arracher le petit blondinet à la télévision.

— Je garde les enfants vendredi prochain. Les Bevan partiront à 20 heures. Passez à ce moment-là si vous voulez.

— Merci, je...

Serrant l'enfant dans ses bras, elle m'a fait signe de me taire comme pour le protéger d'une conversation potentiellement inconvenante pour ses jeunes oreilles.

— La première fois que j'ai vu Hattie, je me suis dit qu'elle ne ressemblait pas du tout à Tess et à Kasia. Elle n'avait ni le même âge, ni la même nationalité, ni la même activité. Mais elle portait des vêtements bon marché, et je me suis rendu compte ensuite que, si, elles avaient un point commun en plus de leur participation aux essais thérapeutiques de l'hôpital St Anne. Toutes les trois étaient pauvres.

— Vous trouviez ça significatif ? s'enquiert M. Wright.

— À mes yeux, on pouvait les juger plus susceptibles de céder à un chantage ou de se laisser convaincre de faire quelque chose moyennant finance. J'ai aussi pris conscience que, dans la mesure où le mari de Hattie était resté aux Philippines, toutes vivaient seules.

— Que faites-vous du petit ami de Kasia, Michael Flanagan ?

— Quand Kasia a été sélectionnée pour participer aux tests, il l'avait déjà quittée. Et à son retour, ils ne sont restés ensemble que quelques semaines. J'ai pensé que le cerveau de cette affaire choisissait délibérément des femmes seules, pour éviter que quelqu'un ne se soucie trop d'elles ou ne se montre trop curieux. Il exploitait ce qu'il considérait comme une forme d'isolement et de vulnérabilité.

M. Wright est sur le point de faire une remarque gentille, mais, parce que je ne veux pas m'engager dans ce jeu de culpabilité/réconfort, je continue sur ma lancée :

— Chez Gene-Med et à la télé, j'avais vu des images de bébés qui avaient fait partie du programme d'expérimentation du traitement, et les pères étaient très présents à côté des mères. Je me suis donc demandé s'il n'y avait qu'à St Anne que les participantes étaient célibataires. S'il n'y avait qu'à St Anne que des événements terribles avaient lieu.

Hattie avait installé le petit blondinet dans sa poussette avec une boisson et un ours en peluche. Puis elle a mis l'alarme et pris ses clés. J'avais cherché des traces d'un nouveau-né autour de moi, mais sans succès. Aucun cri, aucun système de surveillance à distance, aucun paquet de couches. Hattie elle-même n'avait rien dit à ce sujet. Maintenant qu'elle s'apprêtait à partir, il était clair qu'il n'y avait aucun bébé à l'étage. Sur le pas de la porte, j'ai enfin trouvé le courage – ou la cruauté – de lui poser la question qui me démangeait.

— Votre bébé… ?

Elle m'a répondu à voix basse pour que le blondinet n'entende pas.

— Il est mort.

M. Wright ayant un déjeuner professionnel, je sors du CPS. Après l'averse d'hier, les pelouses du parc offrent un écrin vert brillant aux crocus, et je préfère te parler dans ce cadre où les couleurs peuvent être lumineuses même sans soleil. Hattie t'a dit que son bébé était mort après une césarienne pratiquée d'urgence, mais sais-tu aussi qu'elle a subi une hystérectomie et qu'elle n'a désormais plus d'utérus ? Je me demande ce que les gens s'imaginent en me voyant pleurer. Sans doute que je suis un peu folle. Mais quand elle m'a raconté ça, je n'ai pas eu la moindre pensée pour son bébé et je n'ai pas versé une seule larme. Je ne voyais que les implications d'une telle information.

Lorsque je retourne au CPS pour poursuivre mon récit, je me contente de donner à M. Wright des faits bruts dépouillés de toute émotion.

— Hattie m'a confié que son bébé avait eu un problème cardiaque. Xavier était mort d'une sorte d'insuffisance rénale, lui. J'étais persuadée qu'il y avait un lien entre ces deux décès et que les tests pratiqués à l'hôpital St Anne avaient joué un rôle.

— Vous aviez une idée de ce rôle ?

— Non. Je ne comprenais pas ce qui se passait. Avant, ma théorie était que des bébés en parfaite santé participaient à des tests bidons et que tout cela masquait une énorme escroquerie financière. Mais l'hypothèse ne tenait pas la route à présent que deux bébés étaient morts.

La secrétaire énamourée nous interrompt en apportant des comprimés antihistaminiques à M. Wright. Se méprenant sur la cause de mes yeux rouges, elle m'en propose un à moi aussi. Je m'aperçois soudain que je l'ai mal jugée, mais pas tant en raison de ce geste attentionné que parce qu'elle essaie d'accorder un sursis à ses jonquilles.

Elle quitte la pièce et nous reprenons.

— J'ai téléphoné au professeur Rosen, qui se trouvait toujours aux États-Unis, et je lui ai laissé un message sur son portable pour lui demander ce qui se tramait.

Sa fierté apparente devant les invitations de toutes ces prestigieuses universités visait-elle à détourner l'attention de son but réel? S'était-il enfui de peur que la vérité n'éclate au grand jour?

— Vous n'avez pas recontacté la police?

La liste de mes appels au lieutenant Finborough laisse apparaître un vide à ce moment de l'histoire.

— Non. Le capitaine Haines me considérait déjà comme irrationnelle et ridicule et je ne pouvais que m'en prendre à moi-même pour ça. Comme me l'avait dit le lieutenant Finborough, il me fallait des faits contradictoires plus importants.

Pauvre Christina. En terminant sa lettre de condoléances par le traditionnel «Si je peux faire quoi que ce soit pour toi, surtout n'hésite pas», elle ne se doutait sûrement pas que je la prendrais au mot non pas à une, mais à deux reprises. Je l'ai appelée sur son portable pour lui parler du bébé de Hattie. Elle était à son travail et m'a répondu avec une brusquerie toute professionnelle.

— Il y a eu une autopsie?

— Non. Hattie m'a dit qu'elle n'en avait pas voulu.

J'ai entendu un bip en arrière-fond. Christina a échangé quelques mots avec quelqu'un, avant de m'expliquer d'une voix épuisée qu'elle me rappellerait ce soir-là, quand elle ne serait plus de service.

Dans l'intervalle, j'ai décidé d'aller voir maman. On était le 12 mars et je savais que c'était une journée difficile pour elle.

20

J'avais toujours envoyé des fleurs et téléphoné à maman le jour de l'anniversaire de Leo. C'était une marque d'attention à distance, même si je m'arrangeais chaque fois pour avoir une raison d'abréger la conversation – une réunion à laquelle je devais assister, un appel en conférence à prendre –, ce qui me permettait de parer à toute effusion. Il n'y avait pourtant jamais rien eu de tel entre nous, juste un léger embarras lorsque nous réprimions nos émotions et que nous tentions de les faire passer pour des interférences sur la ligne.

J'avais déjà acheté une carte à Leo, mais à la gare de Liverpool Street, je t'ai pris des bleuets sauvages d'une couleur éclatante. Tandis que le fleuriste les enveloppait, je me suis souvenue que Kasia m'avait conseillé de déposer un bouquet devant le bâtiment des toilettes, à Hyde Park, ainsi qu'elle-même l'avait fait quelques semaines plus tôt. Elle avait beaucoup insisté – ce qui était inhabituel chez elle –, estimant que cela «apaiserait» maman aussi. Mais je savais que celle-ci trouverait perturbante et bizarre cette expression moderne du chagrin – tous ces autels fleuris près des passages piétons, sur les réverbères et au bord des routes. Les fleurs devaient être déposées là où on était enterré, pas là où on était mort. De plus, j'entendais tout faire pour qu'elle ne voie jamais ces toilettes délabrées. Et moi non plus, par la même occasion. Je ne voulais plus jamais approcher de ce bâtiment. J'avais par conséquent expliqué à Kasia que je préférais mettre une jolie plante dans ton jardin, en prendre soin et la regarder pousser. Et que je suivrais l'exemple de maman en fleurissant ta tombe.

J'ai parcouru à pied le kilomètre qui sépare la gare de Little Hadston de l'église et j'ai aperçu maman dans le cimetière. Je t'ai raconté mon déjeuner avec elle il y a quelques jours – j'avais fait un bon en avant dans mon récit afin de te rassurer et de lui rendre justice – et tu sais donc déjà combien elle a changé après ta mort. Elle est redevenue la maman de notre petite enfance, celle dont la robe de chambre bruissait dans le noir, qui sentait la crème pour le visage et dont la présence me rassurait. Elle est maintenant douce et aimante, mais aussi plus vulnérable, au point que cela m'inquiète. C'est à ton enterrement qu'elle a changé. Cela s'est fait à une vitesse horrifiante, comme si ses cris silencieux au moment où ton cercueil a été abaissé dans la fosse boueuse avaient brisé en éclats tous ses faux-semblants, laissant à nu sa vraie personnalité. À cet instant, la fiction qu'elle avait élaborée autour de ta mort s'est désintégrée. Elle savait aussi bien que moi que tu n'aurais jamais pu te suicider, et cette violente prise de conscience a aspiré toutes ses forces et toute la couleur de ses cheveux.

Chaque fois que je la voyais, si vieille et si grisonnante, j'éprouvais le même choc.

— Maman?

Elle s'est retournée, en pleurs. Elle m'a serrée fort en enfouissant son visage contre mon épaule et j'ai senti ses larmes à travers ma chemise. Puis elle s'est écartée en essayant de rire.

— Je ne devrais pas me servir de toi comme d'un mouchoir.

— Pas de problème, ne te gêne pas.

— Quelle tignasse, a-t-elle dit en caressant mes cheveux. Tu as besoin d'une bonne coupe.

— Eh oui.

J'ai passé un bras autour d'elle.

Papa était reparti en France sans avoir juré d'appeler ou de revenir nous rendre visite. Il était assez honnête pour ne pas faire de promesses qu'il serait incapable de tenir. J'ai compris qu'il m'aimait, mais qu'il ne serait jamais présent au quotidien pour moi. Maman et moi ne pouvons plus compter que l'une sur l'autre. Cela nous rend chacune plus précieuse, et en même temps insuffisante car nous devons essayer de remplir non seulement notre propre existence, mais aussi le vide laissé par d'autres – toi, Leo, papa. Nous devons être fortes au moment où nous nous sentons le plus affaiblies.

J'ai déposé mes bleuets sur ta tombe, que je n'avais pas revue depuis le jour de ton enterrement, et en contemplant la terre qui vous recouvrait, Xavier et toi, j'ai pensé que tout menait là au final. Les visites à la police, l'hôpital, les recherches sur Internet, les questions, les enquêtes, les soupçons et les accusations – tout cela n'aboutissait qu'à une seule conclusion:

ensevelie sous une boue étouffante, tu étais privée de lumière, d'air, de vie, d'amour.

J'ai mis ensuite ma carte sur la tombe de Leo. Elle représentait un Action Man, le genre de héros qu'un garçon de huit ans devait apprécier. Leo n'a jamais vieilli à mes yeux. Maman avait déjà posé un cadeau emballé – un hélicoptère télécommandé, m'avait-elle dit.

— Comment as-tu su qu'il avait la mucoviscidose ? ai-je demandé.

Elle m'avait expliqué un jour qu'elle l'avait appris avant que Leo ne montre les premiers signes de la maladie, mais papa et elle ignoraient à l'époque qu'ils étaient porteurs du gène défectueux, alors pourquoi lui avait-elle fait passer les tests de dépistage ? Mon esprit s'était habitué à s'interroger sur tout, même devant la tombe de Leo, même le jour qui aurait dû être son anniversaire.

— Il n'était encore qu'un bébé et il pleurait. Quand je l'ai embrassé, ses larmes avaient un goût de sel. Je l'ai signalé au médecin, comme ça, sans penser à rien. Les larmes salées sont un symptôme de la mucoviscidose.

Tu te rappelles, elle nous embrassait rarement lorsqu'on pleurait, étant petites. Mais je me souviens d'un temps où elle l'avait fait. C'était avant qu'elle ne goûte aux larmes salées de Leo.

Nous sommes restées silencieuses quelques instants. Mon regard est allé de la tombe bien en place de Leo à la tienne, encore toute fraîche, et j'ai senti combien ce contraste reflétait la douleur que j'éprouvais devant vos disparitions respectives.

— Je vais faire mettre une pierre tombale, a déclaré maman. Je veux un ange, une de ces grosses sculptures avec de grandes ailes.

— Je crois que ça lui plairait.

— Elle trouverait ça ridiculement drôle, tu veux dire.

Nous esquissons un demi-sourire en imaginant ta réaction.

— Xavier aimerait ça, à mon avis, a ajouté maman. C'est joli un ange, pour un bébé, non ? Ce n'est pas trop sentimental.

— Pas du tout.

Elle devenait sentimentale, pourtant. Chaque semaine, elle apportait un ours en peluche et le remplaçait quand il était sale et mouillé. Elle s'en excusait un peu, mais pas tant que ça, alors qu'elle aurait été horrifiée par un tel mauvais goût avant.

J'ai pensé de nouveau à notre conversation, quand j'avais insisté pour que tu lui annonces ta grossesse. J'avais omis la fin la première fois – délibérément, peut-être –, mais là, je m'en suis souvenue jusqu'au bout.

— Tu as toujours des culottes avec les jours de la semaine brodés dessus ?

— Tu changes de sujet. Et on m'a donné ces culottes quand j'avais neuf ans.

— Tu respectais vraiment l'ordre des jours ?

— Elle sera tellement blessée si tu ne la préviens pas.

— Elle dirait des choses qu'elle regretterait ensuite et qu'elle ne pourrait jamais effacer, as-tu répondu d'une voix inhabituellement sérieuse.

Tu faisais preuve de gentillesse. Tu plaçais l'amour avant la vérité. Mais, persuadée que tu inventais juste une excuse pour fuir le problème, je ne l'avais pas compris.

—*Je lui dirai quand il sera né, Bea. Quand elle l'aimera.*

Tu as toujours su qu'elle finirait par l'aimer.

Maman a mis un pot en céramique avec un rosier Madame Carrière à côté de ta tombe.

—C'est en attendant que l'ange soit livré. Ça a l'air nu, sinon.

Je suis allée remplir un arrosoir et je t'ai revue, enfant, trottant derrière maman avec tes mini-outils de jardin, tes doigts serrés autour de graines que tu avais prélevées sur d'autres plantes – des ancolies, il me semble, mais je n'y ai jamais vraiment prêté attention.

—Elle adorait jardiner, hein?

—Depuis qu'elle était toute petite, a confirmé maman. Moi, ce n'est qu'à la fin de la trentaine que j'ai commencé à y prendre goût.

—Quel a été le déclic pour toi?

Je voulais juste entretenir la conversation en me cantonnant à un sujet sûr qui, avec un peu de chance, la réconforterait. Elle a toujours aimé parler de jardinage.

—Quand je plantais des fleurs, elles embellissaient de jour en jour, c'est-à-dire tout le contraire de moi à trente-six ans, a-t-elle répondu en enfonçant ses doigts nus dans la terre autour du rosier pour vérifier qu'elle était assez humide. Je n'aurais pas dû regretter ma beauté, et pourtant c'est ce qui s'est passé, avant même la mort de Leo. Je crois que ça me manquait de ne plus être traitée gentiment rien que par égard pour mon physique. L'artisan qui est venu refaire notre installation électrique, et aussi un chauffeur de taxi un jour, étaient inutilement désagréables. Des hommes qui auraient normalement accepté de faire un petit travail supplémentaire pour rien se montraient agressifs, comme s'ils voyaient que j'avais autrefois été jolie, belle même, et qu'ils ne voulaient pas admettre que la beauté fane avec l'âge. Comme s'ils estimaient que j'étais seule responsable.

J'étais un peu déroutée, mais juste un peu. Ce genre de conversation inattendue m'était familière à présent. Maman s'est essuyé le visage avec ses doigts sales, laissant une traînée de terre sur sa joue.

— Et puis Tess est devenue superbe en grandissant. Dans le même temps, elle ne se rendait pas compte que c'était pour cette raison que les gens la traitaient avec bienveillance.

— Elle n'a jamais joué de son physique.

— Elle n'en avait pas besoin. Le monde lui ouvrait ses portes et elle les franchissait en souriant, convaincue qu'il en serait toujours ainsi.

— Tu étais jalouse ?

Maman a hésité un instant.

— Non, ce n'était pas de la jalousie, mais le simple fait de la regarder me faisait voir ce que j'étais devenue... (Elle s'est brusquement interrompue.) Je suis un peu soûle. Je m'autorise à boire pour l'anniversaire de Leo. Pour l'anniversaire de sa mort aussi. Et maintenant, il y aura ceux de Tess et Xavier. Je vais finir alcoolique si je ne fais pas attention.

J'ai serré sa main dans la mienne.

— Tess venait toujours me voir le 12 mars, a-t-elle ajouté.

Quand nous nous sommes dit au revoir à la gare, je lui ai proposé une sortie le dimanche suivant à la pépinière de Petersham Meadows, que tu adorais mais dont les tarifs étaient au-dessus de tes moyens. Nous avons décidé de t'y choisir une nouvelle plante pour ton jardin.

J'ai repris le train pour Londres. Tu ne m'avais jamais dit que tu rendais visite à maman chaque année le jour de l'anniversaire de Leo – sans doute pour ne pas me faire culpabiliser – et je me suis demandé à combien d'autres reprises tu étais allée la voir avant que ton ventre ne commence à s'arrondir. Je savais déjà par ta facture de téléphone que j'avais été d'une négligence impardonnable envers toi, mais je découvrais à présent que cela valait aussi pour maman. C'était toi la fille attentionnée, et non pas moi, comme j'avais toujours eu la prétention de le croire.

Je me suis enfuie, n'est-ce pas ? Mon boulot à New York n'était pas une « opportunité professionnelle », mais une occasion d'abandonner maman et mes responsabilités pour mener une vie sans complication sur un autre continent. Je n'étais pas différente de papa en somme. Toi, tu es restée. Tu avais peut-être besoin de moi pour te rappeler les dates d'anniversaire, mais tu ne t'es pas enfuie.

Pourquoi le docteur Wong ne m'avait-elle pas montré mes défauts ? Un bon thérapeute ne devrait-il pas faire surgir de son divan des portraits à la Dorian Gray afin que ses patients se découvrent tels qu'ils sont réellement ? Mais je suis injuste envers elle. Je ne lui ai pas posé les bonnes questions sur moi-même. En fait, je ne me suis posé aucune question.

La sonnerie du téléphone m'a arrachée à mon introspection. C'était Christina. Après avoir échangé quelques banalités avec moi, elle est allée droit au but :

— Je ne pense pas que la mort de Xavier et celle de l'autre bébé soient liées, Hemms.

— Elles le sont forcément ! Tess et Hattie ont participé aux mêmes essais dans le même hôpital et...

— Oui, mais sur le plan médical, il n'y a aucun rapport. Rien ne peut entraîner à la fois un problème cardiaque assez sérieux pour être fatal à un bébé et un problème rénal – probablement une insuffisance rénale totale – qui en tue un autre.

— Un gène peut coder pour des choses complètement différentes, ai-je dit, paniquée. Peut-être que...

Elle m'a de nouveau interrompue, ou peut-être la connexion était-elle simplement mauvaise dans le train.

— J'ai vérifié auprès d'un spécialiste au cas où, en lui présentant ça comme un scénario hypothétique. Selon lui, il est impossible que deux pathologies mortelles aussi différentes aient la même cause.

Je savais qu'elle simplifiait son explication pour que je comprenne. Et je savais aussi que, même dans sa version plus compliquée, la conclusion ne varierait pas. Les tests pratiqués à St Anne ne pouvaient être responsables de la mort de deux bébés.

— C'est tout de même curieux que deux enfants soient morts dans le même hôpital, non ?

— Chaque établissement a un taux de mortalité périnatale, et St Anne assure cinq mille accouchements par an. C'est triste mais, malheureusement, ce genre d'incident n'a rien d'exceptionnel.

J'ai essayé en vain de l'interroger plus avant et de trouver une faille. Elle est restée silencieuse. De mon côté, j'étais ballottée par le train, et mon inconfort physique reflétait mon état d'esprit. Cela a fini par me faire penser à Kasia. J'avais prévu un voyage pour elle, mais, craignant à présent que cela ne soit dangereux, j'ai posé la question à Christina. Ravie de pouvoir se rendre utile, elle m'a répondu avec plus de détails qu'il n'était nécessaire.

Je termine de raconter à M. Wright ma conversation téléphonique avec Christina.

— Je me suis dit que quelqu'un avait menti à ces femmes sur la cause réelle du décès de leur bébé. Aucun d'eux n'avait été autopsié, après tout.

— Vous n'avez jamais songé que vous pouviez vous tromper ?

— Non.

Il semble admiratif devant ma réponse, mais je préfère être honnête avec lui.

— Je n'avais pas l'énergie d'envisager cette hypothèse. Je ne supportais pas l'idée de tout reprendre depuis le début.

— Qu'avez-vous fait ensuite ?

— Je suis retournée voir Hattie, dis-je avec lassitude, soudain aussi fatiguée et découragée que je l'étais alors. Je ne pensais pas qu'elle aurait quoi que ce soit d'utile à m'apprendre, mais il fallait quand même que je tente ma chance.

Je me raccrochais au moindre espoir et j'en avais bien conscience, seulement je n'avais pas le choix. La seule information qui aurait pu m'aider était l'identité du père de l'enfant de Hattie et je ne me faisais guère d'illusion.

Quand j'ai sonné à la porte, une belle femme d'une trentaine d'années – Georgina, ai-je supposé – m'a ouvert en tenant un livre pour enfants dans une main et un rouge à lèvres dans l'autre.

— Vous devez être Beatrice. Entrez ! Je suis un peu à la traîne. J'avais promis à Hattie d'être partie à 20 heures au plus tard.

Celle-ci est apparue à son tour dans le vestibule.

— Ça t'ennuie de lire l'histoire de la vache aux enfants ? lui a demandé Georgina. Je servirai quelque chose à boire à Beatrice pendant ce temps.

Hattie nous a laissées pour monter à l'étage. J'ai senti que tout cela avait été prévu par Georgina, même si elle paraissait sincèrement amicale.

— *Percy et la vache* est ce qu'il y a de plus court. Six minutes top chrono, bruits de moteur et cris d'animaux compris. Hattie n'en aura pas pour longtemps.

Elle a débouché une bouteille de vin et m'a tendu un verre.

— Ménagez-la, d'accord ? a-t-elle ajouté. Elle a déjà tellement souffert. Elle ne mange presque plus depuis que c'est arrivé. Essayez d'être… gentille avec elle.

J'ai hoché la tête en appréciant qu'elle s'inquiète ainsi. Puis une voiture a klaxonné dehors.

— Il y a une bouteille de pinot gris d'ouverte, Hatts ! a lancé Georgina en direction de l'escalier. Sers-toi !

Hattie a crié merci. On aurait dit deux colocataires plutôt qu'une employée et sa patronne.

Lorsqu'elle est redescendue après avoir couché les enfants, nous sommes passées au salon. Hattie s'est assise sur le canapé, ses jambes repliées sous elle et un verre de vin à la main. Elle se comportait comme si elle était là chez elle, pas comme une aide domestique à demeure.

— Georgina a l'air très sympathique… ? ai-je hasardé.

— Oui. Quand je lui ai appris la nouvelle pour mon bébé, elle a offert de me payer mon billet d'avion pour rentrer aux Philippines et de me verser deux mois de salaire en plus. Ils ne peuvent pas se le permettre, pourtant. Alors qu'ils travaillent tous les deux à plein temps, ils ont du mal à me payer tous les mois.

Georgina ne correspondait donc pas au cliché de la femme-qui-emploie-des-nounous-philippines et Hattie ne vivait pas non plus dans un placard. J'ai fait le tour de mes questions habituelles. Savait-elle si tu avais peur de quelqu'un ? Connaissait-elle une personne qui aurait pu te fournir de la drogue ? Voyait-elle une raison pour laquelle on aurait pu te tuer ? (Là, je me suis armée de courage pour affronter le regard que l'on me jetait en général à ce stade.) Hattie ne m'a apporté aucune réponse. Pas plus que tes autres amis, elle ne t'avait vue après ton accouchement. J'avais presque épuisé mon stock de questions et je ne m'attendais pas à beaucoup avancer.

— Pourquoi taisez-vous le nom du père de votre enfant ?

Elle a hésité, l'air honteuse m'a-t-il semblé.

— Qui est-ce, Hattie ?

— Mon mari.

Elle n'a rien dit d'autre et m'a laissée deviner le reste.

— Vous avez commencé ce travail enceinte ?

— Je pensais que personne ne m'engagerait si je l'avouais. Quand il ne m'a plus été possible de le cacher, j'ai prétendu que la naissance était prévue plus tard qu'elle ne l'était en réalité. Je préférais faire croire à Georgina que je couchais à droite et à gauche plutôt que de lui dire que j'avais menti.

J'ai dû paraître perplexe parce qu'elle s'est expliquée :

— Elle me considère comme son amie.

Pendant un moment, je me suis sentie exclue de ces liens d'amitié qui unissent les femmes et qui ne m'avaient jamais manqué parce que je t'avais toujours eue, toi.

— Vous avez prévenu Tess au sujet de votre bébé ?

— Oui. Le sien ne devait naître que quelques semaines plus tard. Elle a pleuré en apprenant la nouvelle et je lui en ai voulu. Elle m'a donné des émotions que je n'avais pas.

T'es-tu rendu compte de sa colère ? De toutes tes relations, elle était la seule à avoir émis une critique contre toi. La seule que tu n'avais pas su comprendre.

— En fait, j'étais soulagée, a-t-elle ajouté d'un ton bravache en me défiant d'être choquée.

— C'est normal. Vous avez d'autres enfants chez vous dont vous devez vous préoccuper. Un bébé aurait été synonyme de perte d'emploi, quelle que soit la compréhension dont vos employeurs auraient fait preuve, et vous n'auriez plus été en mesure d'envoyer de l'argent à votre famille.

Je l'ai regardée et j'ai senti que je faisais fausse route.

— Ou bien vous ne supportiez pas de laisser un autre enfant derrière vous une fois que vous seriez revenue travailler en Angleterre ?

Cette fois, j'ai lu une confirmation tacite dans ses yeux.

Pourquoi voyais-je clair en elle alors que toi, tu en avais été incapable ? Parce que je sais ce que c'est d'avoir honte et que tu n'as jamais rien éprouvé de tel. Hattie s'est levée.

— Vous avez d'autres questions ? a-t-elle dit avec l'envie évidente que je m'en aille.

— Oui. Comment s'appelle la personne qui vous a fait l'injection ? Celle avec le gène ?

— Aucune idée.

— Et le médecin qui vous a accouchée ?

— J'ai eu une césarienne.

— Mais vous avez bien dû le voir ?

— Non, j'ai toujours eu affaire à quelqu'un qui portait un masque. Quand j'ai eu la piqûre et quand j'ai été opérée. Aux Philippines, ce n'est pas du tout comme ça. On ne s'embête pas avec toutes ces histoires d'hygiène, mais ici…

En l'écoutant, j'ai repensé à ces quatre toiles cauchemardesques que tu avais peintes, la femme qui hurlait et le visage masqué penché sur elle. Elles n'illustraient pas une hallucination induite par la drogue, mais une scène que tu avais réellement vécue.

— Vous avez votre dossier hospitalier, Hattie ?

— Non.

— Il a été perdu ?

Elle a été surprise. J'avais deviné juste.

Je vide ma tasse de café. Est-ce la caféine ou le souvenir de ces tableaux ? En tout cas, je frissonne si fort que je renverse un peu de liquide sur la table. M. Wright me dévisage avec inquiétude.

— On arrête là ?

— Oui, si ça ne vous ennuie pas.

Nous nous dirigeons ensemble vers la réception. La secrétaire énamourée se raidit lorsque M. Wright marque une pause devant le bouquet de jonquilles posé sur son bureau, mais pour finir il se tourne vers moi, les yeux rouges.

— J'aime beaucoup ce que Tess vous a dit sur le gène qui donne leur couleur jaune aux jonquilles. Sur le fait qu'il permet à des enfants de ne pas perdre la vue.

— Moi aussi.

Le lieutenant Finborough m'attend au Carluccio près du bâtiment du CPS. Il m'a appelée hier pour me proposer un rendez-vous. J'ignore si c'est autorisé, mais j'ai accepté. Je sais qu'il ne le fait pas pour lui et qu'il ne m'implorera pas d'enjoliver la réalité de façon à ce qu'il ait un plus beau rôle dans cette histoire.

Je m'avance vers lui et nous hésitons un instant, presque sur le point de nous faire la bise comme des amis plutôt que comme… quoi ? Que sommes-nous l'un pour l'autre ? Il a été l'homme qui m'a annoncé que l'on avait découvert ton corps, que c'était bien toi dans ces toilettes délabrées. Il a été l'homme qui m'a pris la main en me regardant droit dans les yeux et qui a détruit celle que j'avais été jusqu'alors. On ne se claque pas la bise à la manière mondaine des gens dans les cocktails, mais notre relation ne se réduit pas non plus à celle entre un policier et la parente d'une victime. Je prends sa main et la serre ainsi qu'il l'avait fait. Cette fois, c'est la mienne la plus chaude.

— Je voulais m'excuser, Beatrice.

Je m'apprête à lui répondre quand une serveuse avec un stylo coincé dans sa queue-de-cheval passe entre nous en tenant haut son plateau. Nous aurions dû nous donner rendez-vous dans une église, un endroit tranquille et sérieux, là où on discute de sujets graves à mi-voix, sans avoir à crier pour couvrir le bruit des conversations et de la vaisselle qui s'entrechoque.

Nous nous asseyons à une table, tous deux un peu gênés, je crois, par cette intimité.

— Comment va l'agent Vernon ? dis-je pour briser le silence.

— Elle est montée en grade. Elle travaille maintenant dans l'unité qui s'occupe des violences familiales.

— Tant mieux pour elle.

Il me sourit. La glace étant rompue, il s'aventure sur un terrain plus personnel.

— Vous aviez raison depuis le début. J'aurais dû vous écouter.

J'avais rêvé d'entendre ces mots-là et je regrettais de ne pas pouvoir souffler à mon ancien moi que, un jour, un policier me les dirait.

— Vous avez au moins eu un doute. Et vous avez agi en conséquence.

— Oui, mais bien trop tard. Vous n'auriez jamais dû être mise en danger.

Le brouhaha du restaurant s'estompe soudain. Les lumières faiblissent. Je distingue juste la voix du lieutenant Finborough qui me rassure et me dit que tout va bien, mais elle aussi est bientôt réduite au silence. Tout devient noir. Je veux crier, mais ma bouche ne produit aucun son.

Lorsque je reviens à moi, je suis dans les toilettes propres et chauffées du restaurant et le lieutenant est avec moi. Il m'explique que j'ai perdu connaissance durant cinq minutes environ. Cela n'a pas duré si longtemps, alors. Mais c'est la première fois que je perds aussi l'ouïe. Le personnel du Carluccio, prévenant, m'a appelé un taxi pour me ramener chez moi. Je demande à Finborough s'il veut bien me raccompagner et il accepte volontiers.

Je suis maintenant dans un taxi, avec un policier assis à côté de moi, et pourtant j'ai toujours peur. Je sais qu'il me suit. Je sens sa présence malveillante et meurtrière qui se rapproche.

Je veux en parler au lieutenant, mais, comme M. Wright, il me répondrait que cet homme est en prison, qu'il ne pourra plus jamais me faire de mal, qu'il n'y a pas à avoir peur. Et je serais incapable de le croire.

Finborough attend que je sois bien rentrée chez moi et repart ensuite avec le taxi. Lorsque je referme la porte, Pudding enroule son corps chaud et doux autour de mes jambes en ronronnant. J'appelle Kasia.

Pas de réponse. Je réprime l'angoisse qui monte en moi, avant de voir un mot sur la table qui m'annonce qu'elle est à son cours de préparation à l'accouchement. Elle devrait être de retour d'une minute à l'autre.

Je vais à la fenêtre pour la guetter et je tire les rideaux. Deux mains surgissent soudain de l'autre côté de la vitre pour tenter de la briser. Je hurle. Elles disparaissent dans le noir.

21

Jeudi

C'est une belle journée printanière, mais je prends le métro pour me rendre au CPS au lieu de traverser le parc à pied. Cela me permet de rester en permanence au milieu de la foule.

En arrivant, je suis heureuse de monter dans un ascenseur bondé, et en même temps anxieuse, comme d'habitude, à l'idée que mon portable et mon pager ne captent aucun réseau et que Kasia ne réussisse pas à me joindre si je devais me retrouver bloquée dans la cabine.

Dès que j'émerge au troisième étage, je vérifie que les deux fonctionnent bien. Je n'ai pas parlé à Kasia de l'homme derrière la fenêtre hier soir pour ne pas l'effrayer. Ou pour ne pas admettre l'autre possibilité – que ce n'est pas seulement mon corps qui va mal, mais aussi mon esprit. Je sais que ma santé physique se dégrade, mais je n'avais jamais envisagé que cela puisse être aussi le cas de ma santé mentale.

Est-il simplement une illusion, le produit d'un cerveau dérangé ? Peut-être faut-il de la force physique, ce que je n'ai plus, pour ne pas sombrer dans la démence. J'ai peur de devenir folle plus que je n'ai peur de lui, parce que la folie détruit qui vous êtes à l'intérieur d'un corps qui vous survit de façon absurde. Sans doute as-tu partagé cette crainte, et j'aurais aimé que tu saches que c'était le PCP, et non pas une faiblesse ou une maladie mentale, qui menaçait ta raison.

Si l'on m'avait administré du PCP à moi aussi ? Y as-tu songé avant moi ? Peut-être est-ce un hallucinogène qui me fait croire que je suis traquée par un être malveillant. Mais personne n'aurait pu me droguer. Mes journées n'ont pour cadre que les locaux du CPS, le Coyote et mon appartement, là où personne ne me veut du mal.

Je ne dirai rien à M. Wright du meurtrier derrière la fenêtre. Pas tout de suite. Et je lui cacherai ma peur de devenir folle. Si je me tais, il me traitera normalement, et je me comporterai de même en retour. Il pense que j'ai toute ma raison ? Eh bien je ne le décevrai pas. De plus, j'ai la certitude d'être en sécurité avec lui, au moins durant les heures que nous passons ensemble. J'attendrai donc la fin de notre séance pour me confier à lui.

Ce matin, le bureau de M. Wright n'est plus aussi lumineux. L'obscurité a gagné les angles et je cligne des yeux pour tenter de la chasser, avant de reprendre mon récit d'une voix traînante. Je dois faire un effort pour me souvenir. D'après l'avocat, nous arriverons peut-être à terminer aujourd'hui, alors il faut juste que je prenne sur moi pour tenir jusqu'au bout.

M. Wright ne semble rien remarquer. C'est à croire que je suis douée pour donner le change, ou bien qu'il est trop concentré sur la dernière partie de mon témoignage pour noter quoi que ce soit.

Il récapitule la fin de notre dernier entretien :

— Hattie Sim vous a dit que l'homme qui lui a injecté le gène et qui l'a accouchée portait un masque, c'est ça ?

— Oui. Je lui ai demandé s'il s'agissait bien de la même personne et elle me l'a certifié. Mais elle ne se rappelait plus sa voix, ni la couleur de ses cheveux ni sa taille. Rien. Elle essayait de rayer cette expérience de sa mémoire et je ne pouvais pas le lui reprocher.

— C'est selon vous le même homme qui était présent pour l'accouchement de Tess ?

— Oui. Et j'étais sûre que c'était lui qui l'avait assassinée. Seulement j'avais besoin de plus d'éléments avant d'aller voir la police.

— Des faits contradictoires plus importants ?

— Exactement. Je devais prouver qu'il portait un masque dans le seul but de ne pas dévoiler son identité. Je n'avais pas pu trouver qui avait accouché Tess, mais j'ai pensé que j'arriverais peut-être à découvrir qui leur avait fait les injections, à Hattie et à elle.

Le temps que je rejoigne l'hôpital St Anne après avoir quitté la maison de Hattie à Chiswick, il était tard, plus de minuit. Mais il fallait que je sache tout de suite. À mon arrivée, la porte de la maternité était fermée, le service plongé dans le noir, et j'ai senti que je ne choisissais pas le meilleur moment pour poser des questions. Tant pis, j'avais déjà sonné à l'interphone. Une infirmière que je n'ai pas reconnue m'a ouvert et m'a dévisagée avec méfiance. Je me suis rappelé alors que ces mesures de sécurité visaient à empêcher les enlèvements de nourrissons.

— Puis-je parler à la sage-femme en chef ? Elle s'appelle Cressida, je crois.

— Elle a fini son service il y a six heures. Elle reviendra demain.

Je ne pouvais pas attendre cependant.

— William Saunders est là ?

— Vous êtes une patiente ?

— Non. (J'ai hésité.) Une amie.

J'ai entendu les pleurs d'un bébé, puis d'autres qui l'imitaient. Une sonnette a retenti. La jeune infirmière a grimacé, l'air débordée.

— D'accord. Il est dans la salle de repos. Troisième porte à droite.

J'ai frappé à la porte sous le regard de la fille et je suis entrée. Une semi-obscurité régnait dans la pièce, éclairée simplement par la lumière du couloir. William s'est réveillé sur-le-champ, prêt à intervenir, sans doute parce qu'il était d'astreinte et censé être sans délai au maximum de ses capacités.

— Que faites-vous ici, Bea ?

Personne à part toi ne m'a jamais appelée Bea et c'est comme si tu lui avais transmis une partie de notre complicité. Il s'est levé, vêtu de sa tenue bleue de médecin, les cheveux en bataille là où sa tête avait reposé sur l'oreiller. J'ai pris conscience de l'étroitesse de la pièce, du petit lit.

— Savez-vous qui a fait les injections aux participantes des tests sur la mucoviscidose ?

— Non. Vous voulez que je me renseigne ?

C'était aussi simple que ça.

— Oui.

— D'accord.

Il paraissait efficace, concentré, et j'ai apprécié qu'il me prenne au sérieux.

— Vous connaissez d'autres patientes concernées en dehors de votre sœur ?

— Kasia Lewski et Hattie Sim. Tess les a rencontrées au dispensaire qui pratiquait les injections.

— Vous voulez bien m'écrire leur nom ?

Il a attendu pendant que je farfouillais dans mon sac et que je griffonnais sur un bout de papier, puis il m'a doucement pris celui-ci des mains.

— Je peux vous demander maintenant pourquoi ça vous intéresse ?

— Parce que cette personne portait un masque. À la fois au moment de faire les piqûres et lors de la naissance des bébés.

Il y a eu un silence. Il était clair que le sentiment d'urgence qu'il avait partagé avec moi s'était dissipé.

— Il n'est pas inhabituel que le personnel médical mette un masque, surtout en obstétrique, a-t-il dit. Un accouchement, ce n'est pas une affaire bien proprette. Il y a beaucoup de fluides corporels et les médecins prennent tout naturellement des protections.

Il a dû voir mon incrédulité ou ma déception parce qu'il a poursuivi :

— C'est vraiment la routine, du moins dans cet hôpital. Nous avons le plus fort taux de patients séropositifs après Johannesburg. Nous passons régulièrement des tests de dépistage pour éviter de contaminer les malades, mais cela vaut aussi dans l'autre sens. Quand une femme franchit les portes de notre service, nous ne savons pas si elle a le virus du sida ou pas.

— Mais pour l'injection du gène ? Il n'y a pas de fluides corporels, là. Quel est l'intérêt du masque ?

— Peut-être que la personne a juste pris l'habitude d'être prudente.

Sa capacité à voir le meilleur chez les gens me touchait, avant. Elle me faisait penser à toi. Mais désormais, elle m'exaspérait.

— Vous préférez cette explication innocente à la thèse de l'assassin qui cache son identité derrière un masque ?

— Bea…

— Je n'ai pas le luxe de choisir entre ces deux options. La plus violente est la seule qui s'offre à moi.

J'ai reculé d'un pas.

— Vous portez un masque ? ai-je demandé.

— Souvent, oui. Ça peut vous sembler une précaution excessive, mais…

— C'était vous ?

— Quoi ? Vous pensez que je l'ai tuée ? s'est-il écrié, l'air mortifié.

Je n'ai pas pu croiser son regard. J'avais tort de croire que les affrontements verbaux étaient bénins.

— Je suis désolée, ai-je dit en me forçant à le fixer en face. Quelqu'un l'a tuée. J'ignore qui, mais quelqu'un l'a bel et bien tuée. Et j'ai probablement déjà rencontré cette personne, je lui ai parlé sans le savoir. Mais je n'ai pas l'ombre d'une preuve.

Il a pris ma main et je me suis aperçue que je tremblais.

Ses doigts ont doucement caressé ma paume. Trop doucement au début pour que j'y voie un véritable signe d'attirance. Puis il a continué et j'ai compris, stupéfaite, qu'il n'y avait pas d'erreur possible.

J'ai retiré ma main. Il a paru déçu, mais il ne s'est pas départi de sa gentillesse.

— Je ne suis pas un cheval sur lequel on a envie de miser, hein ?

Encore étonnée, et plus que flattée, je me suis dirigée vers la porte.

Pourquoi quittais-je cette pièce et toutes les possibilités qu'elle renfermait ? Parce que, même si je pouvais fermer les yeux sur le fait qu'il était marié – et cela n'avait rien d'impossible, ai-je constaté –, je savais qu'il ne fallait rien espérer de durable ou de sécurisant avec lui. Rien de ce que je voulais et dont j'avais besoin. Ce ne serait qu'un moment de passion et je me retrouverais après avec une lourde dette émotionnelle à rembourser. Ou peut-être était-ce juste parce qu'il m'avait appelée Bea, un surnom que toi seule utilisais et qui m'évoquait la femme que j'avais été durant tant d'années. Une femme qui ne faisait pas une chose pareille.

J'ai fermé la porte derrière moi et je suis restée sur la corde raide de ma moralité, les jambes flageolantes mais toujours debout. Pas parce que j'avais de nobles principes, mais parce que je choisissais une fois encore la sécurité à un bonheur qui risquait de ne pas durer.

En attendant un bus de nuit dans une rue un peu éloignée de l'hôpital, je me suis souvenue de William, de la force de son étreinte lorsqu'il m'avait serrée contre lui la première fois et de la douceur de ses doigts sur ma paume. J'ai imaginé que ses bras m'enlaçaient là, à cet instant, et que sa chaleur m'enveloppait, mais j'étais seule dans le noir et le froid, et je regrettais ma décision. Je regrettais d'être une personne qui choisirait toujours de partir.

Je me suis retournée, j'ai même commencé à rebrousser chemin, quand j'ai cru entendre quelqu'un non loin de moi. Deux ruelles obscures débouchaient sur la rue. Ou peut-être était-il tapi derrière une voiture garée ? Tout à mes pensées, je n'avais pas remarqué qu'il n'y avait presque aucun véhicule dans la rue, et pas âme qui vive sur les trottoirs. J'étais seule avec celui qui m'épiait.

Apercevant un taxi libre, j'ai levé une main en priant pour que le chauffeur s'arrête – ce qu'il a fait, mais non sans me reprocher de me promener toute seule en pleine nuit. J'ai dépensé plus que je ne pouvais me le permettre pour qu'il me ramène chez moi, et il a attendu ensuite que je sois rentrée avant de partir.

M. Wright m'observe d'un air soucieux et me demande si je suis en état de continuer. La bouche sèche, consciente d'aller de plus en plus mal, je vide d'un trait le verre d'eau que sa secrétaire m'a laissé, avant de l'assurer que oui, ça va aller. Mais je reste en réalité parce que sa présence me rassure et que je ne veux pas me retrouver seule chez moi.

— Vous avez supposé que c'était le même homme qui avait suivi Tess ?

— Oui. J'avais l'impression d'être épiée et il y a eu un bruit qui m'a alertée. Je n'ai vu personne cependant.

À ce stade, il interrompt l'entretien pour me proposer d'aller acheter un sandwich et de poursuivre dans le parc autour d'un pique-nique. Je sais que je deviens groggy et que je n'articule plus, et sans doute espère-t-il qu'un peu d'air frais me réveillera. Il prend son magnétophone. Qu'il puisse s'agir d'un appareil portable ne m'avait jamais traversé l'esprit.

Nous arrivons à St James's Park, qui ressemble à un décor de *Mary Poppins* avec ses fleurs écloses, ses bourgeons et le ciel bleu parsemé de nuages blanc meringue. Des employés de bureau sont allongés sur les pelouses, transformant le parc en plage dénuée de mer. Nous marchons ensemble sur un sentier en quête d'un endroit moins fréquenté. Le doux visage de M. Wright est tourné vers le mien, et je me demande s'il sent ma chaleur autant que moi je sens la sienne.

Une femme avec une poussette double s'avance dans notre direction, si bien qu'il nous faut passer en file indienne. Seule durant quelques instants, j'éprouve un brusque sentiment de perte, comme si la chaleur avait quitté le côté gauche de mon corps à présent que M. Wright n'est plus là. Il me semble être étendue par terre, sur un sol en béton dont la froideur s'infiltre en moi. J'entends mon cœur battre trop vite et suis incapable de bouger. Je panique, j'avance trop vite dans l'histoire, mais l'avocat revient ensuite à côté de moi, règle son pas sur le mien et je reprends mon récit au bon endroit.

Après nous avoir déniché un coin tranquille, M. Wright étend une couverture sur l'herbe. Je suis touchée qu'il ait eu l'idée de ce pique-nique ce matin en voyant le ciel bleu. Puis il met en marche son magnétophone. Je marque une pause le temps qu'un groupe d'adolescents nous dépasse, et je commence :

— Kasia s'est réveillée quand je suis rentrée. Ou peut-être qu'elle m'attendait. Je lui ai demandé si elle se souvenait du médecin qui lui avait fait l'injection.

Elle a resserré sur elle les pans de ta robe de chambre.

— Je connais pas le nom, a-t-elle dit. Il y a problème ?

— Portait-il un masque ? C'est pour ça que tu ne sais pas ?

— Oui, un masque. Quelque chose de pas bien ? Beata ?

Sa main s'est portée d'instinct sur son ventre. Je n'avais pas le droit de l'effrayer.

— Tout va bien, je t'assure.

Mais elle est trop fine pour avaler un mensonge aussi facilement.

— Tu as dit que le bébé de Tess, pas malade. Pas la mucoviscidose. La deuxième fois, à l'appartement. Quand tu as dit à Mitch de faire les tests.

Je ne m'étais pas doutée qu'elle avait compris. Elle n'avait probablement pas arrêté de ruminer cette conversation depuis et avait dû se retenir de m'interroger en me faisant confiance pour lui parler si cela devenait nécessaire.

— Oui, c'est vrai. Et j'essaie de me renseigner. Mais ça n'a rien à voir avec toi. Tout ira bien pour ton bébé et toi. Comme sur des roulettes.

Elle a souri – « comme sur des roulettes » était une expression qu'elle avait apprise peu de temps auparavant –, mais son sourire était un peu forcé.

Je l'ai serrée contre moi.

— Tout ira bien pour vous deux. Je te le promets.

Je n'avais pas pu vous aider, Xavier et toi, mais je serais là pour elle. Je ne comptais laisser personne la blesser, ni elle ni son bébé.

Non loin de nous, les adolescents de tout à l'heure jouent au foot et je me demande ce que la personne qui écoutera ces enregistrements pensera de ces bruits de fond dans le parc, de ces rires et de ces conversations à distance.

— Et le lendemain, vous avez reçu un mail du professeur Rosen ?

— Oui. Le samedi matin, vers 10 h 15.

J'étais en route pour le Coyote, où je devais assurer le service du brunch du week-end, une nouvelle idée de Bettina.

— Il m'avait écrit sur sa messagerie personnelle, et non pas sur celle de Gene-Med, comme les fois précédentes.

M. Wright consulte une copie du mail.

De : alfredrosen@mac.com
À : iPhone de Beatrice Hemming

De retour de ma tournée dans les universités américaines, je viens de trouver votre message. Comme toujours lors de tels voyages, je ne prends jamais mon portable avec moi. (Mes proches ont le numéro de mon hôtel en cas d'urgence.) Il est ridicule d'affirmer que ma thérapie présente le moindre danger pour les bébés. Tout son intérêt réside là : il s'agit d'un moyen inoffensif d'introduire un gène sain dans le corps. Le but est de conditionner la guérison de la façon la plus sûre qui soit.

Professeur Alfred Rosen
Diplômé de l'Université de Cambridge
Docteur en génétique

De : iPhone de Beatrice Hemming
À : alfredrosen@mac.com

Pouvez-vous m'expliquer pourquoi le médecin de St Anne portait un masque à la fois quand il a accouché les participantes à vos tests et quand il leur a injecté le gène ?

De : alfredrosen@mac.com
À : iPhone de Beatrice Hemming

Le personnel médical porte une protection appropriée au moment de la naissance des bébés, mais je ne suis pas expert en la matière et je vous suggère de vous adresser à quelqu'un du service d'obstétrique si cela vous inquiète.

En ce qui concerne les injections, la personne qui les a pratiquées ne doit rien avoir compris à l'intérêt de mon chromosome. Contrairement à un virus, il n'y a aucun risque d'infection et il n'est pas utile de prendre de telles mesures. Peut-être ce médecin a-t-il juste l'habitude d'être prudent ? Je vous ai promis lors de l'enterrement de votre sœur de répondre à vos questions et je vais donc me renseigner, mais je doute fort qu'il y ait quoi que ce soit d'anormal à découvrir.

Devais-je lui faire confiance ou pas? J'ignorais en tout cas pourquoi il me rendait ce service.

Le brunch de Bettina a rencontré un franc succès. Le Coyote était bondé quand, à midi, j'ai aperçu William qui se frayait un chemin au milieu des clients en essayant d'attirer mon attention. Il a souri devant mon étonnement.

— Cressida m'a dit que vous travailliez ici. J'espère que ça ne vous dérange pas.

J'avais donné mes coordonnées personnelles et professionnelles à la sage-femme lorsqu'elle avait cherché ton dossier.

L'air ravi pour moi, Bettina a pris ma relève afin que je puisse discuter avec William. Qu'elle ne soit pas plus surprise que ça de voir un bel homme venir me parler m'a laissée perplexe.

William et moi sommes allés à un bout du bar.

— Je n'ai pas trouvé qui avait fait les injections à Tess et aux autres femmes, m'a-t-il annoncé. Leur dossier semble avoir disparu dans la nature. Je suis désolé, je n'aurais pas dû vous proposer de faire ces recherches.

Mais j'avais déjà compris que cela lui serait impossible. Si personne ne pouvait découvrir qui était avec toi lors de ton accouchement, c'est-à-dire un événement qui avait duré plusieurs heures au moins, comment, sans le moindre dossier sous la main, aurait-il pu découvrir qui t'avait fait une simple piqûre?

— Je savais que j'allais vous décevoir, a-t-il continué. Du coup, j'ai interrogé les gens au dispensaire. J'ai sollicité quelques faveurs. Et je vous ai obtenu ça.

Il m'a tendu une liasse de notes comme s'il s'agissait d'un bouquet de fleurs.

— Vos preuves, Bea.

Les notes en question concernaient Mitch.

— Michael Flanagan est le compagnon de Kasia Lewski, a ajouté William, me faisant prendre conscience que je lui avais très peu parlé de l'amitié qui me liait à la jeune femme. Il n'est pas porteur du gène de la mucoviscidose.

Ainsi, Mitch avait passé les tests et n'avait rien dit à Kasia. Comme Emilio, il avait dû en conclure – ou choisir d'en conclure – qu'il n'était pas le père de l'enfant. J'ai imaginé son soulagement devant les résultats, ce bon de sortie qui faisait de Kasia une traînée manipulatrice. Mais arrivait-il vraiment à croire à cette explication ?

William s'est mépris sur les raisons de mon silence et de mon manque d'enthousiasme.

— Les deux parents doivent être porteurs du gène pour que le bébé soit malade. Mitch Flanagan ne l'étant pas, il est impossible que le bébé ait eu la mucoviscidose. Je ne sais pas ce qui se passe avec les essais thérapeutiques, mais il y a clairement un problème et ce dossier le prouve.

Une fois encore, il a mal interprété mon silence.

— Je suis désolé, j'aurais dû vous écouter et vous soutenir depuis le début. Mais vous pouvez montrer ça à la police, n'est-ce pas ? Ou voulez-vous que je m'en occupe ?

— Ça ne servira à rien.

Il m'a regardée sans comprendre.

— Kasia, l'ancienne compagne de Michael Flanagan, est le genre de personne que les gens jugent à tort et à travers. La police pensera qu'elle s'est trompée sur l'identité du père de son enfant ou qu'elle a menti. Ils l'ont bien fait avec ma sœur.

— Ce n'est pas certain.

Si, ça l'était. Moi aussi, j'avais un jour nourri des préjugés contre Kasia, et je savais très bien que, comme moi à un moment donné, le capitaine Haines verrait en elle une fille facile tout à fait capable de se tromper ou de mentir sur l'identité du père de son bébé.

Le bipeur de William s'est mis à sonner, et ce bruit m'a semblé étrange à côté du brouhaha des conversations et du tintement des verres.

— Désolé, je dois y aller.

Je me suis souvenue qu'il n'avait que vingt minutes pour regagner l'hôpital.

— Vous arriverez à temps ?

— Aucun problème. Je suis venu à vélo.

Lorsqu'il est parti, Bettina m'a décoché un grand sourire. Je le lui ai retourné – peut-être parce que, même si les preuves que William m'avait apportées ne valaient rien, elles m'avaient remonté le moral. Pour la première fois, quelqu'un était de mon côté.

Bettina m'a renvoyée tôt chez moi, comme pour me récompenser de mon sourire.

En rentrant, j'ai trouvé Kasia à genoux, en train de frotter le sol de la cuisine.

— Qu'est-ce que tu fabriques ?

Elle a levé la tête vers moi, en nage.

— Ils ont dit, c'est bon pour le bébé. Se mettre dans la bonne position.

Ton appartement a vite fini par ressembler au sien. Tout brillait de partout autour des éraflures, de la rouille et des taches.

— Et j'aime ça.

Elle m'avait raconté que, lorsqu'elle était petite, sa mère travaillait de longues journées à l'usine. Après l'école, Kasia faisait le ménage à fond afin que l'appartement soit rutilant à son retour. Cette fille est un don du ciel.

Je ne lui ai pas dit que Mitch n'était pas porteur du gène de la mucoviscidose. Déjà, la veille, je ne lui avais pas avoué que le bébé de Hattie était mort. Je pensais la protéger au début, mais je me demandais à présent si je ne trahissais pas sa confiance en moi. Honnêtement, j'ignore où est la vérité.

— Tiens. J'ai quelque chose pour toi.

Elle a pris les billets que je lui tendais, l'air un peu déroutée.

— L'avion n'était pas dans mes moyens, alors ce sont juste des billets de bus. On partira en Pologne six semaines après ton accouchement. Il y a un billet pour toi et un pour moi. Le bébé voyagera gratuitement.

Il fallait qu'elle le présente à ses grands-parents, à ses oncles, ses tantes et ses cousins. Kasia a une famille entière pour la soutenir. Maman et papa étant tous les deux des enfants uniques, nous n'avons jamais eu un réseau de proches sur lesquels nous appuyer. À notre naissance, notre famille était déjà pré-rétrécie.

Kasia contemplait les billets. Fait inhabituel, elle n'avait toujours pas pipé mot.

— Et je t'ai acheté des bas de contention, parce que mon amie qui est médecin m'a dit que tu devais veiller à ne pas faire de phlébite – *zakrzepica*, ai-je traduit, ayant cherché le terme polonais avant.

Je ne parvenais toujours pas à déchiffrer son expression. Craignant de m'imposer, j'ai poursuivi :

— Je ne suis pas obligée de loger dans ta famille, tu sais. Mais à mon avis, tu ne devrais pas aller si loin toute seule avec un bébé.

Elle m'a embrassée, et je me suis aperçue que c'était la première fois que je la voyais pleurer.

Le soleil m'a donné envie de dormir au lieu de me réveiller. Je termine de parler à M. Wright du résultat des tests de Mitch.

— À mon sens, cela expliquait aussi pourquoi des filles célibataires et pauvres étaient choisies pour tester cette thérapie. Elles avaient moins de chances d'être crues.

Je dois maintenant faire un effort pour rester cohérente.

— Après, j'ai offert les billets de bus à Kasia et elle a pleuré, dis-je, le cerveau trop embrouillé pour faire la part entre ce qui est pertinent et ce qui ne l'est pas. Ce soir-là, j'ai compris combien elle avait été courageuse jusqu'alors. Je la pensais naïve et immature, mais elle est en réalité très forte, et j'aurais dû m'en rendre compte quand elle m'a défendue devant Mitch tout en sachant qu'il la frapperait ensuite pour se venger.

Les bleus sur son visage et les marques sur ses bras le prouvaient clairement. Mais on pouvait en dire autant de ses sourires et de ses danses devant tout ce que le hasard jetait sur son chemin. Comme toi, elle a cette capacité de se réjouir de petits riens. Elle cherche de l'or dans la vie et elle en déniche tous les jours.

Quelle importance, dans ces conditions, si elle a tendance elle aussi à tout égarer ? Ce n'est pas un signe d'infantilité, de même que je ne suis pas mature simplement parce que je sais où sont rangées mes affaires. Et apprendre une langue en ne retenant que les mots qui décrivent un univers merveilleux, en refusant ceux qui en dépeindraient un lugubre et, par là, en façonnant sur le plan linguistique le monde dans lequel on évolue, je ne trouve pas cela naïf mais incroyablement optimiste.

Le lendemain, j'ai compris qu'il fallait que je lui explique ce qui se passait. Qui étais-je pour croire que, après ce qui t'était arrivé, j'étais capable de veiller sur quelqu'un ?

— Je m'apprêtais à tout lui dire, mais elle était déjà partie à la messe et son téléphone sonnait toujours occupé. Elle devait être en train d'annoncer à la moitié de la Pologne qu'elle allait venir avec son bébé. Et puis j'ai reçu un autre mail du professeur Rosen qui demandait à me voir.

Le professeur Rosen m'avait donné rendez-vous à l'entrée de Gene-Med. Le bâtiment grouillait de monde, même un dimanche. Je m'attendais à ce qu'il me conduise dans son bureau, mais il m'a entraînée à la place vers sa voiture, dont il a verrouillé les portières sitôt après que nous sommes montés. Les manifestants étaient toujours là, juste un peu trop loin pour que j'entende leurs incantations.

— Un vecteur viral a été commandé dans le cadre des essais de thérapie génique pratiqués à l'hôpital St Anne, a-t-il déclaré avec un calme forcé, sans pouvoir masquer le tremblement de sa voix.

— Qu'est-ce que cela signifie ?

— Soit il y a eu une grosse merde, a-t-il répondu – et j'ai pensé que pour lui qui n'employait jamais un tel langage, c'était ce qu'il pouvait dire de plus vulgaire –, soit un gène différent est testé dans cet hôpital, avec un virus actif pour vecteur. Quelqu'un se sert de mes essais sur la mucoviscidose comme d'une couverture.

— Vos essais ont été détournés ?

— Peut-être, oui. Si vous voulez présenter les choses de façon mélodramatique.

Il essayait de minimiser la situation, mais il ne se montrait guère convaincant.

— Pour quelle raison ?

— À supposer que des essais illégaux soient vraiment menés, ils le sont à mon avis dans un but d'amélioration génétique de l'être humain, ce qui est interdit au Royaume-Uni.

— Quel genre d'amélioration ?

— Je l'ignore. Les yeux bleus, un QI élevé, de gros muscles. La liste des absurdités est longue. Mais quel que soit le gène concerné, il lui faut un vecteur viral pour être transporté.

Il avait beau s'exprimer en scientifique, en s'en tenant aux faits, l'émotion affleurait derrière ses mots et il était livide.

— Savez-vous qui se charge d'injecter votre gène à St Anne ?

— Je n'ai pas accès à ce genre de renseignement. Chez Gene-Med, chacun est cantonné dans son domaine, à l'écart des autres. Ce n'est pas comme à l'université, on ne pratique pas la pollinisation des idées ou des informations. Donc, non, j'ignore le nom de ce médecin. Mais à sa place, j'administrerais le traitement contre la mucoviscidose à des fœtus réellement atteints de cette maladie et j'en profiterais pour tester le gène illicite en même temps. Peut-être que la personne a cédé à l'imprudence ou à l'impatience.

Il s'est interrompu et j'ai senti sa colère et sa peine.

— Quelqu'un essaie de rendre les bébés encore plus parfaits. Mais être en bonne santé, c'est déjà être parfait ! s'est-il écrié.

Je me suis demandé si tu avais découvert la vérité au sujet de ces tests illégaux et l'identité du médecin. Était-ce pour cette raison que tu avais été assassinée ?

— Vous devez avertir la police.

Il a secoué la tête sans me regarder.

— Il le faut !

— Ce n'est qu'une hypothèse.

— Ma sœur et son bébé sont morts.

Il a fixé le pare-brise, comme s'il avait conduit la voiture au lieu de s'y cacher.

— Il convient d'abord d'établir que des tests sauvages sont bien en cause dans cette histoire. Une fois que j'aurai des preuves, je pourrai sauver les miens. Sinon, ils seront arrêtés dans tous les hôpitaux jusqu'à ce qu'on ait trouvé ce qui se passe. Ça risquerait de durer des mois, des années même. Les tests pourraient ne jamais reprendre.

— Ils ne devraient pas du tout en pâtir. Sûrement…

— Étant donné la subtilité et l'intelligence de la presse, dès qu'elle aura vent du problème, ce ne sera pas une expérimentation isolée qui sera jugée responsable de la mort de bébés et de Dieu sait quoi d'autre, mais mon traitement contre la mucoviscidose.

— Je n'y crois pas.

— Vraiment ? La plupart des gens sont si mal informés et si peu instruits qu'ils confondent l'amélioration génétique et la thérapie génique.

— C'est absurde…

— Des meutes d'imbéciles se sont acharnés sur des pédiatres, ils les ont même attaqués, en pensant que « pédiatre » était synonyme de « pédophile ». Si, ils s'en prendront à ma thérapie. Tout simplement parce qu'ils ne feront pas la différence.

— Alors pourquoi vous êtes-vous renseigné ? Pourquoi, si vous ne comptez rien faire au final ?

— J'avais promis de répondre à vos questions, a-t-il répliqué, furieux que je le place dans une telle position. J'étais persuadé qu'il n'y aurait rien à découvrir !

— Si je comprends bien, je vais devoir prévenir la police sans votre soutien ?

L'air très mal à l'aise, il a essayé de lisser les plis de son pantalon gris.

— La commande du vecteur viral a pu être faite par mégarde. Il y a parfois des bugs informatiques. Et les erreurs administratives se produisent à une fréquence alarmante.

— C'est ce que vous direz aux enquêteurs ?

— Je ne vois pas d'explication plus plausible. Oui, c'est ce que je leur dirai.

— Et ils refuseront de me croire.

Le silence est tombé entre nous.

— De quoi vous souciez-vous le plus ? ai-je repris. De soigner des bébés ou de protéger votre réputation ?

Il a déverrouillé les portières de la voiture avant de se tourner vers moi.

— Si votre frère était un fœtus à l'heure actuelle, que voudriez-vous que je fasse ?

J'ai hésité, mais juste un bref instant.

— Je vous demanderais d'alerter la police, de leur avouer la vérité, et ensuite de vous démener pour sauver vos tests.

Il s'est éloigné sans m'attendre ni même refermer la voiture.

La femme aux cheveux hérissés en pointes l'a reconnu.

— Arrêtez de vous prendre pour Dieu ! a-t-elle crié.

— Si Dieu avait fait son travail correctement, ce ne serait pas nécessaire, a-t-il rétorqué.

Elle lui a craché à la figure.

— Non aux enfants sur mesure ! a renchéri le manifestant à la queue-de-cheval.

Le professeur Rosen s'est frayé un chemin entre eux et est rentré dans les locaux de Gene-Med.

Je ne le prenais pas pour quelqu'un de mauvais, juste pour un homme faible et égoïste. Il ne supportait pas de renoncer à sa toute nouvelle célébrité. Mais il avait une excuse pour ne pas agir, des circonstances atténuantes qu'il pourrait mettre en avant : le traitement contre la mucoviscidose est réellement important. Toi et moi, nous le savons bien.

J'ai regagné la station de métro et, à ce moment-là seulement, je me suis rendu compte que le professeur Rosen m'avait livré une information capitale. Quand je lui avais demandé qui injectait son gène aux patientes dans le cadre des tests, il m'avait répondu qu'il l'ignorait et qu'il n'avait pas accès à ce genre de renseignement. Mais il avait dit que lui, il aurait choisi des femmes dont les bébés étaient réellement malades et qu'il en aurait profité pour leur administrer le gène illicite en même temps que celui contre la mucoviscidose. En d'autres termes, la personne qui pratiquait les injections était la même que celle qui dirigeait les essais à St Anne. Il le fallait bien, puisqu'elle décidait de qui participait ou pas aux tests. Et il était nettement plus facile de découvrir l'identité du responsable d'un tel programme que celle d'un médecin qui avait pratiqué une simple injection.

On est bien ici, sous ce ciel d'un bleu de porcelaine. Tandis que les employés regagnent leur bureau en ordre dispersé, je me revois à l'école St Mary, lorsqu'il faisait chaud et qu'on suivait nos cours dehors. Le professeur et nous prétendions être intéressés par un livre alors qu'on s'imprégnait en fait de l'été. Pendant un moment, j'en oublie combien j'ai froid.

— Pensez-vous que le professeur Rosen avait l'intention de vous révéler cette information ?

— Oui. Il est bien trop intelligent et trop pédant pour se montrer négligent. Je crois qu'il a apaisé sa conscience en cachant juste le nom de la personne et en me laissant me débrouiller pour l'obtenir. Ou peut-être que son bon moi l'a emporté à cet instant précis de notre conversation. Quoi qu'il en soit, il ne me restait qu'à trouver qui dirigeait les essais à St Anne.

Je ne sens presque plus mes jambes maintenant et je ne suis pas sûre de réussir à me lever quand il le faudra.

— J'ai téléphoné à William, qui m'a dit qu'il allait mener l'enquête et qu'il me répondrait avec un peu de chance le soir même. J'ai ensuite essayé de joindre Kasia sur son portable, mais elle était toujours en ligne – je suppose que ses proches l'avaient rappelée parce qu'elle devait avoir épuisé son forfait à ce stade – et j'ai préféré attendre son retour pour lui parler. J'aurais découvert d'ici là qui était derrière tout ça et elle serait en sécurité.

Dans l'intervalle, je suis allée à la pépinière de Petersham afin de choisir une plante pour ton jardin avec maman, comme prévu. J'étais heureuse de cette distraction. J'avais besoin de m'occuper, sinon j'allais passer mon temps à tourner en rond dans l'appartement jusqu'à ce que William m'appelle.

Kasia avait encore insisté pour que je dépose des fleurs près des toilettes délabrées du parc. Selon elle, cela reviendrait à laisser mon *odcisk palca* d'amour à un endroit où le mal s'était manifesté. (*Odcisk palca* désigne une empreinte digitale, du moins est-ce la traduction la plus exacte que nous ayons trouvée, et elle me paraît plutôt jolie.) Mais ça, c'était bon pour les autres, pas pour moi. Je devais débusquer ce mal et l'attaquer tête baissée, pas avec des fleurs.

Après des semaines de froid et de pluie, c'était la première belle journée de ce début de printemps. Dans la pépinière, les camélias, les primevères et les tulipes dépliaient leurs pétales colorés. J'ai embrassé maman, qui m'a serrée fort dans ses bras, puis nous nous sommes engagées sous le dais des vieilles serres. On aurait pu croire que nous avions remonté le temps pour atterrir dans le jardin d'un beau manoir.

Pendant que maman vérifiait que les plantes résistaient au gel et qu'elles donnaient plusieurs floraisons, je me suis laissée aller à mes pensées. Cela faisait presque deux mois que j'enquêtais, et là, avant la fin de la journée, j'allais savoir qui t'avait assassinée.

Pour la première fois depuis mon arrivée à Londres, j'avais trop chaud. J'ai enlevé mon épais et luxueux manteau.

— Mon Dieu, Beatrice, regarde comme tu es fagotée !

— Ce sont les affaires de Tess.

— Je m'en doutais. Tu n'as plus du tout d'argent ?

— Plus beaucoup, non. Enfin, si, un peu, mais je n'en disposerai que lorsque l'appartement aura été vendu.

Je dois avouer que je portais tes habits depuis un bon moment. Loin de mon cadre de vie habituel, mes tenues new-yorkaises étaient ridicules, et puis j'ai découvert que les tiennes sont bien plus confortables. J'aurais dû trouver bizarre, et même grave, de faire ça – tu étais morte après tout –, mais je ne pouvais qu'imaginer ton amusement en me voyant dans tes vêtements de seconde main, moi qui étais toujours à la pointe de la mode et qui donnais mes affaires au pressing dès que je les avais mises une fois.

— Tu sais ce qui s'est passé ? a demandé maman.

C'était la première fois qu'elle m'interrogeait.

— Non, mais je pense que je le saurai bientôt.

Du bout des doigts, elle a caressé un pétale d'une clématite précoce.

— Elle aurait aimé cette fleur.

Elle s'est tue brusquement après ça, en proie à une douleur qui semblait insupportable. J'ai enroulé un bras autour d'elle, mais elle était murée dans sa souffrance, hors d'atteinte, et je n'ai pu que la tenir ainsi jusqu'à ce qu'elle se tourne vers moi.

— Elle a dû avoir tellement peur. Et moi je n'étais pas là…

— C'était une adulte. Tu ne pouvais pas être tout le temps avec elle.

Ses larmes ont été comme un cri mouillé.

— J'aurais dû être là.

Je me suis souvenue des fois où j'avais eu peur lorsque j'étais petite, et du bruissement de sa robe de chambre dans le noir, et du parfum de sa crème pour le visage, et de la façon dont ce bruit et cette odeur bannissaient mes craintes, et j'ai regretté moi aussi qu'elle n'ait pas été là pour toi.

— Elle n'a rien senti, je te le promets. Rien du tout, ai-je dit en essayant de paraître convaincante. Il a versé un sédatif dans son verre, ce qui fait qu'elle s'est sans doute endormie. Elle n'a pas pu avoir peur. Elle est morte paisiblement.

Comme toi, j'avais appris à placer l'amour avant la vérité.

Nous avons continué à avancer dans la serre en regardant les plantes, et maman a semblé un peu apaisée à leur vue.

— Si tu découvres bientôt ce qui lui est arrivé, tu ne vas pas rester longtemps à Londres, j'imagine, a-t-elle déclaré.

J'ai été blessée qu'elle me croie capable de repartir après tout ça.

— Non, je compte m'installer ici pour de bon. Amias m'a dit que je pouvais continuer à louer l'appartement pour trois fois rien.

Ma décision n'était pas totalement désintéressée. Je voulais entamer des études d'architecture. En fait, il est inutile que j'emploie le passé parce que c'est toujours ce que j'ai l'intention de faire quand le procès sera terminé. Je ne suis pas sûre d'être acceptée et j'ignore comment je vais financer ma formation tout en veillant sur Kasia et son bébé, mais je compte bien essayer. Je suis persuadée que mon cerveau de mathématicienne, avec son obsession du détail, n'aura aucun mal avec ce qui touche à la construction proprement dite. Pour le reste, je chercherai en moi un peu de ta créativité. Qui sait ? Peut-être dort-elle quelque part, comme un code non déchiffré du talent artistique, bien enveloppé dans un chromosome enroulé sur lui-même et attendant que les conditions soient réunies pour naître à la vie.

Mon téléphone a émis un bip. William m'avait envoyé un texto pour demander à me voir de toute urgence. Je lui ai indiqué l'adresse de l'appartement en retour, le cœur battant si fort que j'en avais la nausée.

— Il faut que tu y ailles ?

— Dans pas longtemps, oui. Je suis désolée.

Elle m'a caressé les cheveux.

— Tu ne les as toujours pas fait couper.

— Eh non.

Elle m'a souri.

— Tu lui ressembles tellement.

22

Quand je suis arrivée à l'appartement, William m'attendait au bas des marches. Il a levé la tête vers moi, le teint pâle, sa mine d'ordinaire joviale crispée par l'angoisse.

— J'ai trouvé qui est responsable des essais de thérapie génique à l'hôpital St Anne, m'a-t-il annoncé d'un ton pressé. Je peux entrer ? Il vaut mieux ne pas…

J'ai ouvert la porte et il m'a suivie à l'intérieur. Un moment s'est écoulé avant qu'il ne parle. Le tic-tac de l'horloge a résonné deux fois dans le silence.

— C'est Hugo Nichols.

Sans me laisser le temps de l'interroger, il a continué d'une voix où perçait toujours l'urgence :

— Je ne comprends pas. Pourquoi a-t-il sélectionné des bébés qui n'étaient pas malades ? Qu'est-ce qu'il fabrique ? C'est inconcevable.

— Les essais pratiqués à St Anne ont été détournés, ai-je dit. Pour tester un autre gène.

— Mon Dieu, comment l'avez-vous découvert ?

— Grâce au professeur Rosen.
— Il va alerter la police ?
— Non.
Un nouveau silence s'est installé.
— Ce sera à moi de dénoncer Hugo, alors, a-t-il enfin déclaré. J'avais espéré que quelqu'un d'autre le ferait.
— Ce n'est pas comme si on mentait, non ?
— Non, bien sûr. Je suis désolé.
Cette révélation ne faisait pourtant aucun sens à mes yeux.
— Pourquoi un psychiatre est-il en charge d'une série d'essais de thérapie génique ?
— Il a été chercheur à l'Imperial College. Avant de devenir médecin hospitalier. Je vous l'avais expliqué, je crois.
J'ai hoché la tête.
— Ses recherches portaient sur la génétique.
— Vous ne l'aviez pas précisé, ça.
— Je n'aurais jamais pensé… Mon Dieu, je n'aurais jamais pu imaginer que ça avait de l'importance.
— Je m'excuse, ma remarque était injuste.
Il m'avait dit en effet que le docteur Nichols avait la réputation d'avoir été un étudiant brillant, destiné à de grandes choses, mais je n'avais pas prêté foi à cette rumeur, préférant me fier à ma propre conviction que le psychiatre était juste désespérément incompétent. À bien y réfléchir, pourtant, je ne l'avais pas tant écarté de ma liste de suspects parce que je voyais en lui un tocard incapable du moindre geste violent, ni même parce qu'il n'avait a priori aucun mobile, mais parce que j'étais persuadée au plus profond de moi que c'était quelqu'un de bien.

William s'est assis, les traits tirés, ses mains tambourinant sur les bras du canapé.

— J'ai discuté de ses travaux de recherche avec lui, un jour, il y a des années de ça. Il m'a parlé d'un gène qu'il avait découvert et d'une société qui le lui avait acheté.

— Vous vous rappelez quelle société ?

— Non. Je ne suis même pas certain qu'il m'ait précisé son nom. C'était il y a longtemps. Mais je me souviens d'une partie de ses propos parce qu'il s'était emballé et que ça ne lui ressemble pas du tout.

Il s'est relevé pour arpenter la pièce avec des mouvements saccadés et furieux.

— Il m'a avoué que sa grande ambition dans la vie était de transplanter ce gène chez l'être humain. Non, en fait, il a dit que c'était son « but suprême ». Il voulait marquer le futur de son empreinte.

— Marquer le futur de son empreinte ? ai-je répété, écœurée, en songeant à ton propre avenir qui t'avait été arraché à coups de couteau.

William a cru que je n'avais pas compris.

— En clair, il voulait introduire son gène dans les cellules reproductrices afin qu'il soit ensuite transmis de génération en génération. Il espérait « améliorer l'être humain ». Mais si les tests sur les animaux se sont bien déroulés, il n'a pas eu l'autorisation d'aller plus loin. On lui a expliqué qu'il s'agissait d'une tentative d'amélioration génétique et que c'était illégal sur les humains.

— Sur quoi influait son gène ?

— Selon lui, il améliorait le QI.

William a ajouté qu'il n'avait pas pris les affirmations de Nichols au sérieux parce que ç'aurait été un exploit extraordinaire et stupéfiant, et puis il était si jeune, et puis quelque chose d'autre encore, mais je ne l'écoutais plus vraiment. À la place, je me suis rappelé ma visite chez Gene-Med.

On y mesurait le QI par la peur.

— J'ai supposé qu'il avait inventé la majeure partie de cette histoire, a dit William. Ou du moins qu'il l'avait beaucoup embellie. C'est vrai, si ses travaux étaient aussi fabuleux, pourquoi les avoir abandonnés au profit de la vie monotone d'un médecin en milieu hospitalier ? Mais il a dû choisir cette voie délibérément. Il a attendu tout ce temps d'avoir l'occasion de tester son gène sur les humains.

Je suis sortie dans le jardin, comme si j'avais eu besoin de plus d'espace pour assimiler l'énormité de ces faits. Pour autant, je n'avais pas envie de rester seule avec eux, et j'ai été contente quand William m'a rejointe.

— Il a dû détruire le dossier de Tess, a-t-il dit. Après, il a dissimulé la vraie cause du décès des bébés afin qu'on ne puisse faire aucun lien avec les tests. Et, d'une manière ou d'une autre, il a réussi à s'en sortir. Merde, j'ai l'impression de parler comme… je ne sais pas… comme quelqu'un d'autre, un présentateur à la télé… C'est de Hugo qu'il s'agit ! Un homme que je pensais connaître. Que j'appréciais.

J'utilisais le même langage étranger depuis que ton corps avait été découvert. Je mesurais moi aussi combien notre vocabulaire habituel pouvait parfois se révéler impuissant à décrire ce qui nous arrivait.

J'ai contemplé le petit carré de terre où maman et moi avions décidé de planter la clématite à floraison hivernale que nous t'avions achetée.

— Quelqu'un d'autre a dû l'aider, non ? Il n'a pas pu être avec Tess quand elle a accouché.

— Tous les médecins font six mois d'obstétrique dans le cadre de leur formation. Hugo sait comment mettre un bébé au monde.

— Et personne n'aurait rien remarqué ? Un psychiatre qui assure un accouchement, ça doit bien…

— La salle de travail est pleine de monde et nous souffrons d'un cruel manque de personnel. Quand vous voyez une blouse blanche, vous êtes juste soulagé et vous passez à l'urgence suivante. Beaucoup de médecins sont remplaçants et soixante pour cent de nos sages-femmes bossent en intérim, si bien qu'elles ne savent pas qui est qui.

Il s'est tourné vers moi, l'air dur et angoissé.

— Et il portait un masque, Bea, vous vous souvenez ?

— Mais quelqu'un…

— On est tous si débordés, m'a-t-il interrompue en me prenant la main. On se fait mutuellement confiance parce que c'est trop épuisant et trop compliqué d'agir autrement, et on est assez naïfs pour croire que nos collègues sont là pour la même raison que nous – soigner les gens et essayer de les guérir.

Le corps tendu et les mains serrées autour des miennes, il a ajouté :

— Il m'a berné, moi aussi. Je le prenais pour un ami.

Malgré la chaleur du soleil et la couverture en laine, je frissonne.

— J'ai compris que Nichols occupait une position idéale depuis le début. Qui mieux qu'un psychiatre pouvait faire sombrer une personne dans la folie ? Ou la pousser au suicide ? Et il n'y avait personne pour confirmer ce que Tess et lui s'étaient dit lors de leur entretien.

— Vous avez pensé qu'il avait essayé de pousser Tess au suicide ?

— Oui. Et qu'il l'avait assassinée après avoir constaté que ses efforts ne menaient à rien – et pourtant, il lui avait infligé une torture mentale qui relevait du plus pur sadisme.

Pas étonnant qu'il se soit reproché avec tant de force d'avoir commis une erreur de diagnostic, me suis-je dit. Perdre la face sur le plan professionnel n'était pas cher payé comparé à ce que lui aurait coûté un meurtre.

M. Wright jette un œil sur une note qu'il a prise il y a un moment déjà.

— Vous aviez cependant écarté le docteur Nichols de la liste de ceux qui auraient pu faire écouter les berceuses à Tess.

— En effet. Je ne voyais pas quel aurait pu être son mobile. Et je le jugeais incompétent, certes, mais aussi assez honnête pour reconnaître qu'il avait fait une grave erreur.

Parce que je frissonne toujours, M. Wright ôte sa veste et la pose sur mes épaules.

— J'ai supposé que Tess avait découvert la vérité et que c'était pour ça qu'il l'avait tuée. Tout concordait.

« Tout concordait. » L'expression sonne si bien, comme une pièce de puzzle qui aurait complété l'image de façon satisfaisante, plutôt que comme une pièce de métal qui en aurait écrasé une autre en faisant gicler du sang couleur rouille sur le sol.

Nous sommes restés dans ton petit jardin sans dire un mot. Sur les brindilles autrefois mortes de tes plantes, les pousses vertes s'étaient allongées de quelques bons centimètres. De minuscules bourgeons apparaissaient à présent, avec en eux les fleurs de l'été à venir. Tout vivait et croissait.

— Nous ferions mieux de prévenir la police, a déclaré William. Je m'en charge ou vous préférez le faire vous-même ?

— Vous serez plus crédible. Vous au moins, on ne vous reprochera pas de crier au loup ou d'être hystérique.

— D'accord. Qui dois-je appeler ?

— Le capitaine Haines. Si vous n'arrivez pas à le joindre, demandez qu'on vous passe le lieutenant Finborough.

— Ça ne va pas être une partie de plaisir, a-t-il dit en prenant son portable.

Il a composé le numéro que je lui indiquais et a demandé à parler au capitaine Haines.

Pendant qu'il lui racontait tout ce qu'il venait de m'apprendre, j'ai eu envie de hurler après le docteur Nichols. Je voulais le frapper, lui donner coup sur coup. Je voulais le tuer, même, et cette sensation était étrangement libératrice. Enfin ma fureur avait un objet et c'était un soulagement de pouvoir la laisser s'exprimer.

William a raccroché.

— Il veut qu'on vienne au poste de police, mais seulement dans une heure pour qu'il ait le temps de réunir les grosses huiles.

— Dites plutôt qu'il veut que vous, vous veniez.

— Je suis désolé, Bea. J'arrive à la dernière minute. Comme les Américains à la fin de la guerre.

— Mais il faut reconnaître que c'est grâce à eux qu'on a gagné.

— Je pense qu'on devrait y aller tous les deux. Et je suis ravi qu'on ait quelques minutes rien qu'à nous avant.

Il a tendu la main vers mon visage et a repoussé doucement une mèche de cheveux qui me tombait dans les yeux.

Puis il m'a embrassée.

J'ai hésité. Pouvais-je descendre de ma montagne – ou de cette corde raide qu'était ma moralité et dont tu te moquais gentiment ?

Je suis rentrée dans l'appartement.

Quand il m'a suivie, je me suis retournée vers lui pour l'embrasser, saisissant ce moment de toutes mes forces et le savourant pleinement. Qui savait après tout quand il me serait enlevé ? Si ta mort m'a bien appris une chose, c'est que la vie est trop précieuse pour qu'on la gaspille. J'ai enfin compris le sacrement de l'instant présent. Il représente tout ce que nous avons.

William m'a déshabillée et je me suis dépouillée de mon ancien moi. Je me suis entièrement mise à nu. Son alliance ne pendait plus autour de son cou, et lorsque ma peau fraîche a senti sa chaleur, toutes mes cordes de sécurité sont tombées.

M. Wright sort une bouteille de vin d'un sac en plastique et deux gobelets pris au distributeur d'eau du CPS. C'est bien lui, d'être si attentionné et organisé. Je vide mon verre d'un trait, ce qui n'est probablement pas très avisé, mais il ne fait aucun commentaire – de même qu'il n'en a fait aucun quand je lui ai avoué avoir couché avec William. Je ne l'en apprécie que davantage.

Nous sommes restés allongés sur ton lit, sous les rayons du soleil bas qui entraient par la fenêtre. Appuyée contre William, j'ai bu le thé qu'il m'avait préparé en essayant de le faire durer le plus longtemps possible. Je sentais encore la chaleur de sa peau sur la mienne et je savais qu'il nous faudrait tôt ou tard nous lever pour retrouver le monde extérieur. Cela m'a fait penser au poète Donne, qui reprochait à cet imbécile de soleil d'obliger les amants à se séparer au matin, et je me suis étonnée de voir que ce poème s'appliquait désormais à moi.

Le vin m'a un peu ranimée et réchauffée.

— William est allé dans la salle de bains et a examiné le contenu de l'armoire à pharmacie. Il a remarqué un flacon de comprimés avec une étiquette de l'hôpital collée dessus. C'était le PCP. Il se trouvait là depuis le début. William m'a expliqué que de nombreuses drogues étaient prescrites tout à fait légalement par les médecins pour des raisons thérapeutiques.

— L'étiquette indiquait-elle le nom du médecin prescripteur ?

— Non, mais il a dit que la police pourrait facilement remonter jusqu'au docteur Nichols en consultant les fichiers informatiques de la pharmacie de l'hôpital. Je me suis sentie tellement stupide. J'avais cru qu'une substance interdite était forcément cachée, pas exposée à tous les regards. Le PCP était en fait là depuis le début.

Désolée, je commence à me répéter. J'ai du mal à me concentrer.

— Et ensuite ?

Nous sommes presque à la fin, alors je rassemble mes dernières forces pour continuer.

— Nous avons quitté l'appartement ensemble. William avait laissé son vélo attaché à une grille de l'autre côté de la rue, mais on le lui avait volé. Il ne restait que la chaîne, abandonnée par terre. Il l'a ramassée en plaisantant sur le fait qu'il pourrait aussi porter plainte au commissariat tant qu'il y était.

Nous avons décidé de traverser Hyde Park pour rejoindre le poste de police au lieu de passer par la rue. Apercevant un petit fleuriste à l'entrée du parc, William a suggéré de déposer un bouquet près de l'endroit où tu étais morte.

Pendant qu'il allait en acheter un, j'ai envoyé un court texto à Kasia. Juste deux mots : « *Odcisk palca* ». Elle comprendrait que je laissais enfin mon empreinte d'amour, j'en étais sûre.

William est revenu avec deux bouquets de jonquilles.

— Tu m'as dit que c'étaient les fleurs préférées de Tess. Parce que leur couleur jaune permet à des enfants de ne pas perdre la vue.

J'étais ravie et surprise qu'il s'en soit souvenu.

Il a enroulé un bras autour de mes épaules et, tandis que nous avancions ainsi enlacés, je t'ai entendue me taquiner. Oui, j'étais une grosse hypocrite. À vrai dire, je savais que cette liaison ne durerait pas et que William resterait marié. Mais je savais aussi que je n'en sortirais pas brisée. Sans aller jusqu'à être fière de moi, je me suis sentie libérée. L'espoir bourgeonnait en moi et j'ai décidé de le laisser pousser. Parce que j'avais découvert ce qui t'était arrivé, je pouvais aller de l'avant et imaginer un avenir sans toi. Je me suis revue dans ce même parc, presque deux mois plus tôt, quand je m'étais assise par terre dans la neige et que je t'avais pleurée au milieu des arbres dénudés et sans vie. À présent, il y avait des jeux de ballon, des rires, des pique-niques et des feuilles. C'était le même endroit, mais le paysage était métamorphosé.

Lorsque nous avons atteint le bâtiment des toilettes, j'ai ôté le papier qui enveloppait les jonquilles pour qu'elles aient l'air d'avoir été cueillies à la maison. Mais alors que je les posais devant la porte, un souvenir – ou plutôt une absence de souvenir – s'est frayé un chemin jusqu'à ma conscience sans y avoir été invité.

— Je ne t'ai jamais dit qu'elle aimait les jonquilles. Ni pourquoi elle les aimait.

— Bien sûr que si. C'est pour ça que je les ai choisies.

— Non. J'en ai parlé à Amias. Et à maman aussi. Mais pas à toi.

En fait, je lui avais confié très peu de chose à ton sujet – et sur moi aussi.

— Tess a dû le faire, alors.

Il s'est avancé vers moi.

— Bea…

— Arrête de m'appeler comme ça, ai-je dit en reculant.

Il s'est approché plus près et m'a poussée sans ménagement à l'intérieur des toilettes.

— Il a refermé la porte derrière nous et a appuyé un couteau contre ma gorge.

Je m'interromps, tremblante sous le coup de l'adrénaline. Oui, il avait feint d'appeler le capitaine Haines. Il en avait probablement eu l'idée en regardant l'une des séries télé qui passent en continu dans les chambres de l'hôpital – c'était le cas quand Leo y était. Peut-être a-t-il agi par pur désespoir. Et peut-être étais-je trop distraite pour remarquer quoi que ce soit. M. Wright a la gentillesse en tout cas de ne pas souligner ma ridicule crédulité.

Les adolescents ont cessé de jouer au foot pour écouter de la musique à plein volume et les employés de bureau qui pique-niquaient là un peu plus tôt ont été remplacés par des mères dont les enfants en bas âge font retentir en alternance des cris de joie aigus et des pleurs retentissants. Tout est si plein de vie. J'aimerais que les enfants fassent plus de bruit encore, que leurs rires résonnent davantage, que les adolescents montent le son de la musique au maximum. J'aimerais que le parc soit si bondé qu'on puisse à peine s'asseoir dans l'herbe. Et j'aimerais que le soleil soit éblouissant.

Il a refermé la porte du bâtiment et s'est servi de la chaîne de son vélo pour la bloquer. Il n'y avait jamais eu de vélo, n'est-ce pas ? Les fenêtres sales aux carreaux fêlés filtraient la lumière du jour, la salissant à son tour et jetant sur nous le voile lugubre d'un cauchemar. Les bruits du parc au-dehors – les rires et les pleurs des enfants, la musique diffusée par un lecteur CD – étaient étouffés par les briques humides des murs. Oui, c'est troublant comme cette journée ressemble à celle que je vis aujourd'hui en compagnie de M. Wright, mais peut-être que les bruits d'un parc ne changent pas de jour en jour, ou sinon très peu. Et là aussi, dans ce bâtiment froid et sordide, j'aurais voulu que les enfants crient plus fort, que leurs rires soient plus sonores, que la musique soit montée au maximum. Peut-être parce que, si je les avais entendus, il y aurait eu une chance pour qu'ils distinguent mes cris. Mais non, ce ne pouvait pas être ça, la raison. Je savais que si je hurlais, il me réduirait au silence avec son couteau. Je devais tout simplement vouloir entendre l'écho réconfortant de la vie résonner autour de moi au moment de mourir.

— C'est toi qui l'as tuée ? ai-je demandé.

Si j'avais été sensée, je lui aurais peut-être offert une échappatoire en faisant semblant de croire qu'il m'avait poussée à l'intérieur pour une partie de jambes en l'air sadique. À présent que je l'avais accusé, il était difficile d'imaginer qu'il me libère. Mais il ne l'aurait jamais fait de toute façon. Quoi que je dise et quoi que je fasse. Des pensées ont défilé à toute vitesse dans mon crâne. Il fallait se lier d'amitié avec son ravisseur (d'où tirais-je une telle information? Et pourquoi quelqu'un s'était-il dit un jour que le grand public aurait besoin de savoir ça?) Si remarquable que cela soit pourtant, je m'en suis souvenue, mais je ne pouvais pas me lier d'amitié avec lui parce qu'il avait été mon amant et que plus rien n'était possible entre nous.

— Je ne suis pas responsable de la mort de Tess.

Durant un moment, j'ai cru que c'était vrai. Que je m'étais trompée sur lui. Que tout allait se passer comme je l'avais prévu. Nous irions au poste de police et le docteur Nichols serait arrêté. Mais on ne peut se bercer d'illusions quand on a un couteau et une chaîne en face de soi.

— Je n'ai pas voulu que ça arrive. Je ne l'avais pas programmé. Je suis médecin, bon sang. Je n'étais pas destiné à tuer qui que ce soit. Tu imagines ce que je ressens? Je vis un enfer!

— Alors ne recommence pas avec moi. S'il te plaît.

Il n'a rien répondu. La peur s'est immiscée en moi, hérissant les milliers de petits poils de ma peau et les dressant au garde-à-vous pour m'offrir une protection dérisoire.

— Tu étais son médecin?

Il fallait que je le fasse parler, pas parce que je pensais que quelqu'un était en route pour me secourir, mais parce qu'un peu plus de temps à vivre, même dans ce bâtiment, même avec cet homme, cela représentait quelque chose de précieux.

Et aussi parce que j'avais besoin de savoir.

— Oui, je l'ai suivie durant toute sa grossesse.

Tu n'avais jamais mentionné son nom. Il n'était que « le médecin », et je n'avais pas posé de questions, trop occupée que j'étais à gérer trente-six tâches à la fois.

— On s'entendait bien, a-t-il ajouté. On s'appréciait. J'ai toujours été gentil avec elle.

— C'est toi qui l'as accouchée ?

— Oui.

J'ai songé à l'homme masqué de tes tableaux cauchemardesques, cette silhouette sombre et menaçante tapie dans l'ombre.

— Elle a été soulagée de me voir dans le parc, ce jour-là, a-t-il continué. Elle m'a souri. Je…

— Mais elle avait peur de toi.

— De l'homme qui l'avait aidée à mettre Xavier au monde, oui. Pas de moi.

— Elle a dû savoir que c'était toi, non ? Même avec un masque, elle a sûrement reconnu ta voix. Si tu l'avais suivie durant toute sa grossesse…

Il n'a pas répondu. Je n'avais pas imaginé qu'il puisse m'écœurer plus qu'il ne l'avait déjà fait.

— Tu ne lui as pas parlé, c'est ça ? Pendant qu'elle avait ses contractions. Quand elle a accouché. Et même quand son bébé est mort. Tu ne lui as pas dit un mot.

— Je suis revenu la consoler vingt minutes après environ. Je te le répète : j'ai toujours été gentil avec elle.

Il avait ôté son masque à ce moment-là et changé de personnalité afin de redevenir l'homme attentif pour lequel tu le prenais. L'homme pour lequel moi aussi je l'avais pris.

— J'ai proposé d'appeler quelqu'un pour elle et elle m'a donné ton numéro.

Tu as cru que j'étais au courant. Pendant tout ce temps, tu as cru que j'étais au courant.

M. Wright me dévisage avec un air soucieux.

— Vous avez l'air éteinte.

— Je sais.

C'est bien ainsi que je me sens, du reste. Je pense à cette expression, « tous feux éteints », et je me dis qu'elle me convient à merveille. Je suis une personne éteinte dans un monde lumineux qui me rend invisible.

Dehors, j'entendais les gens dans le soleil éclatant de l'après-midi, mais j'étais invisible à leurs yeux. William, qui avait ôté sa cravate, s'en est servi pour me ligoter les mains dans le dos.

— Tu l'as appelée Tess la première fois que je t'ai rencontré.

Je continuais à le faire parler, c'était la seule façon de rester en vie. Et j'avais toujours besoin d'en savoir plus.

— Oui, j'ai fait une bourde stupide. Ça montre bien que je ne suis pas doué pour mentir et jouer la comédie, hein ?

Si, il était doué. Il me manipulait depuis le début, orientant les conversations à sa guise et évitant subtilement les questions. De l'instant où je lui avais demandé ton dossier jusqu'à ce que je l'interroge sur la personne qui dirigeait les essais de thérapie génique à St Anne, il avait veillé à ce que je ne dispose d'aucune information véridique. Il s'était même inventé une excuse au cas où je ne l'aurais pas trouvé convaincant.

— *Merde, j'ai l'impression de parler comme... je ne sais pas... comme quelqu'un d'autre, un présentateur à la télé...*

Parce que c'était bien un présentateur télé qu'il imitait.

— Je n'ai pas prévu ça, a-t-il insisté. Un crétin a jeté une pierre contre sa fenêtre, je n'ai rien à voir là-dedans ! Elle a cru que c'était elle qui était visée.

Il s'employait à présent à m'attacher les jambes avec une grosse ficelle.

— Les berceuses ?

— Je paniquais, j'ai fait le premier truc qui me venait à l'esprit. J'ai pris le CD dans la salle du service postnatal et je l'ai rapporté chez moi sans savoir vraiment ce que je faisais. Je n'ai pas réfléchi. Je n'ai pas pensé un seul instant qu'elle les enregistrerait. Qui a encore des répondeurs à bande magnétique ? Tout le monde a une boîte vocale fournie par son opérateur téléphonique, aujourd'hui !

Il passait sans transition des broutilles de la vie quotidienne à l'horreur incommensurable d'un meurtre. L'énormité de son geste se trouvait piégée dans de petits détails domestiques.

— Tu te doutais que les tests subis par Mitch ne serviraient à rien parce que personne ne croirait jamais Kasia, ai-je dit.

— Au pire, tu aurais confié les résultats à la police et tu te serais ridiculisée.

— Tu l'as juste fait pour gagner ma confiance, c'est ça ?

— Tu t'obstinais dans tes recherches. C'est toi qui m'as forcé à agir. Tu ne m'as pas laissé le choix.

En réalité, je lui avais fait confiance avant qu'il ne me montre les résultats d'analyse de Mitch. Bien avant, même. Et mon insécurité l'avait aidé. Au lieu de le suspecter sérieusement du meurtre, j'avais supposé que mes réserves à son égard s'expliquaient par mon angoisse habituelle devant les hommes séduisants et je l'avais rayé de ma liste de coupables potentiels. Il a été le seul que j'ai jugé en fonction de moi, sans penser à toi.

Mais je méditais depuis trop longtemps. Je ne pouvais pas laisser le silence s'installer entre nous.

— C'est toi, et pas le docteur Nichols, qui a découvert le gène, hein ?

— Oui. Hugo est un brave type, mais il est tout sauf brillant.

Son récit sur le psychiatre avait été une fanfaronnade au moins autant qu'un mensonge. J'ai compris qu'il s'était efforcé très tôt de piéger Nichols en le faisant peu à peu apparaître suspect. Tout cela avait été anticipé très longtemps à l'avance, avec un esprit particulièrement retors.

— L'Imperial College et leur comité éthique à la noix refusaient d'autoriser des tests sur les êtres humains, a-t-il repris. Ils n'avaient aucune vision – ou aucun cran. Imagine pourtant, un gène qui augmente le QI ! Tu vois ce que ça veut dire ? Et puis Gene-Med m'a contacté. Ma seule exigence a été de pouvoir procéder à ces tests.

— Ce qu'ils ont accepté.

— Non, ils ont menti. Ils m'ont laissé tomber…

— Tu as avalé ça ? Les directeurs de Gene-Med ne sont pas des imbéciles. J'ai lu leurs CV et ils sont certainement assez futés pour souhaiter que quelqu'un fasse ce boulot à leur place. Histoire que la personne porte le chapeau en cas de pépin.

Il a secoué la tête, mais j'ai vu qu'il avait mordu à l'hameçon. Une avenue s'ouvrait devant moi et je m'y suis précipitée.

— L'amélioration génétique représente l'avenir, n'est-ce pas ? Dès qu'elle deviendra légale, il y aura des fortunes colossales à réaliser dans ce domaine. Et Gene-Med veut avoir une longueur d'avance sur les autres et être prêt quand le moment sera venu.

— Ils ne peuvent pas être au courant.

— Ils t'ont manipulé, William.

Mais je m'y prenais mal. J'avais trop peur pour me montrer aussi habile et doucereuse qu'il l'aurait fallu. Au bout du compte, j'avais juste froissé son ego et attisé sa colère. Alors qu'il avait tenu son couteau presque avec désinvolture jusque-là, il a resserré sa prise sur le manche.

— Parle-moi des essais. Que s'est-il passé ?

Les jointures de ses doigts ont perdu leur couleur blanche, signe qu'il n'était plus aussi crispé. Dans son autre main, il avait une lampe-torche. Il était venu équipé : un couteau, une lampe et une chaîne de vélo. Une parodie grotesque de la panoplie d'un scout. Je me suis demandé ce qu'il avait emporté d'autre.

M. Wright me prend la main et, une fois encore, je suis submergée par la gratitude. Je ne repousse plus de telles marques de gentillesse maintenant.

— Il m'a dit que, chez les humains, le gène de l'intelligence codait pour deux choses totalement différentes. Il affecte non seulement la mémoire, mais aussi les fonctions pulmonaires. En clair, les bébés sont incapables de respirer à la naissance.

Je suis désolée, Tess.

— Il m'a dit aussi que si on les intubait tout de suite, si on les aidait à respirer pendant un moment, ils pouvaient s'en sortir. Ils pouvaient vivre.

Il m'a fait allonger par terre, sur le côté gauche. Le froid humide du béton s'est infiltré en moi. J'ai essayé de bouger, mais j'avais les membres engourdis. Il avait dû mettre une drogue dans mon thé. Il ne me restait plus que les mots pour survivre.

— Mais tu ne les as pas aidés ? Xavier. Et le bébé de Hattie.

— Ce n'était pas ma faute. Il s'agit d'une affection très rare des poumons et quelqu'un aurait posé des questions. J'avais juste besoin d'être seul. Là, il n'y aurait eu aucun problème. Ce sont les autres qui m'ont gêné. Ils étaient trop nombreux autour de moi et ne me laissaient pas assez d'espace.

— Donc, tu as menti sur la cause véritable des décès ?

— Je ne pouvais pas prendre le risque d'éveiller l'attention.

— Et moi ? Tu comptes faire croire à mon suicide comme tu as fait croire à celui de Tess ? Tu voudrais utiliser la même mise en scène ? La police ne marchera pas deux fois de suite.

— Une mise en scène ? À t'entendre, on dirait que j'ai tout planifié. Je n'ai rien prévu de tout ça, je te le répète. Tu le vois bien à mes erreurs, non ? Mes travaux de recherche et mes essais ont été programmés avec soin, mais pas ça. J'ai été obligé de le faire. J'ai même payé ces filles, sans penser que ça paraîtrait bizarre. Et je n'aurais jamais imaginé qu'elles se parleraient.

— Pourquoi leur avoir donné de l'argent ?

— Par bonté, c'est tout. Je voulais m'assurer qu'elles avaient un régime alimentaire décent pour que les fœtus se développent dans les meilleures conditions. Elles étaient censées acheter de la nourriture, pas de la layette !

Je n'ai pas osé lui demander s'il y en avait eu d'autres, ni combien. Je ne voulais pas mourir en connaissant la réponse. Mais il me restait d'autres points à éclaircir.

— Pourquoi as-tu choisi Tess ? Parce qu'elle était célibataire ? Pauvre ?

— Et catholique. Les mères catholiques sont bien moins susceptibles que les autres d'avorter quand elles apprennent que leur bébé a un problème.

— Hattie est catholique ?

— Des millions de Philippins le sont. Hattie Sim l'a mentionné dans son questionnaire médical. Note qu'elle n'a pas mis le nom du père, juste sa religion.

— Est-ce que son bébé avait la mucoviscidose ?

— Oui. Chaque fois que je le pouvais, j'ai traité les bébés qui étaient atteints de cette maladie et j'ai testé mon gène par la même occasion. Mais il n'y en avait pas assez qui remplissaient tous les critères.

— Comme Xavier ?

Il a gardé le silence.

— Tess a découvert la vérité, n'est-ce pas ? C'est pour ça que tu l'as tuée ?

Il a hésité, avant de me répondre d'un ton presque larmoyant. Je pense qu'il espérait sincèrement que je comprendrais.

— Il y a eu une autre conséquence imprévue. Mon gène est passé dans les ovaires des mères. Chacun de leurs œufs présente désormais la même modification génétique, et si ces femmes ont de nouveau un enfant, il aura le même problème respiratoire à la naissance. D'un simple point de vue logistique, je ne pouvais pas m'attendre à être là pour les accoucher les fois suivantes. Les gens déménagent, changent de ville. Quelqu'un aurait fini par deviner ce qui se passait. Voilà pourquoi Hattie a eu une hystérectomie. Mais avec Tess, tout est allé trop vite. La tête du bébé commençait déjà à sortir quand elle est arrivée à l'hôpital. Je n'ai pas eu le temps de lui faire une césarienne, et encore moins une hystérectomie d'urgence.

Tu n'avais rien découvert.

Il t'a tuée parce que ton corps était la preuve vivante de son crime.

Autour de nous, les gens quittent le parc, l'herbe vire du vert au gris et l'air fraîchit à mesure que l'après-midi tire à sa fin. J'ai si froid que c'en est douloureux. Je me concentre sur la main de M. Wright, qui tient toujours la mienne.

— Je l'ai interrogé sur ce qui l'avait poussé à faire une chose pareille, mais, quand j'ai suggéré l'argent, il a été furieux. D'après lui, sa motivation n'était pas l'avidité. Ce n'était rien d'impur. Il n'aurait jamais réussi à vendre un gène qui n'avait pas été testé légalement, de toute façon. Il ne visait pas la gloire non plus, puisqu'il ne pouvait pas publier le résultat de ses essais.

— Pour quelle raison, alors ? Il vous l'a avouée ?

— Oui.

Je vais te l'expliquer là, dans ce parc gris-vert, à l'air frais. Il est inutile de retourner dans ce bâtiment pour écouter William. Toi et moi n'en avons pas besoin.

— Il m'a dit que la science avait le pouvoir que revendiquait autrefois la religion, mais qu'il s'agissait cette fois d'un pouvoir réel et démontrable, pas de superstitions ni de clichés. Il a dit que les miracles ne se produisaient pas dans les églises du XVe siècle, mais dans les laboratoires de recherche et les hôpitaux. Il a dit que les morts étaient ramenés à la vie dans les unités de thérapie intensive, que les boiteux marchaient de nouveau après avoir reçu une prothèse de hanche, que les aveugles recouvraient la vue grâce à la chirurgie au laser. Il a dit que les dieux du troisième millénaire possédaient des pouvoirs dont on pouvait prouver la réalité, et que ces dieux étaient les scientifiques qui perfectionnent l'être humain. Il a dit que son gène entrerait un jour sans risque dans notre patrimoine génétique et que, en conséquence, ce que nous sommes serait amélioré à jamais.

C'était de l'orgueil à l'état brut, démesuré et choquant.

Il a braqué sa lampe torche sur moi, si bien que je ne l'ai plus distingué. J'essayais toujours de bouger, mais mon corps était trop drogué par le thé que j'avais bu pour obéir aux ordres que lui hurlait mon cerveau.

— Tu l'as suivie dans le parc ce jour-là ?

Je redoutais de l'entendre, mais je voulais savoir comment tu étais morte.

— Quand le garçon l'a quitté, elle s'est assise sur un banc et a commencé à écrire une lettre, sous la neige qui tombait. Stupéfiant, non ?

Il m'a regardée, attendant une réponse de ma part comme si nous avions bavardé tranquillement, et j'ai pris conscience que je serais la première et la dernière personne à qui il raconterait son histoire. Notre histoire.

— J'ai patienté un peu pour être sûr que le type ne revenait pas. Dix minutes, peut-être. Elle a été soulagée en me voyant. Je te l'ai dit, non ? Elle a souri. On s'entendait bien, tous les deux. J'avais apporté une Thermos de chocolat chaud et je lui en ai donné une tasse.

Le parc gris s'assombrit et se pare de teintes violettes et noires.

— Il m'a dit que le chocolat chaud contenait un sédatif. Après l'avoir droguée, il l'a traînée dans les toilettes.

Je suis épuisée, à bout de forces, et je peine à articuler. Mes mots se succèdent lentement, hideusement.

— Ensuite, il lui a tailladé les avant-bras.

Je vais te répéter ce qu'il a dit. Tu as le droit de savoir, même si cela sera pénible pour toi. Non, pénible n'est pas le mot qui convient. Le simple souvenir de sa voix me terrifie tellement que j'ai l'impression de redevenir une enfant de cinq ans, seule dans le noir, avec un meurtrier qui tambourine à la porte et personne pour me secourir.

« C'est facile pour un médecin de trancher les chairs. Sauf la première fois. La première fois, ça lui fait l'effet d'une violation. La peau, le plus grand organe humain, couvre le corps entier, et on s'attaque délibérément à elle. Mais après, ça ne nous pose plus de problème parce qu'on sait que c'est pour permettre un acte chirurgical. Trancher les chairs n'apparaît plus du tout comme un geste brutal ou une violation, mais comme une étape nécessaire vers la guérison. »

M. Wright me presse la main.

Je ne sens plus mes jambes.

J'entendais mon cœur battre vite et fort contre le béton. C'était la seule partie de mon corps à demeurer bien alerte pendant que je dévisageais William. Et puis, chose étonnante, je l'ai vu ranger son couteau dans la poche intérieure de sa veste.

L'optimisme a réchauffé mes membres engourdis.

Il m'a aidée à m'asseoir.

Il a dit qu'il n'allait pas me trancher les veines parce qu'une overdose éveillerait moins les soupçons.

Je suis incapable d'employer les mêmes mots que lui. Cela m'est tout simplement impossible.

Il a dit qu'il avait déjà versé assez de sédatif dans mon thé pour que je ne puisse pas lutter ni m'échapper. Et qu'il allait à présent me donner une dose fatale. Il m'a assuré que tout se passerait paisiblement, sans douleur, et la fausse douceur de ses paroles rendait celles-ci insupportables. C'était lui qu'il cherchait à réconforter, en réalité.

Il a dit qu'il avait apporté ses propres sédatifs, mais qu'il n'en aurait pas besoin.

Il a sorti un flacon de sa poche, les somnifères que Todd m'avait rapportés des États-Unis et que mon médecin m'avait prescrits. Il avait dû les trouver dans l'armoire à pharmacie. Comme la chaîne de vélo, la lampe torche et le couteau, le flacon prouvait qu'il avait tout planifié en détail, et j'ai compris pourquoi les meurtres prémédités étaient bien pires que les homicides involontaires. William avait eu l'esprit malfaisant bien plus longtemps qu'il n'était nécessaire pour me tuer.

La pénombre qui s'installe traîne dans son sillage la fraîcheur du soir. Les employés du parc ferment les grilles et les derniers adolescents remballent leurs affaires pour partir. Les enfants sont certainement déjà rentrés chez eux, en train de prendre leur bain avant de se coucher, mais M. Wright et moi ne bougeons pas. Nous n'avons pas encore fini. Pour je ne sais quelle raison, on ne nous a pas chassés. Peut-être que les gardiens ne nous ont pas remarqués. Tant mieux, parce qu'il faut que je continue. Il faut que je termine.

J'ai perdu toute sensation dans les jambes et j'ai peur que M. Wright ne soit obligé de me porter pour me sortir du parc. À moins qu'il ne fasse venir une ambulance jusqu'à nous.

Mais d'abord, je vais finir mon récit.

Je l'ai supplié. Toi aussi ? Je pense que oui. Comme moi, tu voulais désespérément rester en vie. Mais cela n'a pas marché, bien sûr. Il s'est énervé. Et lorsqu'il a dévissé le bouchon du flacon de somnifères, j'ai fait appel à mes dernières forces pour lui opposer des arguments logiques.

— Si on me découvre ici, au même endroit que Tess, la police trouvera ça bizarre. Elle va aussi s'interroger sur la mort de Tess. C'est de la folie de faire ça là.

Durant un instant, son agacement s'est estompé et il s'est immobilisé. J'avais arraché un répit dans ce jeu pervers qui consistait pour moi à gagner l'approbation du public – lui – pour ne pas être éliminée de la partie.

Puis il a souri, comme s'il avait voulu me rassurer autant que lui en me montrant qu'il n'y avait pas de quoi s'inquiéter.

— J'y ai pensé. Mais la police sait dans quel état t'a mise la mort de Tess. Ils te considèrent déjà comme un peu dérangée. Et même s'ils ne parviennent pas euxmêmes à cette conclusion, n'importe quel psychiatre leur dira que tu as choisi cet endroit pour te suicider. Tu voulais te tuer là où ta petite sœur était morte.

Il a débouché le flacon de somnifères.

— Après tout, qui serait assez cinglé pour mettre fin aux jours de deux personnes dans le même bâtiment ?

« Mettre fin aux jours de deux personnes. » Il transformait un meurtre brutal en quelque chose de passif. À croire qu'il s'agissait d'une euthanasie et non d'un assassinat.

Lorsqu'il a versé les somnifères dans sa main, je me suis demandé qui mettrait en doute la thèse de mon suicide et certifierait que j'étais saine d'esprit. Le docteur Nichols, à qui j'avais chanté la berceuse avec rage ? Même s'il ne m'avait pas trouvée suicidaire lors de notre dernière rencontre, il s'interrogerait certainement sur la fiabilité de son jugement, comme il l'avait fait avec toi, et se reprocherait de n'avoir pas vu les signes révélateurs. Le capitaine Haines ? Il me considérait déjà comme trop émotive et irrationnelle, et il était peu probable que le lieutenant Finborough arrive à le persuader du contraire – à supposer qu'il essaie de le faire. Todd estimait que j'étais « incapable d'accepter la réalité », et beaucoup partageaient son avis, bien qu'ils fussent trop gentils pour me l'avouer. Ils se diraient que, dans le chaos émotionnel qui avait suivi ta mort, j'étais devenue incohérente et dépressive, ce qui avait très bien pu me mener au suicide. La femme sensée et conventionnelle que j'avais été quelques mois plus tôt n'aurait jamais été retrouvée morte d'une overdose médicamenteuse dans un tel endroit. Ils se seraient posé des questions, alors. Mais pas avec la femme que j'étais désormais.

Et maman ? Je lui avais annoncé que j'étais sur le point de découvrir ce qui t'était arrivé et je savais qu'elle en informerait la police. Mais je savais aussi qu'on ne la croirait pas, ou du moins qu'on ne croirait pas ce que je lui avais dit. Au bout d'un moment, elle se laisserait convaincre. Parce qu'elle préférerait se sentir coupable de mon suicide plutôt que de penser que j'avais éprouvé un seul instant de peur. Et il était intolérable pour moi d'imaginer sa souffrance quand elle devrait porter mon deuil, sans personne pour la consoler.

William a glissé le flacon vide dans la poche de mon manteau. Puis il m'a dit que l'autopsie devrait montrer que j'avais avalé toutes les pilules d'un coup parce que cela suggérerait un acte volontaire. J'essaie de ne pas entendre sa voix, mais elle résonne à mes oreilles, refusant d'être réduite au silence.

— Qui peut contraindre quelqu'un à avaler des pilules contre sa volonté ?

Il a appuyé le couteau contre ma gorge. Dans le noir, j'ai senti le tranchant glacial du métal contre la chaleur de ma peau.

— Je ne suis pas comme ça. C'est un cauchemar, je ne me reconnais plus !

J'imagine qu'il espérait ma pitié.

Il a approché sa main de ma bouche. Le flacon était à moitié plein, ce qui signifiait qu'il restait au moins douze comprimés. La dose recommandée était d'un par tranche de vingt-quatre heures. La dépasser était dangereux – je l'avais lu sur l'étiquette. Douze comprimés suffiraient donc largement pour me tuer. Je me suis rappelé Todd lorsqu'il m'avait conseillé d'en prendre un. J'avais refusé parce qu'il fallait que je garde toutes mes facultés ; parce que je ne pouvais pas m'autoriser quelques heures d'oubli, quand bien même j'en mourais d'envie ; parce que je savais qu'un sédatif m'offrirait un répit lâche que je souhaiterais ensuite répéter à l'infini. Voilà à quoi j'ai pensé lorsque William a enfoncé les comprimés dans ma bouche et que ma langue a tenté en vain de l'en empêcher.

Ensuite, il a incliné une bouteille d'eau minérale contre mes lèvres et m'a ordonné d'avaler.

Il fait nuit maintenant, le paysage est plongé dans le noir. Je songe à toutes les créatures nocturnes qui sont de sortie à présent que les humains sont rentrés chez eux. Un conte pour enfants me revient à la mémoire, sur des ours en peluche qui jouent la nuit dans le parc. « Et voici l'ours numéro 3, qui glisse au bas de la colline »...

— Beatrice ?

M. Wright m'aide à poursuivre à force de questions et d'encouragements. Sa main tient toujours la mienne, mais je ne distingue presque plus son visage.

— J'ai réussi je ne sais comment à coincer les comprimés derrière mes dents, si bien que je n'en ai avalé qu'un, deux maximum. Mais les autres n'allaient pas tarder à se dissoudre dans ma salive et il m'était impossible de les recracher tant qu'il braquerait sa lampe sur moi.

— Et après ?

— Il a sorti une lettre de la poche intérieure de sa veste. Une lettre que Tess m'avait écrite. Ce devait être celle qu'elle a rédigée dans le parc juste avant de mourir.

Je m'interromps. Mes larmes s'écrasent sur l'herbe, ou peut-être sur M. Wright. Dans le noir, je ne vois rien.

— Il a éclairé la feuille afin de pouvoir me la lire. Cela signifiait qu'il ne me regardait plus et j'en ai profité pour pencher la tête vers mes genoux et recracher les comprimés. Ils sont tombés dans les plis de mon manteau sans faire de bruit.

Tu sais déjà ce que contenait cette lettre, mais c'était la voix de William que j'entendais, pas la tienne. C'était sa voix qui me parlait de ta peur, de ton désespoir, de ta douleur. C'était la voix de ton assassin qui me racontait que tu errais dans les rues et les parcs, trop terrorisée pour rester chez toi. Que tu hurlais sous le ciel noir hivernal contre un dieu auquel tu ne croyais plus, en lui demandant de te rendre ton enfant. Que tu voyais là un signe de ta folie aussi. C'était ton assassin qui me disait que tu ne comprenais pas pourquoi je n'étais pas venue, pourquoi je n'avais pas appelé ni répondu à tes coups de fil. Et c'était encore lui qui m'expliquait que, selon toi, il y avait sûrement une bonne raison à cela. Sa voix violait la confiance que tu me témoignais par ces mots. À la fin de ta lettre, pourtant, je t'ai entendue chuchoter à travers lui : *J'ai besoin de toi, là, maintenant. S'il te plaît, Bea.*

Alors, de même qu'en ce moment, les larmes ont picoté mon visage.

— Il a rangé la lettre dans sa poche, sans doute pour la détruire plus tard. Je me demande pourquoi il l'a gardée et pourquoi il me l'a lue.

Mais à mon avis, c'est parce que, comme moi avec M. Wright, il ne voulait pas être seul à se sentir coupable.

J'ai besoin de toi, là, maintenant. S'il te plaît, Bea.

Il a eu envie que j'éprouve le même sentiment de culpabilité que lui.

— Et ensuite ?

M. Wright doit maintenant me presser de continuer pour être sûr que je me souvienne de tout. Mais nous avons presque terminé.

— Il a éteint mon téléphone et l'a posé près de la porte, trop loin de moi pour que je puisse l'atteindre. Puis il a sorti un foulard qu'il avait dû prendre à l'appartement et il l'a noué autour de ma tête pour me bâillonner.

À cet instant, la panique m'a gagnée. Dans mon esprit transformé en une sorte d'autoroute géante, mes pensées filaient toutes en même temps, se heurtaient, reculaient, pare-chocs contre pare-chocs, sans pouvoir s'échapper, et j'ai cru que certaines y parviendraient si je hurlais, d'autres si je pleurais, et d'autres encore si quelqu'un me serrait dans ses bras. La plupart étaient des pensées primaires, physiques. J'ignorais qu'il n'en existait pas de plus puissantes et que cela expliquait pourquoi il est si cruel d'être bâillonné. Ce n'était pas parce que je ne pouvais pas crier à l'aide – qui m'entendrait dans un bâtiment vide, au milieu d'un parc désert ? –, mais parce que je ne pouvais pas hurler, sangloter ou gémir.

— Son bipeur a sonné. Il a appelé l'hôpital avec son portable et a dit qu'il arrivait tout de suite. Je suppose que ses collègues se seraient étonnés s'il n'avait pas répondu présent.

Je tente de reprendre mon souffle.

— Beatrice ?

— Je craignais que Kasia ait ressenti les premières contractions et qu'il parte l'accoucher.

La main de M. Wright me tient fermement dans le noir, et cela me rassure.

— Il a vérifié que le bâillon et mes liens étaient bien serrés et m'a dit qu'il reviendrait les ôter plus tard, afin que rien n'ait l'air bizarre quand je serais découverte. Il n'avait pas vu que j'avais recraché une bonne partie des comprimés, mais je me doutais que si j'étais toujours en vie à son retour, il se servirait du couteau cette fois.

— Si vous étiez toujours en vie ?

— Je ne savais pas combien de comprimés j'avais avalés, ni combien s'étaient dissous dans ma salive et si ça suffirait à me tuer.

Je lutte pour me concentrer sur la main de M. Wright.

— Il est parti. Quelques minutes plus tard, mon pager a sonné. Il n'était pas au courant que j'en avais un et ne l'avait pas éteint. J'ai essayé de me persuader que c'était Kasia qui voulait me dire quelque chose sans importance. Après tout, son accouchement n'était pas prévu avant trois semaines.

Oui, comme toi.

M. Wright caresse mes doigts, et sa gentillesse me donne envie de pleurer.

— Et ensuite ?

— Il avait emporté la lampe-torche. Je ne m'étais jamais retrouvée dans une telle obscurité.

J'étais seule dans le noir. Un noir total. Un noir fait de goudron.

Et ce noir sentait la pourriture et l'odeur putride de la peur. Il barbouillait ma figure, entrait dans ma bouche et mon nez. Je me noyais, et j'ai pensé à toi lors de vacances au bord de la mer sur l'île de Skye. Tu étais ressortie de l'eau, les joues rosies, en crachant et toussant.

— *Ce n'est rien ! J'ai juste avalé de l'eau de mer de travers !*

J'ai inspiré.

L'obscurité m'étouffait. Puis elle a bougé, telle une chose animée et monstrueuse qui emplissait le bâtiment et jaillissait dans la nuit au-dehors, sans ciel pour la contenir. J'avais l'impression qu'elle me traînait dans un néant de terreur infinie – loin de la lumière, de la vie, de l'amour, de l'espoir.

J'ai revu maman lorsqu'elle s'approchait de nos lits dans sa robe de chambre froufroutante, avec son parfum de crème pour le visage. Mais ce souvenir était enfermé à clé dans l'enfance et ne pouvait illuminer les ténèbres.

J'attends que M. Wright m'incite à continuer, mais il n'y a plus rien à ajouter. Nous sommes arrivés à la fin.

C'est terminé à présent.

J'essaie de bouger, mais je suis trop solidement attachée. Ma main droite serre fort ma main gauche.

Je me demande si c'est parce que je suis droitière qu'elle a joué ce rôle réconfortant.

Je suis seule dans le noir, allongée par terre.

J'ai la bouche sèche. Le froid glacial du béton s'est insinué dans mon corps, engourdissant mes membres.

Je commence une lettre pour toi, ma petite sœur chérie. Je prétends que nous sommes un dimanche soir, le moment où je me sens le plus en sécurité, et que je suis assaillie de journalistes qui veulent tout connaître de notre histoire.

Ma très chère Tess,

Je ferais n'importe quoi pour être avec toi, là, maintenant, pour te tenir la main, contempler ton visage, écouter ta voix. Comment le toucher, et la vue, et l'ouïe – tous ces récepteurs sensoriels, ces nerfs optiques, ces tympans vibrants – peuvent-ils être remplacés par une lettre ? Mais nous avons déjà réussi à utiliser les mots comme intermédiaires avant, n'est-ce pas ?

Je me rappelle l'internat et la première lettre que tu m'aies jamais envoyée, celle écrite à l'encre invisible et qui a fait que, depuis ce jour, la gentillesse a toujours eu pour moi l'odeur du citron.

Et pendant que je pense à toi et que je te parle, j'arrive à respirer.

23

Des heures ont dû s'écouler et il ne devrait plus tarder maintenant. J'ignore combien de somnifères j'ai avalés, mais durant toute cette nuit, j'ai senti la torpeur de l'épuisement dépouiller mon corps de sa chaleur et mon esprit de sa lucidité. Je crois que j'ai perdu et repris connaissance à plusieurs reprises, mais comment en être sûre dans le noir ? Si tel est le cas cependant, j'ai continué à te parler dans ce sommeil forcé et factice, et peut-être est-ce durant ces instants que mon imagination a été la plus vivace.

Je suis bien éveillée à présent, tous mes sens sont en alerte, nerveux et agités. Ce doit être un effet de l'adrénaline – cette hormone du combat ou de la fuite, assez puissante pour remettre un cœur en route après un arrêt cardiaque, et pour me faire reprendre conscience en sursaut.

J'essaie de bouger, mais je suis trop droguée et engourdie, et mes liens trop serrés. L'obscurité me semble presque solide – pas velouteuse, comme dans les contes pour enfants, pas lisse et douce, mais pleine de piquants hérissés par la peur. En cherchant bien, on y trouverait même le mal tapi derrière, dur et rugueux. J'entends quelque chose à quelques centimètres de mon visage. Une souris ? Un insecte ? Je ne distingue plus les sons les uns des autres. Ma joue me fait mal aussi. Elle doit être appuyée contre une petite irrégularité du sol en béton.

Et si ce n'était pas l'adrénaline qui me tenait éveillée ? Si jamais j'étais bien consciente ? Peut-être ai-je avalé moins de sédatif que je ne le craignais. Ou peut-être ai-je tout simplement survécu à l'overdose.

Mais cela ne fait aucune différence. Même si je n'ai pas été assez droguée, je suis attachée et bâillonnée, et William reviendra bientôt. Il découvrira alors que je suis vivante et il me tuera.

Avant qu'il ne revienne, je veux m'assurer qu'il ne reste aucune zone d'ombre pour toi. Tout s'est déroulé ainsi que je te l'ai raconté, en commençant par l'appel de maman pour m'apprendre que tu avais disparu jusqu'au moment où William m'a laissée agoniser dans le parc. Mais mon histoire se terminera comme la tienne, ici, dans ce bâtiment, inconnue de tous. Je n'ai pas eu le courage d'affronter ça, ou peut-être que j'aime juste trop la vie pour y renoncer si facilement, voilà tout. Faute de pouvoir rêver d'une fin heureuse, j'en ai imaginé une qui soit juste. Et j'ai fait paraître aussi réel que possible cet avenir imaginaire et sûr, avec tous ses détails bien en place.

J'ai peur que tu n'espères une intervention du lieutenant Finborough, mais je pense que tu as senti un cahot dans mon récit quand je t'ai parlé de notre déjeuner au Carluccio. Ce n'était que le doux tapis d'une rêverie sur lequel je pouvais m'allonger pour oublier ce sol bétonné et froid, et cela n'avait rien d'admirable ou de courageux. Tu ne me juges pas, j'en suis certaine.

Et je pense que tu as deviné depuis un petit moment déjà qu'il n'y a pas de M. Wright. J'ai inventé un avocat non seulement pour pouvoir jouer un rôle dans une conclusion juste – un procès suivi d'une condamnation –, mais aussi parce qu'il me forçait à m'en tenir à des faits vérifiables et à une chronologie stricte. J'avais besoin de quelqu'un qui m'aide à saisir ce qui s'est passé et pourquoi. Et également quelqu'un qui m'empêche de sombrer dans la folie. Je ne sais pas pour quelle raison mourir en étant saine d'esprit compte tant pour moi, mais c'est ainsi, je n'y peux rien. Sans lui, ma lettre se serait résumée à un cri de rage et de désespoir qui serait sorti de moi en un flot continu, et je m'y serais noyée.

J'ai fait de lui un homme bon et d'une patience infinie. Un homme blessé par la vie aussi, afin qu'il me comprenne. Peut-être que je suis plus catholique que je ne le croyais et que j'ai vu en lui un confesseur, mais un confesseur qui aurait pu m'aimer même en connaissant tout de moi. Et durant ces longues heures, il est devenu plus réel à mes yeux que l'obscurité qui m'entoure. Plus réel que le simple produit d'une imagination désespérée. Il a acquis sa propre personnalité et une volonté que j'ai dû accepter, parce qu'il ne faisait pas toujours ce que je souhaitais et ne répondait pas à ce que j'attendais de lui. Au lieu de m'aider à peindre un tableau pointilliste des événements, il m'a fait créer un miroir dans lequel, pour la première fois, je me suis vue telle que j'étais vraiment.

Et autour de lui, j'ai placé une secrétaire énamourée aux ongles vernis, des jonquilles, une machine à café et de menus détails qui, mis bout à bout, ont formé un cordon de normalité – parce que, tandis que je tombais dans un précipice terrorisant et que mon corps cédait à l'incontinence, aux nausées et à la peur, il fallait bien que je m'accroche à quelque chose.

Et j'ai donné à M. Wright un bureau très lumineux, où le plafonnier était toujours allumé et où il faisait toujours chaud.

Mon pager sonne encore. J'essaie de l'ignorer, mais avec les mains ligotées dans le dos, cela m'est impossible. Il n'a pas cessé de sonner durant la nuit, toutes les vingt minutes environ à mon avis, encore que j'aie du mal à évaluer combien de temps je suis restée consciente. Il m'est insupportable de ne pas pouvoir aider Kasia.

J'entends les arbres au-dehors, leurs feuilles qui bruissent, leurs branches qui craquent. Je n'aurais jamais pensé qu'ils puissent faire un tel raffut. Mais toujours aucun bruit de pas. Pour le moment.

Pourquoi n'est-il pas revenu ? Probablement parce que Kasia est en train d'accoucher et qu'il est avec elle depuis qu'il m'a abandonnée là. Mais je vais devenir folle si je continue à envisager cette hypothèse, alors à la place j'essaie de me persuader qu'il y a tout un tas de raisons pour lesquelles William a pu être appelé d'urgence à l'hôpital. Il est médecin, on a sans cesse besoin de lui. Et St Anne pratique cinq mille accouchements par an. C'est pour quelqu'un d'autre qu'on l'a fait venir.

Et si le lieutenant Finborough avait considéré que, oui, le doute était permis concernant ton suicide, et qu'il avait comme promis cherché à en savoir plus? S'il avait arrêté William et qu'il était en route pour me retrouver? Je ne formule pas des vœux pieux. Finborough est un policier diligent et un homme bien.

Le professeur Rosen a pu aussi décider de privilégier le présent en faisant ce qu'il convenait de faire, quitte à ne pas marquer l'avenir de son empreinte. Peut-être a-t-il risqué ses essais sur la mucoviscidose et sa gloire universitaire pour aller alerter la police. Il tient sincèrement à œuvrer pour le bien commun et à soigner les gens, et ses ambitions – la célébrité, la gloire, et même l'argent – sont si humaines comparées à l'orgueil de William et à son désir d'un pouvoir parfait. Il est venu à ton enterrement après tout, et il a tenté de savoir ce qui se passait, même s'il n'a rien fait de ses découvertes au départ. Je choisis donc de croire que le professeur Rosen est au fond un homme bon au moins autant qu'il est vaniteux. Je choisis d'avoir de lui la meilleure opinion possible.

Peut-être que l'un d'eux a mis en branle un processus qui a conduit à l'arrestation de William et à mon sauvetage. Si je me concentre bien fort, n'est-ce pas une sirène que j'entends à l'orée du silence nocturne?

Le feuillage des arbres murmure et les troncs gémissent. Non, il n'y a pas de sirène pour moi.

Je vais pourtant m'autoriser une dernière rêverie, un dernier espoir. Penser que Kasia n'est pas en train d'accoucher, finalement. Au lieu de ça, elle est rentrée à la maison comme d'habitude pour prendre sa leçon d'anglais, prête à me réciter les pages de vocabulaire optimiste qu'elle a mémorisées. William ignore qu'elle vit chez moi maintenant et que, après ta mort, ma conversion en personne attentionnée s'est faite *dans les règles de l'art*. Devant mon absence, et constatant que je n'étais pas joignable sur mon portable ni sur mon pager, Kasia a compris que quelque chose n'allait pas. Mon château en Espagne peut sembler égoïste, mais je dois la prévenir que son bébé aura besoin d'aide pour respirer à la naissance. J'imagine ensuite qu'elle s'est rendue au commissariat et qu'elle a exigé que l'on me recherche. Elle a pris ma défense une fois déjà en sachant qu'elle serait battue en retour, alors elle ne se laissera pas impressionner par le capitaine Haines.

Mon pager sonne de plus belle et mon rêve se brise en mille éclats aussi tranchants qu'une lame de rasoir.

J'entends les oiseaux chanter. Au début, je me dis que ce doit être déjà l'aube, mais il fait encore nuit. Ils se trompent d'heure. Ou alors, ce qui est plus plausible, je ne les entends que dans ma tête, tel un acouphène provoqué par la drogue. Je me souviens de l'ordre d'apparition dont Amias m'a parlé : merles, rouges-gorges, roitelets, chouettes hulottes, pinsons, fauvettes, grives. Tu m'as expliqué un jour que les oiseaux des villes perdaient leur capacité à communiquer en chantant et tu as fait un rapprochement avec Todd et moi. J'espère que je l'ai mentionné dans ma lettre. Ai-je aussi précisé que je me suis renseignée un peu plus sur le chant des oiseaux ? J'ai appris ainsi que lorsque l'un d'eux chante, il importe peu qu'il fasse nuit ou qu'il y ait une épaisse végétation autour parce que son pépiement peut franchir les obstacles, les contourner, et même couvrir de très longues distances.

Je sais que je ne pourrai jamais voler comme toi, Tess. La première fois que j'ai essayé – ou que j'ai pensé essayer – j'ai fini ici, ligotée, étendue sur un sol en béton. Si ça, ça s'appelle voler, le crash à l'atterrissage a été pour le moins spectaculaire. Mais, chose étonnante, je ne suis pas brisée. Je ne suis pas détruite. Terrorisée, tremblante et nauséeuse, oui, mais je ne manque plus autant de confiance en moi. Parce que, pendant que je cherchais à élucider les circonstances de ta mort, je me suis découverte différente de la personne que je croyais être. Et si par miracle quelqu'un me libérait et que ma rêverie devenait réalité – William étant arrêté, et Kasia et son bébé partant pour la Pologne avec moi assise à côté d'eux –, alors cette montagne à laquelle je me suis agrippée se renverserait jusqu'à me laisser allongée par terre, et je n'aurais plus besoin de prises et de cordes de sécurité parce que je marcherais, je courrais, je danserais même. Je vivrais ma vie. Et ce ne serait pas ma douleur de t'avoir perdue qui aurait renversé cette montagne, mais mon amour pour toi.

Il me semble que quelqu'un crie mon nom, d'une voix légère et haut perchée. Une voix de femme. Je délire sans doute. À force de penser à toi, je dois être victime d'une hallucination auditive.

Savais-tu qu'il existe un chant de l'aube dans l'espace? Il est produit par des électrons hautement énergétiques qui, piégés dans les ceintures de radiation de la Terre, tombent sous forme d'ondes radio qui évoquent le chant des oiseaux. Cela correspond-il à ton avis à ce que les poètes du XVIIe siècle nommaient la musique des sphères ? L'entends-tu toi aussi, là où tu es ?

Il me semble de nouveau que l'on m'appelle, en marge du chant des oiseaux, de façon à peine audible.

L'obscurité vire-t-elle au gris sombre, ou est-ce une impression ?

Les oiseaux chantent toujours, plus nettement à présent.

Puis j'entends des voix d'hommes. Ils sont tout un groupe à crier mon nom. Je dois les imaginer eux aussi, ce n'est pas possible. Mais si jamais je me trompais ? Il faut que je leur réponde. Mon bâillon est toutefois trop serré autour de ma bouche, et, même sans lui, je suis incapable de produire un son. J'ai bien essayé de cracher ma salive au début, de peur que le sédatif ne se soit dissous dedans, mais ma bouche est devenue si sèche après ça que j'ai vu en rêve la secrétaire de M. Wright m'apporter d'innombrables verres d'eau.

— Beata !

La voix se détache clairement parmi celles des hommes. Kasia. C'est bien elle, il n'y a pas de doute. Elle n'est pas en train d'accoucher. William n'est pas avec elle. De soulagement, j'ai envie d'éclater de rire, mais mon bâillon m'en empêche et je sens à la place des larmes rouler sur mes joues, chaudes sur ma peau froide.

William avait sûrement raison lorsqu'il affirmait que les policiers me penseraient capable de me suicider. Résultat, ils ont pris Kasia au sérieux quand elle a signalé ma disparition. Peut-être, comme il l'avait aussi prédit, ont-ils deviné que je choisirais cet endroit. À moins que ce ne soit les deux mots que j'ai envoyés par texto à Kasia, *«odcisk palca»*, qui les ont conduits jusqu'ici ?

Je distingue une tache sur le béton. L'obscurité se lève vraiment. Ce doit être l'aube.

— Beata !

Sa voix s'est rapprochée.

Mon pager sonne de nouveau et je comprends que crier est inutile. Mon appareil est une sorte de signal qui les guidera jusqu'à moi. Kasia m'a donc appelée toute la nuit non pas parce qu'elle avait besoin de moi durant son accouchement, mais parce qu'elle s'inquiétait. Et voilà le dernier morceau de mon miroir : durant tout ce temps, c'est elle qui a veillé sur moi, n'est-ce pas ? Elle est venue chez moi parce qu'il lui fallait un abri, mais elle est restée parce que je te pleurais et que j'étais seule. Ce sont ses bras meurtris qui m'ont consolée cette nuit-là – la première où j'ai bien dormi depuis ta mort. Et chaque fois qu'elle m'a forcée à danser et à sourire quand bien même je n'en avais pas envie, elle l'a fait pour m'obliger à éprouver, ne serait-ce qu'un court instant, autre chose que de la douleur et de la colère.

Cela vaut également pour toi. L'odeur des citrons à elle seule aurait dû me rappeler que tu veillais aussi sur moi. J'ai tenu ta main lors de l'enterrement de Leo, mais tu serrais la mienne avec force. Et si j'ai survécu à cette nuit, Tess, c'est grâce à toi, parce que j'ai pensé à toi et que je t'ai parlé. Tu m'as aidée à respirer.

J'entends une sirène hurler, d'abord au loin, puis de plus en plus près. Tu as raison, c'est le son d'une société civilisée qui prend soin de ses citoyens.

Et tandis que j'attends d'être secourue, je me dis que je suis endeuillée, mais pas diminuée par ta mort. Parce que tu es ma sœur dans chaque fibre de mon être, et parce que ces fibres sont bien visibles – deux brins d'ADN formant une double hélice dans toutes les cellules de mon corps. Mais il y a entre nous d'autres liens que même les plus puissants microscopes ne pourraient voir. Je pense à tout ce qui nous unit, la mort de Leo, le départ de papa, nos devoirs qu'on ne retrouvait pas alors que nous aurions déjà dû être en route pour l'école, les vacances sur l'île de Skye et les rituels de Noël (à 5 h 10, on a le droit d'ouvrir le premier cadeau ; à 4 h 50 on a le droit de les toucher ; avant cela, celui de regarder ; et avant minuit, rien du tout.) Nous sommes liées par les centaines de milliers de souvenirs qui s'enfoncent en nous jusqu'à faire partie de nous. Je porte en moi la fille aux cheveux couleur caramel qui filait sur son vélo, qui a enterré son lapin, qui peignait des toiles aux couleurs éclatantes, qui aimait ses amis, qui me téléphonait aux heures les plus indues, qui me taquinait, qui honorait totalement le sacrement de l'instant présent et qui me montrait la vie sous un jour joyeux. Et parce que tu es ma sœur, tous ces souvenirs contribuent à me définir et je donnerais n'importe quoi pour revenir deux mois en arrière et pour que ce soit moi, là, dehors, qui crie ton nom, Tess.

Il devait faire tellement plus froid ce jour-là. La neige étouffait-elle le bruit des arbres ? Le parc était-il gelé et silencieux ? Mon manteau t'a-t-il tenu chaud ?

J'espère que, au moment de mourir, tu as senti l'amour que je te portais.

Il y a des bruits de pas au-dehors. La porte s'ouvre.

Il a fallu des heures de terreur dans le noir et des milliers et des milliers de mots, mais au bout du compte, tout se réduit à si peu de chose.

Je suis désolée.

Je t'aime.

Je t'aimerai toujours.

Bea.

REMERCIEMENTS

Je ne suis pas sûre que les gens lisent les remerciements, mais j'espère qu'ils le feront ici parce que, sans les personnes suivantes, ce roman n'aurait jamais vu le jour.

Tout d'abord, je tiens à remercier mon éditeur, la merveilleuse Emma Beswetherick, pour sa créativité et son soutien, et aussi parce qu'elle a le courage de ses convictions et qu'elle sait inciter les autres à les partager. J'ai également eu la chance d'avoir un parfait agent, Felicity Blunt, chez Curtis Brown – une femme inventive, intelligente, et qui répond au téléphone !

J'aimerais aussi remercier Kate Cooper et Nick Marston, également chez Curtis Brown, ainsi que le reste de l'équipe de Piatkus et de Little, Brown.

Un grand merci à Michele Matthews, Kelly Martin, Sandra Leonard, Trixie Rawlinson, Alison Clements, Amanda Jobbins et Livia Giuggioli, qui ont su m'aider de tant de façons.

Composition : Soft Office (38)

Achevé d'imprimer par GGP Media GmbH, Pößneck
en Juillet 2010.
pour le compte de France Loisirs,
Paris

N° d'éditeur : 60127
Dépôt légal : août 2010

Imprimé en Allemegne